# 論理仕掛けの奇談

## 有栖川有栖解説集

有栖川有栖

角川文庫
23098

# 論理仕掛けの奇談　有栖川有栖解説集　目次

# 前口上

本書は、私がここ十七年間に書いたいわゆる〈文庫解説〉を中心にまとめたもので、二〇〇二年に上梓した『迷宮逍遥』（文庫化した際の書名は副題をつけて『迷宮逍遥——有栖のミステリ・ウォーク』）の続編にあたる。解説書・評論集というのはおこがましく、収録されているのは対象とした作品を私がどのように読み、楽しんだかを綴ったエッセイだ。

締めて四十七本（文庫化にあたり三本追加）。評論家でも書評家でもなく、一ミステリ作家にすぎない者にしてはたくさん書いたものだ、と自分でも思う。いずれも編集部や作者ご本人から依頼を受け、「ああ、書きたい」と思ってお引き受けしたもので、これら以外にも時間的に余裕がなかったために（本業の小説を書かなくてはならないので……）辞退した依頼がいくつもある。「この作品ならこういう切り口で書ける。結びの文章はこんな感じで」とイメージが浮かびながら、見送るしかない時は残念だった。

対象となっている作品を読んでいないとさっぱり面白くない文章であれば、こんなふうに本にまとめても意味がない。私としては、対象作品のどこを面白く読んだのかを通して、自分なりのミステリの読み方を表明したつもりである。まとめて読んでいただくことによって「なるほど」と感じていただける部分もあるのではないだろうか。

純粋なミステリ作品だけでなく、ホラーなど隣接ジャンルの作品についての文章も収められているし、中にはエッセイ集の巻末に寄せたものもある。しかしながらそれによってこの本の統一感は崩れないと考えた。

初出時に標題がなく、ただ〈解説〉となっていたものもいくつかあったので、本書に収録するにあたってはエッセイらしくタイトルを付けている。各編の並びは執筆した順なので、後のものほど新しい。

対象作品の結末を暗示したり、核心となるトリックを明かしたりしているもの（F・W・クロフツの『樽』）もあるが、その場合は文中で事前に警告を発しているので、どうかご了承いただきたい。

表記の統一については、あえて不統一のままにしたものもある（ミステリとミステリー、版元によって表記が異なるクリスティとクリスティーなど）。

「その作品なら読んだ」というのであれば、あなたと私の読み方とを突き合わせて、マン・ツー・マンで読書会をしている気分を味わっていただけるとうれしい。「読みどころが全然違うよ」と苦笑していただくのも結構。また、「面白そうだ」と思う未読の作品があったら、ぜひご一読を。本書が読書ガイドの役目も果たせたら幸いと言うしかない。

# お人好(ひとよ)し探偵に乾杯

大倉崇裕(おおくらたかひろ)『ツール&ストール』
（双葉社・02年8月10日）

『ツール&ストール』の主人公・白戸修(しらとおさむ)君は、お人好しであるがゆえ、しょっちゅう事件に巻き込まれてしまう〈放っておけない男〉だ。そして、事態に翻弄(ほんろう)されながらも最後には謎を解いて、〈名探偵〉を演じたりもする。おっちょこちょいの名探偵や、生活力を欠いた頼りない名探偵というキャラクターは珍しくないが、白戸君ほどまったりと人の好(い)い探偵役は稀有(けう)だろう。お人好しが板についていて、彼に接していると温泉につかっているような心地よさを覚える。

だが、疑問に思う読者もいるかもしれない。「お人好しに名探偵なんて務まるのか？」と。彼のような人種は、現実では騙(だま)されてばかりいそうだが……。

こんな心理学の実験がある。他者を信頼する傾向が低い人（人を見たら泥棒と思え派）と高い人（お人好し派）を分けた後、次のような質問が出された。

「駐車場を出ようとした男が、ハンドル操作を誤って他人の車に瑕をつけてしまった。見ていた者はいない。彼がそのまま逃げる可能性は何パーセントか？」

判断しようがないから、回答は五十パーセント付近に集まる。そこで試験官は、「ちなみにその男は、行列に割り込むことがある」だの「落とし物を交番に届けたことがある」だのという情報を加えてから、「彼はどうしたと思うか？」と尋ね直したところ、人を見たら泥棒と思え派の回答があまり変わらなかったのに対して、お人好し派は「そんな男なら、きっと逃げる」「それなら逃げない」と大きく変化したのだそうだ。

要するに、「他者を信じたがる人間ほど、他者に関する情報に敏感で、観察力に長けている」という事実が浮かび上がったのだ。また別の調査では、他者を信じる人間ほど知性が高い、という結果が出ている。だとすると、意外にもお人好しは名探偵に向いているのではないだろうか。

この作品は、〈日常の軽犯罪もの〉というユニークな趣向の本格ミステリであると同時に、読んでいるうちに「お人好しだって名探偵になれる」と元気が湧いてくる小説だ。しかも、「嘘でもいいからフィクションの世界で癒されよう」という代物ではない。それは、真実なのだ。

白戸君に比べたら、はるかに人の悪い男ではあるけれど、私は彼の活躍に声援を送りたい。

がんばれ、白戸修。君は素敵で面白い。これからも色んな事件に巻き込まれ、もみくちゃになって、時には謎を解いて、愛されて、たまに損もかぶるけれどトータルではハッピー、という豊かな人生を送ってくれ。

# こういう本格が好きなんだ

ジル・マゴーン『踊り子の死』高橋なお子訳
（創元推理文庫・02年9月27日）

　ジル・マゴーンが現在の英国ミステリを代表する本格派の一人であることは、二〇〇〇年にようやく邦訳された『騙し絵の檻』（一九八七年）で決定的となった。解説で法月綸太郎氏が「少なくとも過去四半世紀（クリスティ亡き後、といってもいい）のベストスリーに入ることはまちがいないと思う」と絶賛を贈っていたが、巷間の評価も高く、年末恒例の年間ベスト10海外部門でも軒並み上位にチャート・インした。『本格ミステリ・ベスト10』では二位、『週刊文春　ミステリーベスト10』では五位、『このミステリーがすごい！』では七位という具合に。
　翌年に出たアントニイ・バークリーの『ジャンピング・ジェニイ』も一位、八位、六位と大健闘したが、こちらは遅れに遅れて紹介された巨匠の黄金期の作品なだけに、どうして今まで訳されなかったのか、という溜め息が混じっていたようで、本格ファンに与えたインパクトは『騙し絵の檻』ほどではない。何しろジル・マゴーンの方はまだ現役バリバリなのだから。

とは言え、『騙し絵の檻』にしたところで、本国で発表されてから十三年遅れの翻訳だった。出版社にも事情があるのだろうが、国内外のミステリシーンを複眼的にウォッチングするためにも、もう少しスピーディーに動いてもらえるとありがたい（マゴーンの紹介が遅れたことについては、『牧師館の死』解説で三橋曉氏がすでにお書きだ）。たとえば、この『騙し絵の檻』が書かれた八七年というのは、日本では『十角館の殺人』で綾辻行人がデビューした年である。その後、わが国で起きた新本格ムーヴメントとパラレルに、マゴーンがロイド＆ヒル・シリーズの好評もあって、英米でどんどん読者を獲得していったことを今になって知ると、同時代性を摑みそこねた無念を感じてしまう。

余談めいた話をもう少しお許しいただくならば、二〇〇二年五月に訳されてファンを喜ばせた〈フランスのディクスン・カー〉ポール・アルテのデビュー作『第四の扉』も八七年の作品。二〇〇二年九月現在未訳のポール・ドハティーも八五年から九〇年代を経て新世紀まで旺盛な活動を続けている。森英俊氏が「史上最強、最高の推理ドラマ」と推すBBCの人気ドラマ『ジョナサン・クリーク』は九七年からスタートしているし、洋画の世界でも本格の手法を取り込んだヒット作が少なくない。サイコ・サスペンスだ、ノワールだといったものが喧しく通り過ぎていったが、本格の流れは八〇年代以降、ずっと来ていたのだ。

ジル・マゴーンはそんな潮流の真っ只中にいる。これまでの作品を読んでいらした読者ならば、すでにこの著者の名前を信頼のブランドと認知して、書店で見かけるなりレジに運ぶことだろう。本書も、その大きな期待を裏切ることはない。
『踊り子の死』（八九年）はマゴーンの著書としては七冊目。『パーフェクト・マッチ』『牧師館の死』に続くロイド&ヒル・シリーズの第三作にあたる。前作を読んでおらず、キャラクターたちに関する予備知識がなくても、本作を楽しむ妨げにはならない。作者は、これまでの経緯を要領よく書いているし、前作の結末を暗示するような会話や描写もないので、ご安心を。

今回の舞台は、翌年から共学になる予定の全寮制パブリック・スクール。交通事故で記憶の一部を失い、杖が必要となったフィリップが英語教師として赴任してくる場面で幕が上がる。教師間の人間関係はあまり良好とは言えず、盗難事件が頻発するなど、学内には不穏な空気が漂っていた。癖の強い美術教師サムとの同居や、交通事故で夫を亡くした歴史教師キャロラインとの微妙な関係などがあって、フィリップの心は落ち着かない。問題児もいる。わけてもトラブルの種となっているのは副校長の妻で、男を次々に誘惑する奔放・多情なダイアナだった。

ある夜。晩餐舞踏会が催されているさなか、彼女が運動場の一角で死体となっているのが見つかる。誰が、何故、殺したのか？　いつそんなチャンスがあったのか？　ロイド警部とジュディ・ヒル部長刑事のコンビは、もつれた糸のような関係者らの行動を洗い、その心理を探るが、調べるほどに事件の混迷は深まっていった——。

アガサ・クリスティを思わせる正統派の本格ミステリだ。舞台と登場人物を限定した上で展開する犯人探しは起伏に富んでダレ場がなく、ラストの推理の切れ味もよい。一読の後、読み返して伏線を確認する楽しみもある。現代の英国ミステリを代表する作家らしい高品質な作品であり、「そうそう、こういう本格が好きなんだ」と私は膝を打った。堂に入った本格とでも言うべきか。カットバックを多用して情報を分断し、サスペンスを持続させたまま解決を先へ先へと送るお得意の手法も、すでに練達の境地に達している。

クリスティ（マゴーンが好きな作家の一人に挙げている）と異なる点を挙げるならば、人物の造形が現代的で的確なことだろう。不倫の関係にある上司と部下という刑事コンビなどクリスティの時代には想像できなかっただろうが、それが単なる設定にとどまらず、読者の共感を呼ぶように活写されているのが素晴らしい。また、そんな筆の冴えは主役コンビのみならず、端役の一人一人にも及んでいる。ある人物が象徴するだらしなさ、ある人物が象徴する悪意など、みんな私たちの身の回りにあふれているものだ。

『牧師館の死』は妻にドメスティック・バイオレンスをふるう男が殺される話だったが、マゴーンの小説を読むと、フーダニットは時代遅れの伝統芸能でもなければ、お子様向けのゲームでもないことが判る。要は書き方なのだ。

実はマゴーンは第一作『パーフェクト・マッチ』を普通小説として構想したものの、書き始めてからフーダニットになる、と気づいてミステリに方向転換したのだという

(大のミステリ・ファンだという母親の影響もあったらしい)。作者が「たまたまミステリになった」と語るほどだから、人物の造形・描写にも力が入っていて当然なのだ。ちなみにノン・シリーズものである彼女の第二作 Record of Sin は、一部に熱心な支持者がいながら、最も売り上げが芳しくなかった作品だそうだ。このことについてマゴーンは、作品の成否は読者の目に主人公がどう映るかにもまして、フーダニットとしてどう映るかに懸かっている、と自己分析している。そしてさらに、「でもね」と彼女は続ける。「その段階では、私は自分が本格派作家(フーダニット・ライター)だと判ってなかったのです」。おお、「私はフーダニット・ライター」! このフレーズで、マゴーンに落ちよう。

さて、本格ミステリと普通小説、マゴーンの作品はその二つながらの面白さを兼ね備えているが、やはりキャラクター小説としての興趣も無視できない。作者の許(もと)には「ロイドとヒルは、ディナーに誘える隣人のように感じられて好きです」といったファンからの反響が寄せられているようだが、マゴーン自身はキャラクターものに関心がなかったため、第二作から第五作目まではノン・シリーズものが続いた。二人の年齢を高めに設定したので、リアルタイムのシリーズにはしにくい、という判断もあったようだ。それが第五作目を書いた後、「ジュディと彼女の夫マイケルとロイドの三角関係には、『パーフェクト・マッチ』で描かれなかった多くのものがある」と思い至った。そして、名シリーズが始まったわけだ。

マゴーンは、毎回同じ舞台やキャラクターを使って斬新(ざんしん)なプロットを考え出すことを

「容易ではないけれど、楽しんでやっている」と言う。これからも楽しみは続きそうだ。ましてや、われわれにはまだ翻訳されていないロイド&ヒルものが現時点でたくさんあるのだから。

　マゴーンの経歴については既刊の本の解説でも触れられているが、一つだけ未紹介のエピソードを披露しよう。コービー・グラマー・スクールへ進学した彼女のラテン語の教師は、あのモース警部シリーズのコリン・デクスターだったのだ。その後、彼女は短編コンテストに入賞して作家になるが、デビュー作の版元はデクスターと同じマクミラン社で、最初の編集者も同じだったというから面白い。また、彼女は作家になるまで、デクスター先生がミステリ作家だとは知らなかったそうな。

　どうしてお前がそんなことを知っているのかって？

　別にソースを隠す必要もない。ジル・マゴーン自身のホームページで紹介されていることだ。彼女のファンならば、あるいはその作品を読んで著者に興味が湧いたならば、一度覗（のぞ）いてみることをお勧めする。著者の人柄が偲（しの）ばれるニートで親しみやすいサイトで、バイオグラフィーやミニ創作講座などもあって楽しい。テレビドラマ化された『ロイド・アンド・ヒル』（原作はシリーズ第七作のA Shred of Evidence）のページでは、二人を演じたフィリップ・グレニスターとミシェル・コリンズの写真も見られる。ロイドが私のイメージと少し違うんだけどなぁ。

ジル・マゴーン公式サイトの URL
http://www.jillmcgown.co.uk/

# 火のないところでパズルを燃やせ

高田崇史『試験に出ないパズル　千葉千波の事件日記』（講談社ノベルス・02年11月5日）

高田崇史さんの作品はすべて読んでいるよ。第九回メフィスト賞（講談社）受賞作の『QED　百人一首の呪』（一九九八年）を読んで、「え、何、これ？」というぐらい驚いて、それ以来のファンなんだ。ぼくはもともと織田正吉さんが書いた名著『絢爛たる暗号』の愛読者だったから、「今さら百人一首の隠された構図なんて」と冷ややかな先入観を持って読み始めたのに。まさか、あんなことになっていたとはね。まだ読んでいない人がいたら、すぐ本屋にダッシュすることをお勧めするよ。

ところで、執筆者の役得として、ぼくのところには毎月初めに講談社ノベルスの新刊が全部送られてくるんだけれど、その中に高田さんの本があると真っ先に手に取って、そのまま一気に読んでしまう。いつもだ。本当だよ。

……って、知らぬ間にぴいくんの口調になってしまっていた。愉快だからそのまま続けたいのだけれど、本編とまぎらわしくなるのでモードを切り換えよう。

おちゃらけた書き方で始めてしまったが、私は本当に高田崇史ファンである。『百人一首の呪』はとても面白かった、と編集部の方に話したのがきっかけで、第二作『QED　六歌仙の暗号』（九九年）の帯にちょこちょこっと〈お薦めの言葉〉を書かせてもらったりした。

あの時はうれしかった。何がって、『六歌仙』も面白かったこと。私は『百人一首』を読んだ際、感服しながらも作者に対して失礼なことを考えていた。つまり――『百人一首の呪』は、正統派の犯人探しとしての出来栄えも見事だけれど、やはり百人一首の秘密を徹底的に解き明かす考証が圧巻であった。これほどの推理を生涯に何度も構築できるとは考え難い。作者は「考えたことをみんな吐き出して、すっとした。本になって、うれしい」と喜びつつ、もう小説を書かないのではあるまいか？

――なんて悲観的な想像をしてしまったのだ。しかし、そんな心配はまったくの杞憂だった。高田さんは薬剤師という本業を持ちながら、現在に至るまでコンスタントに新作を発表し続けている。

二〇〇二年十一月までに発表されたQEDシリーズは、前記の二作の他に『ベイカー街の問題』（二〇〇〇年）、『東照宮の怨』（〇一年）、『式の密室』（〇二年）の計五作。中には虚構の人物シャーロック・ホームズを材に取ったものもあるが、いずれも歴史ミステリの手法を駆使した緻密にしてエキサイティングな小説である。博覧強記のタタルこと桑原崇、親しみやすい突っ込み役の棚旗奈々、体育会系の小松崎良平らキャラクターの配置も絶妙で気持ちがいい。

歴史ミステリという言葉を使った。たしかにＱＥＤシリーズの面白さは、丹念に推理を重ね、薄皮を剝ぐように歴史の謎を解き明かしていく過程にあるのだが、ただ生真面目に論理的なだけではない。「七福神の呪いとは？」だの「ホームズには語られざる秘密があるのでは？」といった魅力的な謎を創造し、膨大な知識と推理力でそれを論証していく、というスタイルが取られているため、作者が火のないところに（パズルを燃やして？）煙を立てているようなのだ。

小説とは、つまるところ手の込んだ嘘であるが、高田作品は嘘というより冗談と呼ぶ方がふさわしい気がする。もちろん、ここで言う冗談は決して作品を貶めているのではない。かくも知的な愉しみがあるだろうか、というほどまでに磨き抜かれた珠のごとき冗談。こんなものを創れる頭脳と粋な遊び心に、私は深甚な敬意を捧げたい。

さて、高田さんにはもう一つのシリーズがあって、それが天才高校生の千波くんを主人公とした『千葉千波の事件日記シリーズ』だ。本書は『試験に出るパズル』（〇一年）、『試験に敗けない密室』（〇二年）に続くシリーズ第三作。千波くん、八丁堀こと従兄のぴいくん、これまた体育会系の饗庭慎之介のトリオが、毎月毎月、奇天烈な事件に遭遇して、最後には千波くんがパズルのごとき謎を解く、という連作になっている。

歴史や文学を題材にしたウルトラ文系のＱＥＤシリーズでは全編にわたって固有名詞

が充溢していたが、こちらはがらりと趣を変えて、固有名詞など抜きで論理パズルの骨組みが剥き出しになっている。コンクリートならぬパズルの打ちっ放し、とでも言おうか。本書の「もういくつ寝ると神頼み」なんて、容疑者の少年たちの名前が（未成年者だから、というのが建前だが）A、B、Cに還元されていて、名探偵エラリー・クイーンがある短編で不精にも容疑者たちを頭文字でA、B、Cと呼んでいたのを思い出した。

ひところ、瀬名秀明さん森博嗣さんの登場を契機に、理系ホラーや理系ミステリという言葉（その内実はよく判らないけれど）が流布したが、薬剤師でもある高田さんは、パズルの打ちっ放し小説を読者に突きつけることで、ウルトラ理系というもう一つの貌を顕わにしたのである。

森博嗣さんと言えば、『試験に出るパズル』の解説は秀逸だった。その中で森さんは、「嘘しかつかないヒトラーの悪魔が天国の入口に立っていたり、赤い帽子を被った男たちが一列に並んでいたり」する論理パズルの設問が不気味だと指摘し、「わからないからではなく、わかるから恐い」とパズルのこわさに身震いをしてから、パズル領域に踏み入れた片足で最後まで作品の全体重を支えるのが高田ミステリの最大の特徴である、と結論づけていた。

そうなのだ。実は私も、事情の説明もないまま天国の入口に立っている嘘つきヒトラーの悪魔はシュールだ、と昔から思っていた。そいつに関して出される問題が純粋な論理で解けてしまうことも、何だか人を不安な気分にさせるし。もやもやと、こわい。論理パズルには、魔が宿っているのだろう。

千波くんシリーズにおいて、高田さんはそんなパズルの魔を解き放ってしまった。「山羊・海苔・私」など、有名な「どういう手順で川を渡るべきか」というパズルがそのまま短編小説になっている。「手順を考えているうちに泥棒が逃げてしまうではないか。非現実的だ」と当惑した読者もいらっしゃるだろう。しかし、そんなことを作者が承知していないはずはない。本格ミステリとは、小説にパズルの興趣を注入したものである場合が多いが、高田さんは主客を逆転させて、純粋なパズルが小説に化けるところを見せてくれているのだ。物語の豊かさを犠牲にした過激な実験ながら、これも小説だろう。

これらの作品は、「人間が描けている」わけでもないし、「社会が描けている」わけでもない。しかし、そのかわりに滑稽（こっけい）で、不気味で、悩ましく、グロテスクで、楽しくて、こわい。つまり、「パズルが描けている」のだ。余人に真似できることではない。もっとも、そんな本書中の実験作にも濃淡があり、「亜麻色の鍵（かぎ）の乙女」と「粉雪はドルチェのように」では、押さえつけられていた物語性が水面に顔を出そうとしている。読んでいると、まるでパズルが物語に変身（メタモルフォゼ）する現場を目撃しているようだ。そんな過程を開けっ広げに見せてしまうのも高田さんの諧謔（かいぎゃく）精神がなせる業（わざ）なのかもしれない。

火のないところでパズルを燃やして煙を立てる、なんて冗談が好きならば、高田ミステリは文系読者であろうが理系読者であろうが歓迎してくれる。百人一首のうち一首も暗記していなくても、旅人算が解けなくっても、楽しむのに支障はない。ただ、やはり『QEDシリーズ』は地理・歴史・文学に詳しい読者により強くアピールし、千波くんシリーズは数学が苦手でない読者により優しいかもしれない。

私・有栖川は人格に歪みが生じるほどに文系なので、千波くんが出すパズルにまるで歯が立たない。どうせ俺には解けんわ、と諦めていても、悔しいものである。巻末の解答を見ても理解できないことがしばしば。今回、さすがにむっとしたのは、「本の作る角度の問題」の解法に三角関数が使われていたことだ。パズルを解くのにタンジェントを持ち出すなんて、サッカーで言えばオフサイドではないか（……言ってる本人にもピンとこない喩えだが）。

千波くんの出題には、ますます可愛げがなくなってきた。それに較べて、「ぼくの好きなのは……っていうようなやつだ」と反発するぴいくんはナイスな男だ。彼の出す問題は、いつも素直に笑って楽しめる。そんな頓智パズルだって、出題の仕方によっては不気味でこわい場合があるのだろうから、馬鹿にしてはいけないのだ。私は、陰ながらぴいくんを熱く応援している。

ところで、読者の皆さんは彼のことが気になっていらっしゃるのではないか？　実際のところ、ぴいくんの戸籍上の名前は何なんだ、と。高田さんは、最後の最後までそれを明かさないつもりらしい。じれったいではないか。そこで私は、ぴいくんの謎に果敢に挑戦してみることにした。何故ならば、それを解くのに三角関数を使う必要はないことが確信できるからだ。そう、「さて、ぴいくんの名前が判るかな?」というのは、作者から文系読者に向けた挑発なのである。

ちょっとお付き合い願いたい。当初、私は、ぴいくんの〈ぴい〉とは、テレビで使用される〈放送に不適当な発言を消すためのピーという電子音〉に由来するのではないか、と考えた。たとえば、何か猥褻(わいせつ)な響きのある言葉。それならば、ぴいくんが渾名(あだな)を呼ばれただけで気分を害することにも納得がいく。しかし、いくら何でもそんな名前をわが子につける親がいるわけもなく、この仮説は思いついた数秒後に捨てた。

次に浮かんだ仮説は、われながら面白いと思う。『試験に出るパズル』所収の「クリスマスは特別な日」の中に、アルファベットを二つのグループに分類しろ、という問題が出てくるのだが、巻末に掲げられた解答例の一つに私は着目した。アルファベットを日本人の名前で使用されているものといないもの(X、Q)に分ける、とあった。それは変だ。LとPも使わないだろう。いや、Pは〈六本木一平〉なんて名前もあり得るか。でも、苗字(みょうじ)の頭文字にPはないから、ちょっとひっかかる。それはいいとしても、ラ行の音はRで表記してしまうので、Lを使う日本人の名前はなさそうに思うのだが……。

ん、LとP?

どちらもパズル(PUZZLE)という英単語に含まれている文字だ。何か意味がありそうだ、と考えていて閃(ひらめ)いた。そうか、作者はこの解答例で「LとPを含んだ名前」

があり得ることを示唆しているのだ。だから、つまり、ぴいくんが公表したがらない本当の名前とは、パズルなのだ！　苗字は不明だけれど、下の名前はパズルくん。うん、きっとそうだ。これなら卑語ではないし（親の良識を疑うが）、奇抜すぎて本人が照れて内緒にしたがるのにも合点がいく。

そうでしょ、高田さん⁉

と一人で盛り上がっていたら、『試験に敗けない密室』のあとがきを読んで肩を落とした。ぴいくんの本名は、「ふりがな『お』で始まり『お』で終わる」のだそうだ。パズル説は崩壊した。だが、大きなヒントを与えてもらったことに感謝しなくてはならない。

私は気を取り直して、第三の仮説を構築した。「お」で始まって「お」で終わるという、ぴいくんのフルネームとは何か？——書いてしまいたいが、物書きの仁義に反するから控えておこう。はずれていたら馬鹿みたいな仮説だし、「お前は文系ですらない」と言われそうだし。だから自重して、読者の皆さんと一緒に、小説の中でぴいくんの秘密が暴かれるのを待つとしよう。

ああ、次の本が今から待ち遠しいな。本当だよ。

# 眩暈(めまい)と地獄

連城三紀彦(れんじょうみきひこ)『暗色コメディ』
（文春文庫・03年6月10日）

まずは前口上。

喜劇へ、ようこそ。

これから始まるは、腹の皮がよじれるような仁輪加(にわか)にあらず。

巧緻(こうち)に練られた本格ミステリという名の〈暗色コメディ〉。

次々に展開する万華鏡のごとき謎の摩訶(まか)不思議。

其(そ)が、最後で理路整然と説明されるとは摩訶不思議。

読み始めるや頭がくらくら、読み進むほどに更にくらくら、読み終えたならくらくらくらくら。

さながら宙返りするメリー・ゴー・ラウンド。

嗚呼(ああ)、娯(たの)しや、妖(あや)しや、恐ろしや。

面白うて、やがて哀しい〈暗色コメディ〉。

眩暈しながら地獄が見える。
人の心の地獄が見える。

連城三紀彦。

多くの本格ミステリファンにとって、本格ミステリ作家にとって、その名は畏敬の対象である。

『宵待草夜情』（一九八三年）で第五回吉川英治文学新人賞を、『恋文』（八四年）で第九十一回直木賞を受賞した後、どんでん返しや謎解きの面白さを中心に据えた作品からしばらく距離を置いていたかに思われていた連城氏だが、二〇〇二年には『白光』『人間動物園』といういかにも氏らしい精緻で切れ味抜群の本格ミステリを続けて発表し、ファンに快哉を叫ばせた。

氏は、第三回「幻影城」新人賞に投じて入選した短編「変調二人羽織」（七八年）で作家としてデビューした。それから四半世紀が経った今も本格ミステリへの情熱を失わず、その腕前にさらに磨きがかかっているのだから真にうれしい。

記念すべきデビュー作は、衆人環視の中で二人羽織を演じていた落語家が殺されるという不可能犯罪もので、大胆なトリックや謎解きの手際もさることながら、それを大晦日の夜に東京の空を鶴が飛ぶという〈幻想〉につなげたセンスが素晴らしかった。

ミステリの熱心なファンならば先刻ご承知だろうが、「幻影城」とはロマンの復興をめざして一九七五年に創刊された〈探偵小説専門誌〉だ。八〇年代を迎えることなく力尽きた短命な雑誌ながら、同誌からは連城氏を筆頭に泡坂妻夫、栗本薫、友成純一、田中芳樹、田中文雄、竹本健治といった錚々たる書き手が巣立っている。

当時は爆発的な横溝正史ブームのただ中であり、今と同様にミステリはよく読まれていたものの、リアリティを重視した作品が主流を占めていた。本格の短編でマニアックな雑誌の新人賞を獲った作家のもとに原稿依頼が殺到するはずもなく、連城氏はもっぱら「幻影城」誌上で短編を発表し続けることになる。

交通渋滞で東京が〈密室〉と化していたため成立する犯人の〈アリバイ〉を崩す「ある東京の扉」、後の〈花葬シリーズ〉につながるロマンティシズムと奇想が融合した名編「六花の印」、豪快な鉄道ミステリ「消えた新幹線」等々。その頃、本格ミステリの新作に飢えていた高校生の私は、「いいぞ、もっとやれ」と熱い声援を送りつつも、「こんな調子でトリッキーな小説を釣瓶打ちしていたら、じきにアイディアが尽きてしまうのではないか」と心配したものだ。

本書『暗色コメディ』（七九年）は、そんな連城三紀彦の初の長編である。拙文を書くにあたり、幻影城ノベルスの一冊として出た単行本を久しぶりに書棚から取り出して見ると、帯には「四つの場所で四人の男女が四つの奇妙な事件に遭遇した。これらバラバラの事件を結ぶカルテとは？　話題の新鋭・連城三紀彦のネオ・ロマン」とあった。何だかよく判らない紹介の仕方だ。本格ミステリではなく、ネオ・ロマンという耳慣れない言葉にひっかかりながらも、私は作者を信じてすぐに飛びつき――衝撃を受けた。
冒頭から連続して描かれる四つの奇妙な事件――夫に自分と同姓同名の愛人がいると思い込む女・自殺しようとする度に信じられない経験をして死にきれない男・あなたは交通事故で死んでいるのだと妻から諭される男・知らぬ間に妻が別人と入れ替わっていることに恐怖する男――を読み進むうちに、私は大きく揺れ動く船上にいるような酩酊(めいてい)感を覚えた。カットバックで描かれた四つの事件はいずれも幻想的で薄気味が悪いが、とりわけ葬儀屋の主人が気の抜けた声で言う「なんや芳江、俺はやっぱり――」は最高に滑稽(こっけい)でグロテスクである。

眩暈に襲われながら、次第に不安になっていった。こんな突拍子もない謎の数々に、作者は本当に論理的な答えを用意してくれているのだろうか、と。もう充分すぎるほど不思議です、と思っているのに、謎の提示は第一部の終わりまで延々と続くのだ（作者が後に細かなトリックの改変や加筆を行なっているため全体のバランスが変わっているが、初出時は序章・第一部と第二部の長さがほとんど同じだった）。幻想小説やホラー小説なら想像力の限りを尽くして夢想を紡げばいいが、ミステリは現実に立ち返らなくてはならない。あまり狂気と妄想に深入りすると現実に帰れなくなる、と怯(おび)える私を嘲笑(あざわら)うかのように、作者は限界を超えて危険な領域に踏み込んでいくのだった。

まだ本編をお読みでない方がこの文章を目にしていることを想定して――だから冒頭に前口上を置いた――、少しでも結末を暗示するようなことはここでは書くまい。第二部に至って、謎はある部分で拡大しながらも、次第に現実に向かいだす。四つの事件の主役であった四人の男女は、全員が直接的あるいは間接的に精神科の藤堂病院とつながりを持っていることが明らかになり、読者はようやくこの小説の探偵役が誰なのかも見当がつくようになる。作者が、危険な領域から見慣れた現実への帰還に移ったかに思えた。が、最後に待っているのは、私たちがまるで予期しなかった奇妙な事態だ。

　奇妙である。論理的に思考を推し進め、丁寧に積み重ねたはずなのに、読者が目撃する〈本当にあったこと〉が、四つの狂気・妄想よりもさらに異様なのだ。もちろん、ミステリとして不出来なために真相がきれいではない、と難じているわけではない。あくまでも合理的にふるまう犯人（と探偵）というフィルターを通して、一つの異様が別の異様に変化する、という構図は本格ミステリではお馴染みのものだ。それでも、これほど見事な異様から異様へのジャンプは稀有だろう。すべてを知った瞬間、読者の眩暈は頂点に達して、本を閉じた後も長く尾を引くのだ。

　再読するまで気がつかないこともあった。私は、初読の時からこの『暗色コメディ』を不気味な小説だと感じていたが、それは狂気や妄想や真相の異様さだけによるものではない。作者の語り口が恐ろしかったのだ。たとえば、葬儀屋の惣吉が例の「なんや芳江、俺はやっぱり――」という台詞を口にする場面。あるいは、第二部27節の末尾にある「その夜のうちに、事件の最後の幕は切って落とされたのだった」という文章。三人称多視点をとっていると思っていた作中に、このように超越的な視点がふと紛れ込む。

ありふれた〈神の視点〉のようだが、それが入るタイミングが絶妙だ。事件を背後で操る者＝犯人＝作者の黒い影が不意にページをよぎるのが、私には気味悪く思えたのだろう。

連城氏は、心理的なサスペンスと悪夢めいたどんでん返しを特徴とするフランスミステリの影響を受けたようだが、現在の国産ミステリファンならば島田荘司氏との類縁性を感じる方がいるかもしれない。島田氏は、本格ミステリの理想的な形の一つとして、密室や首なし死体といった定型に囚われないオリジナリティの高い謎の創造が重要であり、物語の冒頭に幻想的で美しい謎を置き、それが解体される時の〈段差の美〉を目指すべきであることを提唱した。『暗色コメディ』をはじめとする連城ミステリの多くは、過不足なくその要件を充たしているだろう。私は先ほどから眩暈という言葉を多用しているが、島田氏には『眩暈』という作品がある。

ただ、島田作品と連城作品を較べた場合、両者のもたらす感動はかなり異質だ。前者がスケールの大きな物理トリックで読者を驚かせ、爽快なカタルシスを与えるのに対して、後者は物語の構図の精妙さで読者を圧倒する。そして、異様な事件の解体を通して「信じたいものが信じられなくなった時、人は正気でいられなくなる」という人間の心の地獄を垣間見せてくれるのだ。それは爽快なカタルシスとは呼びにくいが――眩暈の中で見る地獄は甘美である。

本書で連城ミステリに目覚めてしまった方は、片っ端からお読みになればいい。どれを手に取ってもはずれはないが、思いきりくらくらしたいのなら、『私という名の変奏曲』などどうだろう。もちろん、眩暈に愛の地獄がついてくる。

連城三紀彦。

私にとって、その名はいつまでも畏敬の対象である。

# 小説への頌歌（しょうか）

瀬名（せな）秀明（ひであき）『八月の博物館』
（角川文庫・03年6月25日）

行儀作法の本には書いていないが、何となくイメージしていただけるだろう。本棚にも上座と下座がある。私の場合、書斎にある一番高価な本棚（と言ってもガラス扉がついているだけでありふれたものだが）の目の高さ、つまり上座に自著を並べている。そこは見栄えがよいだけでなく、すぐ本が取り出せるポジションなのだ。たいていの作家は同じようなことをしているのではないか。

私は、この『八月の博物館』を自著と並べて置いている。気が向いたらいつでも手に取れるように。実際に棚から抜き出すことはそう頻繁にはないのだが、視線を投げると背表紙が目に触れるのがうれしいのだ。この本は私にとって特別な一冊であり、そんな本の文庫化にあたって巻末解説を依頼されるというのは、光栄の極みと言うしかない。

ところで——書物と読者の間には〈選び・選ばれる〉という関係があるから、ある人にとって掛けがえのない本が、別のある人にとっては読むだけ時間の無駄ということは珍しくない。動物嫌いに『ペットの飼い方』はお呼びでないし、幼稚園児にカントの『純粋理性批判』が無用なのは当たり前なので、話を小説に限定しよう。私は読み終えた小説に心が充たされなかった時、「なんて愚作だ。俺はこの作品を選ばない」と不機嫌になることもあれば、「さっぱりよさが判らない。俺はこの小説に選ばれなかった」と消沈することもある。

『八月の博物館』の場合はというと——私の読書人生の中でも、片手で数えられるほどの回数しか起きなかったことが起きた。「素晴らしい！」と作品を選び、評価しただけでなく、「赤の他人がこんな小説を書いてくれたのか！」と感じた。つまり、作品に選ばれた、と強烈に意識したのである。解説から逸脱するように思われようとも（実はそうではないのだが）、まずその幸福を作者の瀬名秀明さんにお伝えしておきたい。

作家の私がそこまで感じた理由の一つは、この作品が〈小説家を勇気づける小説〉だからであろう。実際、終幕近くのある箇所を読み返すたびに、体が顫えるような感動を覚える。だが、それについてここでは深く立ち入るまい。暑苦しく熱弁をふるった挙げ句、「小説を読むのは好きだけど、書こうなんて気はさらさらないよ」という方に誤解を与えては作者に申し訳ない。

本書『八月の博物館』は、第二回日本ホラー小説大賞を受賞した大ベストセラー小説『パラサイト・イヴ』、第十九回日本SF大賞を受けた超大作『BRAIN VALLEY』に続く瀬名さんの長編第三作にあたる。本書を書店で手にした方の中には、その二作あるいはいずれかを読んで作者のファンになった、という方が大勢いらっしゃるはずだ。そして、本書のあらすじ紹介に目を通して、「これまでのように最先端の科学知識を取り込んだSFタッチの小説ではないようだな」と気づき、「では、どんな物語だろう?」とかえって興味を惹かれたかもしれない。

『八月の博物館』は、SF、ファンタジー、冒険小説、歴史小説の要素がふんだんに盛り込まれた壮大なスケールのエンターテインメント小説だ。と同時に、少年の日への懐旧の甘酸っぱさ、仕事や恋愛に思い悩む大人の現実の苦さも描かれており、また〈小説が小説であるがゆえの制約を利用した小説〉＝メタ・フィクションの手法が採用されている。物語は、考古学者オーギュスト・マリエット、小説家の「私」、小説家を志望する小学生の亨を主人公にした三つの位相が並走し、やがて思いもよらない形で絡んでクライマックスに至る。そして、その中心にあるのが小学生最後の夏休みに亨が迷い込んだミュージアムを展示するミュージアムだ。

この作品が扱っているのは、いかなる実験をしても、いかなる数式を使っても解けない謎で、本書は〈物語を読むこと・書くこととは何か?〉をめぐる物語である。私も、瀬名さんにはハードSFあるいはホラーSFを期待していたから、これには意表を衝かれた。何故、作者はこのような物語を書こうとしたのか? その答えは、作者・瀬名秀明を投影しているとしか思えない主人公の「私」を通して、小説の早い段階で明かされる。

「私」は、創作上の迷いから小説がよそよそしく感じられたり、文芸評論家から「文系を甘く見るな」と痛罵(つうば)されたり、新作の売れ行きが芳しくないことから世間に「デビュー後わずか五年にして小説に行き詰まり、ノンフィクションでは鳴かず飛ばずの元ベストセラー作家」と見られているのではないか、と思い悩んだりしている。このうち最後の「元ベストセラー作家」というのは事実に当たらないが、そう見られているのではないか、と瀬名さん自身がふと思うこともあったのかもしれないし、評論家の酷評もおそらくそれに近いものが実際にあったのだろう。この物語は〈理系というレッテルを貼られた作家が、捉(とら)えどころのない物語という存在の意味を探し求めるため〉に書かれたようだ。

いや、厳密に言うならば、それも違う。「私」自身が述懐しているとおり、物語の「冒頭の作為性」に作家本人が白けてしまい、物語が「自分から限りなく遠のいてゆく」ようなことがあろうと、そんなものは「読者にはあまり意味のない問題かもしれない。だが――」。この「だが――」にこそ、『八月の博物館』の主題はある。だが問うのだ。だから問わない、という態度は人間にとってあまりにも淋(さび)しいから。読者が関心を示してくれるかどうかを疑いつつ、絶対的な答えがない問題に挑むことによって、作者は「文系を甘く見るな」という評論家に「甘く見てなどいない」と回答している。『八月の博物館』は、強靭(きょうじん)な文系の小説である。

文系・理系とあっさり二項対立的に言ってしまうのはどうか、という疑問もあるだろう。それは日本独特の言い回しだとも聞くが、文系的・理系的な指向性というのは、現に存在する。瀬名さん自身、文系・理系という分け方に無関心ではいられないらしく、エッセイ集『ハートのタイムマシン!』（角川文庫）の第一部「小説と科学」で高校生を対象にしたアンケート調査の結果をまじえて考察していた。

　アンケートの結果はおよそ予想どおりだったが、その中にもあった〈理系は数学的思考や数的処理能力に長けている者を指し、それ以外の者が自分を文系と称する〉という見方（こう思っている人は世間に少なくない）は浅薄だ。私が考えるに、両者を分かつのは「歴史的か、非歴史的か」の違いである。数学や物理というのは歴史を問うてはならない世界で、昨日の水は$H_2O$だったが今日は$H_3O$だったなどということは、あってはならない。その反対に、歴史のある世界、すなわち事物の一回性と固有性に引き寄せられ、うつろう真実を希求するのが文系の世界と言えるだろう。数学にも歴史にも関心のない人間はニュートラル……というより無系である。理系のベースが数学ならば、文系のベースは歴史（間違っても言語能力ではない。そんなものは、知性の大前提にすぎない）なのだ。

　繰り返すが、文系とは歴史と向き合う者を指している。理系にとって数学が前提であるように、歴史は文系の前提だ。もちろん、世界史年表を丸暗記しているとか、戦国武将や新選組についてならどんなクイズにも解答できる、というのは単なる雑学にすぎず、そういった物識りをただちに文系と呼ぶのは憚られる。満月博士の言葉を少しだけ引用させてもらうと、「誰かに何かを伝えようとするとき、自分の記憶だけでは不充分なんだ」「それに自分の空想を書くときだって、過去の遺産から完全に自由になるわけではない」「小さなコイン一枚にも、大きな大きな物語が潜んでいる」「それを伝える人がいなければ、コインはただの小さなコインでしかない」。だから、歴史を通して〈自分〉や〈世界〉を見られなくては年表の暗記など無意味だし、歴史に向き合うことなくして人の心を打つ物語は書けまい。科学に強い理系の作家であろうと、文系のハートが必要だ。

長すぎる余談に思われたかもしれないが、話は『八月の博物館』からはずれていない。この作品の副主人公は古代エジプトに魅せられた十九世紀の考古学者オーギュスト・マリエットであり、小説家に憧れていた少年時代の「私」＝亨は、満月博士の〈同調〉システムを使って美宇とともに過去のパリやエジプトへ時間旅行をする。仄聞するところによると、瀬名さんはエジプトへの取材旅行や関連資料の購入に破格の経費を使ったそうだが、それは伊達や粋狂ではない。歴史に没入することで、自分に貼りつけられた理系というレッテルをいったん剝がしてみせたのだ。

真にこの小説は物語に満ち満ちていて、マリエットという学者を起用した点も実に巧みである。彼が書いた原案をヴェルディが気に入り、スエズ運河開通記念にカイロのオペラ座で初演された「アイーダ」を作曲したことは、音楽ファンにはよく知られている（エジプト太守の用意したギャラが破格だったからだ、という説もあるが）。何故、エジプトはオペラにこだわったのか？　それは、国家という物語の成立と国威を発揚させるのに、エクスペンシヴな総合芸術である国民オペラの創造が有効だからだ。ヨーロッパ音楽の伝統のない国、たとえば南米諸国もイタリアから音楽家を招いて国民オペラの創出を図った。国家・国民という巨大な現実でさえ、物語で埋めなければならない隙間だらけなのだ（オペラではないが、日本も軍靴の音が響く一九四〇年に紀元二六〇〇年記念祝典曲をリヒャルト・シュトラウスらに委嘱しているように、自国民がその作曲者である必要はない）。しばしば歴史は物語であり、物語は歴史である。

　瀬名さんは文系のハートを前面に出し、時空を超える旅を書いた。その時に、この作家ならば最先端の量子力学やら哲学の時間論を縦横に駆使し、もっともらしいタイムマシンを発明することも可能だったろう。ところが、作者はそういう方法は選ばず、現在と彼方（かなた）が〈同調〉すれば時空は超えられる、というお伽話（とぎばなし）めいた仕掛けを持ち出して肩透かしを食わせる。「こういうファンタジーを瀬名秀明に期待していなかった。作者が『ドラえもん』の大ファンなのは知っていたけれど」と私は拍子抜けしたのだが、読み進むうちに作者の意図するところが見えてきた。自分が物語に〈同調〉し、感動したからだ。

　作中の「私」でなくとも、作家はふと考え込まずにいられない。自分にとって、作品にとって、読者とはどういう存在なのか？　読者にはどこまで理解を求めることが可能なのか？「人は何故、物語に感動するのか？」が判らないまま小説を書くのだから、作家がそう惑うのも必然である。文学評論・詩学の観点から「作品＝テキストと読者の関係性」について多くが語られているが、それは作家の知性に訴えはしても、えてして情動とは切断されている。わけが判らないまま闇雲に書き、輪郭が定かに描けない理想の読者を夢想してしまうのが「小説を書く」という営為であるから。ギリシャ悲劇は、芝居の背後で登場人物の心情やシーンの意味を歌うコロス（合唱隊）という理想の読者を発明したが、小説にコロスはいないし、つけようがない。だから、瀬名さんは〈同調〉という奇跡を読者に差し出してみたのだろう。小説とは、作家が書きたいままに書いた虚構が、まったく違った時空にいる読者と突然に〈同調〉する可能性のことなのだ。

　私の場合、その〈同調〉が極端だったことを告白しておく。ベストセラーとは無縁ながら「私」と同じくミステリ作家である点、小学生の頃から小説家になりたいと熱望して雑誌を作ったりしていた点、エラリー・クイーンに心酔している点など。『ナイル殺人事件』は想い出の映画だし、おまけに十二歳の頃、鷲巣に近い存在のクラスメイトまでいた。が、もちろんそんな具体的な条件の一致がなくても、物語と読者の〈同調〉は起こり得るはずだ。

「面白いから読むだけで、小説なんて暇つぶし以上のものではない」と思っている読者であっても、小説が好きならば、思いがけないほど強く心を摑まれる箇所があったのではないだろうか。作中の随所にちりばめられた「小説の面白さはどこからくるのか？」「感動するとはどういうことか？」「物語の力とは何か？」という愚直な〈小説の自問自答〉は、小説を読む根拠を掘り起こす冒険でもあるのだから。

『八月の博物館』は、小説の力を信じた小説。作家・読者・小説そのものに捧げられた、知的で美しくロマンチックな頌歌なのだ。

# 夢想の哲学

篠田真由美『原罪の庭　建築探偵桜井京介の事件簿』
（講談社文庫・03年10月15日）

建築探偵桜井京介の事件簿シリーズの第一作『未明の家』のあとがきで、作者はこう宣言している。

「アナクロだと笑われようと、馬鹿にされようと、ののしられようと――（中略）私は〝お館〟の登場するミステリが好きだ」

そして、好きな作品として中井英夫の『虚無への供物』、小栗虫太郎の『黒死館殺人事件』、ディクスン・カーの『髑髏城』、綾辻行人の『十角館の殺人』を挙げていた。

広壮な館を舞台にした本格ミステリについては、「わくわくするほど好き」やら「リアリティがなくて白ける」やら賛否両論があるだろう。かつては否定派が優勢だった。一九六〇年代から七〇年代にかけて、風采の上がらない刑事が〈アパートでのホステス殺人事件〉の聞き込みに回る社会派風ミステリが猖獗を極めていた頃だ。そのため、館ミステリがアナクロだと笑われる場面もあったが、八〇年代の終わりに本格ミステリが新本格として復権して以降、情勢が大きく変わる。
館ミステリは多くの支持者を獲得し、「なにを今さら」と冷笑されなくなったかわりに、別の難題を抱えることになった。「また館ものか。珍しくもない。少しは工夫して書いたんだろうな」という厄介なハードルだ。前記のあとがきで「私は〝お館〟の登場するミステリが好きだ。すてきな建物が出てきたら、それだけでかなり許せてしまうくらい好きだ」と書いた〈読者としての篠田真由美〉も、今ではそう甘くはないかもしれない。

同あとがきで篠田氏は「建築を単なる背景としてではなく、もっとも生き生きと魅惑的に描くことができるのはミステリだと断言したい」とまで書いた。「もっとも」とまで断ずる自信はないにせよ、本格ミステリには館がよく似合う、と私も認識している。が、その根拠は何かと問われると、明晰かつ美しい解答を示すのは容易ではないし、その認識がどの程度まで普遍的かも定かではないのだが。

千街晶之氏は「終わらない伝言ゲーム――ゴシック・ミステリの系譜」（『創元推理10』所収）において、お館の本場であるイギリスのミステリで描かれる貴族や富豪の邸宅にはゴシック趣味（異形性・迷宮性・陰鬱な雰囲気の強調）は希薄で、それらはアメリカで誇張され、日本に伝わってさらに拡大解釈され続けている、と指摘した。川下に行くにつれて過剰化・異形化するという現象は、文化が模倣される場合にはありがちなことだ。篠田氏は、その末端（あるいは先端）に立って、「もっとも」と断言する。「馬鹿にされようと、ののしられようと」という悲痛でありながら微笑ましい叫びは、伝言ゲームの川下に立っている自覚の表明と理解したい。

今日、ミステリの源流をたどるとゴシック・ロマンス＝浪漫的な怪異譚に至る、という説に有力な反論はない。近代精神の鑑賞に耐えられなくなった時、それはミステリやSFに分岐して、アクロバティックな変身を遂げた。出来上がったものは、近代精神の担保を獲得した中世＝怪異や奇想。そうであるなら、ミステリがゴシック趣味に流れるのは、郷愁の遠吠えとも言える。非日常的な建築へのこだわりも、その一環であろう（このあたりが、私の考えが及ぶ限界だ）。

愛好家の域を超えて建築にのめり込む篠田氏には、『幻想建築術』（祥伝社）という彫心鏤骨の著書がある。こちらはピュアな幻想小説だ。その序章では、死の床にある普請道楽の老人が、莫大な富と情熱のかぎりを尽くして建てた館について想いを巡らせる。またもや引用をさせていただきたい。

「白人の目に映じた異国趣味としての東洋を、同じ東洋人である自分が真似ることの滑稽と皮肉。客の誰かがしたり顔に、そのことを指摘してくれてもよい。だが、それさえも含めてのこれは遊戯だ」

「東洋の豪奢と西洋の美をふたつながら内に収め、しばしば笑うべき錯誤や贋物に陥る欧州人たちの異国趣味などよりも、遥かに深く濃い折衷の快楽を実現することは、確かに男にとってひとつの大きな野心ではあった」

この男のような諦念と自負は、建築においてのみ成立するわけではない。極東の島国という川下で本格ミステリを受け取り、それを貪らんとする者たちの口から、同じ言葉が洩れない方が不思議というものだ。

「それさえも含めてのこれは遊戯だ」の述懐に、やはり篠田氏の自覚がにじみ出している。したり顔の縁なき輩に「アナクロだ」と嘲笑されることを厭わない遊戯精神が、本格ミステリの命脈を保たせてきたのである。

だが篠田氏は、「判ってやっているんだから放っておいて欲しい」と開き直るのを潔しとしない。自覚した者の責務を引き受けようと模索した結果、誕生したのがこの建築探偵シリーズである。ここには、篠田真由美という作家の指向性が鮮やかな輪郭をもって表出している。

それを簡単に言ってしまうと、可能なかぎり現実を幻想に奉仕させる、という姿勢だ。先に氏のお気に入り作品を列挙したが、オールタイム・ベスト・ミステリと呼ぶほど偏愛しているのは「郊外の文化住宅を色彩絢爛たる悪夢の城に化生させる魔術的作品」の『虚無への供物』だそうだ。ケルト・ルネッサンス式のシャトウ〈黒死館〉、ライン河畔の古城〈髑髏城〉、数奇なからくり建築家が設計した〈十角館〉よりも、郊外の文化住宅である『虚無への供物』の〈氷沼家〉により強く魅せられるのが、この作者なのだ。

何故、〈氷沼家〉なのか？　それは、東京都内に実在していてもおかしくない、というリアリティが決め手ではあるまいか。リアルなものが「悪夢の城」と化する魔術が氏の心を揺さぶり、騒がせるのに違いない。

　夢に落ちるためにはまず覚醒しなくてはならないし、夢と現実の間を味わおうとすれば現実の透徹が必要になる。篠田氏は、そんな夢想のための公理に忠実なのだ。

　館ミステリとひと括りにするのをやめてみよう。およそありそうにないが故に蠱惑的な建築物と、あるべきところにあるべき形で存在していながら蠱惑的な建築物がある。篠田氏は、本格ミステリを書くにあたって常に後者を採用している。これは一つの夢見る哲学である。

　黄金時代の英米作品のごとき〈夢のような殺人事件〉を描こうとした時、わが国の作家はしばしば困惑する。ストックの文化に背を向け、フローの文化を育んできたこの多湿な風土には、そのような殺人と釣り合う堅牢な館がない。舞台がないが、描きたい。ローティーンの頃からミステリの創作で遊んでいた私にも、そんな葛藤の記憶がある。そして、適当な打開策を見出せぬまま、いつも「ええい、あることにしてしまえ」と大風呂敷を広げて、あるわけがないような西洋館を建てた。しかし、自作ながら「こんなすごい館が実在していたら、テレビや雑誌で紹介されて日本中に知れわたりそうなものだ……」と突っ込まずにはいられなかった。子供の創作でなくとも、日本を舞台にした多くの館ミステリは、そのような危うさを免れていない。

　その点、篠田氏の方法論は正攻法だ。明治以降、わが国にも幾多の西洋館が建てられた。文化遺産として保存されているものもある一方、正当に価値を評価されないまま、あるいは惜しまれつつ取り壊されていくものも多い。それらに関するよろず相談を募る〈建築探偵〉を主人公に起用すれば、掘り出し物の西洋館を次々に舞台にすることができる。明治の〈煙草王〉や〈石炭王〉や〈鰊長者〉になって、思いのままリアルな架空建築を設計して遊ぶ快感。そこに思いのままの死体を転がし、妖しい事件を立ち上げる愉悦。それは、シャトウのごとき〈黒死館〉を紙の上に築く陶酔に劣らない。

　正攻法だが、その手法を穏当すぎて微温的に感じる読者がいるだろうか？　虚構というのは面白い。アンチ現実の権化のごとき〈黒死館〉建造を諦めてアンチ黒死館を描いたとしても、そこに生まれた館は現実ではない。それもまた、〈黒死館〉の鏡像としてのアンチ現実となる。

　この手口は、実は本格ミステリそのものの手口でもある。超自然を否定しながら現実に回収されないというひねくれた本性を持つ本格ミステリにとって、篠田真由美の建築探偵シリーズは最上のフォーマットなのだ。

　現実を可能なかぎり取り込む姿勢は、キャラクターの造形にも窺える。と言っても、桜井京介、蒼、神代宗教授、栗山深春ら主要キャラクターが写実的に描かれているわけではない。彼らの造形と配置は、むしろ堂々と虚構めいていて、そのためこのシリーズをキャラクター小説として楽しむ読者も少なくない。作者はここでは、本格ミステリの虚構臭を中和するのに、あえて虚構めいたキャラクターをもってしていると思われる。私がリアリティを感じると言うのは、彼らがちゃんと歳をとる、ということだ。そのあたりの事情は、『未明の家』の文庫版あとがきでこう説明されている。

「このシリーズでは『作品世界でも時は流れる』ということにこだわり続けている」

「確かに老いることは辛い。死に向かって生きることはしばしば苦しい。しかし私はそういう人間の運命から切り離された夢物語を書きたくはない」

篠田氏は、ここでも夢物語の足場にとことん自覚的なのである。

また、例を挙げてつぶさに見ていく紙幅はないが、このシリーズでは登場する建築のみならず、場所（土地）や人名、事績の配置が恐ろしく的確だ。おそらく作家的教養の乏しさから私が見落としているものもたくさんあると思われる。読者は、それらを拾い集める作業をも楽しむことができるだろう。

シリーズ全体について語りすぎたかもしれない。『原罪の庭』についても書こう。この作品は非常にシンプルでクリアにまとめられているため、読者が特別な鑑賞の手引きを必要とするとも思えないが。

作者があとがきで「異色作の範疇(はんちゅう)に入れられるかもしれない」と述べているとおり、設定にひねりを加えたシリーズ中の異色作だ。

「主要キャラクターの一人、蒼の過去にまつわる物語」だから？　そう受け取る読者もいるかもしれないが、私が興味深かったのは、舞台が庭だったことだ。

もっとも、庭といっても作中で血が流れるのは邸宅に付属した庭園ではない。ロンドンにある世界で最も有名な植物園、キュー・ガーデンのパーム・ハウスに似た温室の中だから、事件は建造物の内部で起きる。だが、この建造物＝西洋仕込みの館は、温室という機能のためにガラス張りで透明だ。宇宙の模造品である植物園を抱え込んだ透明の館。そんなものがシリーズ第五作で飛び出してこようとは、予測していなかった。

　庭と館は不可分の関係にあるし、篠田氏はすでにデビュー第三作の『祝福の園の殺人』で、十七世紀イタリアを舞台にした庭園ミステリを書いているから、驚くことはないかもしれない。しかし、『原罪の庭』の現場は、庭園を呑(の)み込んだ館という両義的な空間だ。館ものとしても庭園ものとしても、腕のふるい甲斐(がい)があっただろう。

チャールズ・W・ムーア、ウィリアム・J・ミッチェル、ウィリアム・ターンブル・ジュニアの『庭園の詩学』に、こうある。

「植物園は、世界の果てから集められた様々な種類の植物によって、世界のイメージに形を与えていた」

「そのために、最初の植物園の創設者たちは、愉楽のためだけではなく、（神を知るという意味で）知識を獲得する手段として、楽園から失墜した後に再び自然を支配する手段として植物を収集していた。分散されたエデンの断片を注意深く収集してつなぎ合わせれば、人間にもエデンを修復できると思われていた」（有岡孝(ありおかたかし)・訳）

『原罪の庭』は、忌(い)まわしい過去に縛られ、ぬくもりのない世界に追放された少年をめぐるミステリである。その痛々しさは、まさに〈硝子(ガラス)の柩(ひつぎ)〉に閉じ込められたかのようだ。陰影のない透明の館にとり残された少年は、「見たままだ。あいつがやった」とすべての罪を被せられる。その彼を、桜井京介はいかにして救うことができるのか——。

庭園という言葉から連想を広げていけば、やがてエデンの園が浮かぶだろう。だが最早、その片鱗すら地上にない。あるのは、「断片を注意深く収集してつなぎ合わせ」た植物園の温室だけ。だからこそ、失楽の少年の謎の舞台として、作者は〈美杜邸温室〉を建てたのだ。そうすることによって、作品は結果として建築探偵シリーズに組み込まれた。まさに異色作だろう（もちろん、作者はまず温室を舞台として選び、そこから逆算して少年の物語を生み出したのかもしれないが、いずれにしても矢は的に命中している）。

建築探偵シリーズは、建築フリークという作者の趣味の反映というにとどまらず、その資質を充分に開花させ、夢想の哲学を展開させる絶妙の器となっている。これからも傑作、秀作が生まれるに違いない。

# 華麗なる名作

アガサ・クリスティー『オリエント急行の殺人』中村能三(なかむらよしみ)訳
(ハヤカワ文庫・03年10月15日)

大雪のためユーゴスラヴィアの山中で立ち往生した豪華国際列車。そのコンパートメントの一室で殺人事件が発生した。殺されたのは忌(い)まわしい過去を持つアメリカ人乗客。なんと十二もの創傷を負った無惨な死に様だった。犯人は、この列車に乗り合わせた者の中にいる。列車会社の重役は、乗客の一人に事件の捜査を頼んだ。依頼された男の名は、エルキュール・ポアロ。〈ミステリの女王〉アガサ・クリスティーは数多くの傑作・秀作を遺(のこ)したが、その中でも『オリエント急行の殺人』(一九三四年)は、舞台や登場人物の華やかさ、結末の意外性、作品の知名度で群を抜いている。華麗なる名作と呼ぶのがふさわしい作品だ。ミステリファンなら必読の書、それもなるべくならスレていない初心者のうちに読んで楽しみたい一冊である。

と言うのも、作品があまりに有名であるため、思わぬところで「『オリエント急行の殺人』のように×××して」とネタを割られてしまう危険があるからだ。実のところ私自身、中学一年の時にある学習雑誌のミステリ紹介記事で犯人をバラされた苦い経験をしている。犯人を知ってしまったら楽しめない、という小説でもないが、やはり何も知らないまま読み、ポアロの口から真相を聞いて驚きたかった。

鉄道ファンとミステリファンは重なることが多く、旅行が国民の一大娯楽になっているわが国では、列車をからめたトラベルもの・鉄道もののミステリに根強い人気がある。その多くは、列車内での殺人や時刻表を利用したアリバイ崩しがテーマになっているが、『オリエント急行の殺人』のように物語の大半が車内で展開する、という作品は案外少ない。その舞台劇めいた味わいは、豪華な国際列車に乗り合わせた多国籍の容疑者たち、という設定とともに、国産鉄道ミステリを読みなれた読者には新鮮だろう。

トラベルものという言葉が出たので言及しておこう。クリスティーには、トラベル・ミステリの要素を盛り込んだ作品が多く、旅や乗り物が頻繁に登場する。考古学者だった夫との旅の経験を生かした『メソポタミヤの殺人』や『バグダッドの秘密』(いずれもイラク)、『死が最後にやってくる』(舞台は紀元前二〇〇〇年のナイル河畔)、『死との約束』(エルサレム)のほか、『カリブ海の秘密』(西インド諸島)、『白昼の悪魔』(イギリスのリゾート地・スマグラーズ島)等々。乗り物を使った作例としては『ナイルに死す』(ナイル河観光船)、『雲をつかむ死』(フランスからイギリスに向かう旅客機)、『青列車の秘密』(ニース行きの特別急行列車)、『パディントン発4時50分』(ロンドン市内を走る列車)がすぐに思い浮かぶ。『オリエント急行の殺人』は、それらの作品群の頂点に君臨している。

　エキゾチックで、レトロで、サスペンスフル。本作の魅力をざっと要約すると、その三つになるだろう。しかし、実はこの作品にはそれを超えるインパクトがある。胡散臭く、スキャンダラスな一面によって。

〈ミステリの女王〉は、斯界きってのスキャンダルの女王でもある。といっても、夫の不倫に煩悶して謎の失踪事件を起こしたことを指して言うのではない。あまりに先鋭的な作品を発表したゆえに、「是か非か」という論争を何度も巻き起こした、という意味でのスキャンダルである。その最大のものは、何といっても『アクロイド殺し』（二六年）だろう。この作品でクリスティーが仕掛けた大業が「フェアかアンフェアか」については、現在でもなお賛否が分かれるほどで、それほどのインパクトを持っているのだ。

『オリエント急行の殺人』については、「是か非か」をめぐって喧々囂々たる論争があったとは聞かないが、この作品の「掟破り」の度合いは『アクロイド殺し』に匹敵する。われわれミステリファンが、何とはなしに抱いている結末の枠組みをいともあっさり破壊してしまうからだ。その枠組みが何なのかは、お読みいただければ瞭然だろう。犯人に関する黙契である。

　ふと想像する。たとえば、ミステリにまったく興味のない人間がシドニー・ルメット監督、アルバート・フィニー主演の映画『オリエント急行殺人事件』（七四年）を観たら、「こういうことだったんでしょ」と簡単に真相を見抜いてしまうのではないか。いたってストレートな物語なのだから。この結末についてフィリップ・マーロウの父、レイモンド・チャンドラーは「こんな答えには、非常に鋭い知性をもった人が目をまわすこと、請け合いである。間抜けにしかわからないことだろう」(「単純な殺人芸術」)と嚙みついているが、負け惜しみというものだ。間抜けにわかるなら、あんたも気づけよ。しかし、チャンドラーが歯嚙みしたのも道理だ。この作品は、ある程度(ほんの少しでも)ミステリに予備知識がある人間に対してこそ効果を発揮するからだ。現実の世界ではさほど意外でないはずのことが、ミステリの世界でのみ意外性を帯びるというパラドックスが光っている。この小説を書きながら、〈ミステリの女王〉は、不敵で凄みのある笑みを浮かべていたかもしれない。「あなたたちと、そんな約束をした覚えはないわ」と。前に「胡散臭く、スキャンダラス」と書いたのは、もちろん賛辞である。

スキャンダルと言えば、本作の背景となっている誘拐事件は、実際にあったリンドバーグ子息誘拐事件をモデルにしている。当時、世界を震撼させた悲劇を、クリスティーはすばやく自作に取り込み、ミステリとしての「問題作」を書き上げた。抜群の作家的反射神経である。レトロスペクティヴな風味を楽しみながら、その点にも留意したい。

# 極上のプレグナント・ミステリ

松尾由美『バルーン・タウンの殺人』
（創元推理文庫・03年12月26日）

松尾由美氏は、本書の表題作「バルーン・タウンの殺人」を第十七回ハヤカワ・SFコンテスト（一九九一年）に投じて入選し、作家としてのスタートを切った。あいにくと私は、作者が当初のホームグラウンドにしていた「SFマガジン」にふだん目を通さないので、連作短編集として『バルーン・タウンの殺人』（九四年）が上梓されるまで、松尾氏の作品に接したことはなかった。松尾由美、WHO？——だったのだが、文庫オリジナルの形で出た本書を手に取った時、カバーに書かれた内容紹介を見て「へえ」とひと声洩らしたのを覚えている。

人工子宮（AU）の普及によって、お腹を痛めて子供を産む必要がなくなった近未来に、あえて昔ながらの妊娠・出産を望む女性たちだけが暮らす東京都第七特別区、通称バルーン・タウン。そんな空想上の町で起きた殺人事件の謎に、女刑事と妊婦探偵のコンビが挑む。この設定のユニークさだけで、作者が只者ではないことが知れるというものだ。

そして一読の後、賛嘆した。立派なSFであり、洗練された都会的ユーモア小説であり、ピリッと風刺が効いたジェンダー小説であると同時に、非常に良質の本格ミステリに仕上がっていたからだ。ひと口で何度もおいしい贅沢な短編集であり、しかもとても判りやすい。誰かに「何か面白い本はない？」と尋ねられた場合、聞き手の性別や趣味・嗜好をあまり考えずに、「これを」と推薦できる一冊だろう。もちろん、相手がミステリファンならば、「きっと楽しめるよ」と自信をもって薦めることができる。

私にすれば、松尾氏が「バルーン・タウンの殺人」をSFのコンテストに応募したことが、いささか奇異に思える。この作品は、殺人事件が登場するミステリ風SFというより、架空世界を舞台にしたSFミステリと呼ぶのがふさわしいのではないか。作者にすれば、「どこに投稿しようと私の勝手」であるし、どんなデビューの仕方をしてもこの作品ならミステリファンの目に留まったに違いないけれど。なんだか、「他の男に声を掛けたりせず、いきなり僕とデートしてくれたらよかったのに」という感じだ。

バルーン・タウンものは、現在に至るまで書き継がれる人気シリーズとなっているが、才気溢れる作者は「伝統的家族制度に挑戦する家族だけが住む地園田団地」を舞台にした『ジェンダー城の虜』や、中古CDから飛び出した黒い天使がマイナーロック研究会のメンバーを殺してゆくという「ミステリとファンタジーと青春小説」がブレンドされた『ブラック・エンジェル』、幽霊や超能力を扱った連作ミステリ『銀杏坂』など、ジャンルの壁を無効にする独創的な作品を発表し続けている。SFコンテストに「バルーン・タウンの殺人」を送ったことは〈たまたま〉だったのかもしれない（〈たまたま〉ではなかったのかもしれないが、その件はひとまず措いておこう）。

紡錘形の身体をパステルカラーのジャンパースカートに包んだ住人（もちろん全員が妊婦）がメルヘンめいた町並みを行き交うバルーン・タウンの情景は、微笑ましくも異様だ。思い浮かべると、不思議な夢を見ている心地がする。「エレベーターは満員だった。といってもぎっしりなのはお腹のところだけで、顔のあたりはすいている」なんて描写に出会うと、小説を読むというのは楽しいな、としみじみ思う。

そんな不思議空間で奇妙な事件が起こり、本格ミステリが始まる。どうなることかと期待に胸をふくらませるわれわれの前に現われるのは、未婚の妊婦探偵（本職は血腥い小説を手懸ける翻訳家）暮林美央だ。天然の出産を希望する物好きである上、妊娠中にあえてノスタルジックな煙草をふかすカブキ者、という造形がとても名探偵っぽい。古今東西、ミステリ作家は「ええカッコしすぎ」から「それは無茶やろ」まで、百鬼夜行のごとく様々なキャラクターを創造してきたのに、誰もこういう探偵を考えつかなかった。

バルーン・タウン・シリーズは舞台とキャラクターが斬新なだけではなく、どの作品も本格ミステリファンを満足させるクオリティの高さを具えている。それは前述のとおり読者を選ばない面白さだ。が、ミステリというジャンル小説に対する批評精神が加味されているため、マニアのハートをくすぐる仕掛けになっている。

収録作品に触れながら話を進めよう。

「バルーン・タウンの殺人」は第一作だけあって、このシリーズを貫く思想がよく表われている。妊娠・出産を制度化せずにはいられない国家権力や、女性にとって妊娠・出産とは何かという考察も興味深いが、「妊婦は透明人間なの。お腹以外は」という美央の発言は実に本格ミステリ的でファンをにやりとさせるし、「考えてみれば妊婦だって人ぐらい殺すわよね、人間なんだから」に至っては痛快である。こういう不謹慎な真実を清々しく言い切るのが本格魂というものだ。

路上で若い男が刺され、犯人がバルーン・タウンに逃げ込んだ。複数の目撃者はいずれも犯人のお腹が大きかったことしか覚えていない。「男の刑事よりは歓迎されそうだから」という理由で捜査を命じられた江田茉莉奈は、バルーン・タウンの住人となっている大学時代の先輩・暮林美央に協力を頼むわけだが——

ミステリとしての出来も申し分がなく、ある古典名作で援用されたロジックがアクロバティックに変奏される。この捻り方は見事。先人の知恵に倣った推理を披露する美央が、ミステリやホラーの翻訳家であるという設定も効いており、充実した一編だ。美央は、事件の根っこにある問題についても鋭く指摘する。

「バルーン・タウンの密室」は、その題名が示すとおりの密室もので、いかにもミステリファンが喜びそうな図版入り。「黄金の器コンテスト」にやってきた都知事が、密室で何者かに襲われる。女性問題を抱えた彼には、ラジカル・フェミニスト集団「牝虎の穴」から脅迫状が届いていた。コンテスト参加者の中にテロリストがいるのか？　犯人はどうやって密室内の知事に一撃を食らわすことができたのか？

コロンブスの卵と呼ぶにふさわしい密室トリックで、世界中を探しても前例がないのではないか。ほとんどの読者が（おそらく性別を問わず）「自分の目は節穴だった」と驚くことだろう。ひと言で説明できるシンプルな解答が美しい。

トリックと並ぶこの作品のハイライトは、男性刑事が持ち込んだ捜査活動支援コンピューターシステム・ドウエル教授と美央の推理比べだ。最後には美央が勝利を収め、彼女を慕う有明夏乃から「男根・論理中心主義の敗北ですね」と讃えられる。ロジック命の本格ファンは耳が痛くなりそうな台詞だが、私の心は晴れ晴れとしていた。コロンブスに卵を立てられたら、拍手を送るしかない。

ちなみに、ドウエル教授という名前は旧ソ連のA・ベリャーエフによる古典的名作『ドウエル教授の首』に出てきた生首だけで生きる博士に由来している。SFファンには解説するのも野暮なので、作中で説明を省略したのだろう。バルーン・タウンにあるカフェやレストランなどの店名にも遊び心が発揮されていて、「ラマーズ」はフランスの産科医でラマーズ分娩法の提唱者から、「シムズ」は妊婦が楽に横になれるシムズの体位から採られている。その他にも探せば色々とありそうだ。

「亀腹同盟」は、ずばりコナン・ドイルの「赤髪連盟」のパロディ。原典をなぞった奇妙な事件の顚末だけがテーマかと思いきや、同じシャーロック・ホームズものから「六つのナポレオンの胸像」や「踊る人形」までからんでくるのだから、手が込んでいる。このへんになると作者はミステリファンに真正面から向き合い、「せいぜい眉に唾をつけて読んでくださいね。きっと騙してあげるから」と挑発しているかのようだ。そして、本当にわれわれを鮮やかに騙してくれるのだ。

「赤髪連盟」に触発された作品は数あれど、「亀腹同盟」のアイディアはこれまたコロンブスの卵である。美央が幕切れ近くで語る「大橋さんにとって、×××だったのよ」という台詞の切れ味は格別だ。そして、それに続く彼女の訴えにも迫力がある。

「なぜ、助産婦に頼まなかったのか？」は、言うまでもなくアガサ・クリスティの『なぜ、エヴァンズに頼まなかったのか？』（別題『謎のエヴァンス』）をもじったもの。内容は同作と関連していないが、外国の要人をめぐる謀略がらみの事件であり、どこかクリスティのスパイ小説に通じる味わいを出している。

この本の閉幕に向けて（オリジナル版の『バルーン・タウンの殺人』は全部で四編だった）、美央自身にまつわる大きな謎が解ける。名探偵というものは、秘密のベールが剝がれるに比例して神通力（陣痛力にあらず）が薄れるものだから、作者はバルーン・タウンものをシリーズ化することなく、この一冊で完結させようとしていたのかもしれない。

謎とサスペンスの中に、フェミニズム的問題の提起が響いており、作者の力量が遺憾なく発揮されている。暮林美央は、もはや読者にとって忘れられないキャラクターになることだろう。

「バルーン・タウンの裏窓」は、この度の再文庫化にあたって新たに加えられたボーナス・トラック。これまでは雑誌に掲載されたままアンソロジーを除いて単行本未収録だった。ヒッチコックの名作『裏窓』さながらに、夏乃が裏のアパートの窓に怪しい人影(殺人の現場にあらず)を見たことから物語が始まる。ここでも亀腹が重要な鍵になっているが……。

小気味のいいどんでん返しが楽しめると同時に、読者に「このシリーズに続きがあるのなら、読みたい」という気持ちを喚起するチャーミングな作品だ。本書の締め括りとしてふさわしい。

そう、うれしいことにバルーン・タウンの物語にはまだまだ続きがあるのだ。現在までのところ、『バルーン・タウンの手品師』(二〇〇〇年)と『バルーン・タウンの手毬唄』(〇二年)が出ており、美央は探偵として活躍中だ。バルーン・タウンにいられるのは妊婦だけのはずなのに、どうしてシリーズが続くのか……と疑問に思われる向きもあるだろうが、大丈夫。読めば判ります。

ところで私は、松尾氏が「バルーン・タウンの殺人」をSFのコンテストに投じたことに軽い違和感を表明したが、納得すべき背景も頭に浮かぶ。

第一に、死者が甦る世界での連続殺人を描いた山口雅也氏の『生ける屍の死』（八九年）が高い評価を受けてはいたが、「バルーン・タウンの殺人」が書かれた当時（九一年）、架空世界の上に本格ミステリを構築する、という手法は現在ほどポピュラーではなかった。SFの道具立てを駆使した西澤保彦氏のデビューは一九九五年になってからのこと。松尾氏にすれば、「バルーン・タウンの設定がミステリファンに受け入れられる素地が整っていない」と感じられたのかもしれない。

第二に、本格ミステリ短編の受け皿がなかった。鮎川哲也監修の『本格推理』がスタートするのは一九九三年だし、東京創元社が創元推理短編賞を創設するのは九四年になってからのことだ。SFミステリだからSFコンテストに、という発想は自然であった。

第三に……もしかすると、作者の心のどこかに本格ミステリに色濃く発現する男根・論理中心主義への懐疑があったのではないだろうか？　いや、冗談ではなく。バルーン・タウン・シリーズは妊娠・出産を出発点とし、ジェンダーにまつわる問題を真摯に考察する契機となりうる小説だ。その核心がミステリファンに届くかどうか、作者は（意識的だったかどうかを別にして）疑ったのかもしれない。「妊婦が探偵？　ああ、前例がなくて面白いね」ですまされるのは本意ではなかっただろうから。

第三の理由は私の推測にすぎないが、もしそれが的中していたとしても、その心配はいまや無用だろう。本格ミステリとは、ルーツであるポーの「モルグ街の殺人」がそうであったように、思弁の器たり得るものだ。そして、そのことは、笠井潔氏の言う〈第三の波〉という本格ミステリ・ムーヴメントを通じてますます明確に認知されるようになってきている。いまや、松尾氏は安心してバルーン・タウン・シリーズをミステリファンに送り出すことができるはずだ。作者・読者の双方にとって幸せなことに（邪推が過ぎていたらすみません、松尾さん）。

先に私は、本書の中の固有名詞について言及したが、バルーン・タウンで発行されているタウン誌「プレッギー」の正確な意味がよく判らない。pregnancy〈妊娠〉やpregnant〈妊娠している〉に関係しているらしい、と見当はつくけれど。

これらの単語には〈想像力豊か〉〈含蓄のある〉という意味もある。ならば、バルーン・タウン・シリーズは、極上のプレグナント・ミステリと呼ぶにふさわしいのではあるまいか。

付記・「プレッギー」は松尾氏の造語でした。

## 〈はかり知れないもの〉への供物

竹本健治(たけもとけんじ)『囲碁殺人事件』
(創元推理文庫・04年2月27日)

『黒死館殺人事件』（小栗虫太郎）、『ドグラ・マグラ』（夢野久作(ゆめのきゅうさく)）、『虚無への供物』（中井英夫）の三作は、しばしば〈黒い水脈〉や〈アンチ・ミステリ〉と呼ばれ、本邦探偵小説の〈三大奇書〉と括(くく)られるが、その系譜に連なる〈第四の奇書〉として、竹本健治が二十歳そこそこ（竹本さん自身の表現）で書き上げたデビュー作『匣(はこ)の中の失楽』を挙げるファンも多い。探偵小説マニアが仲間をモデルに書いた犯人当て実名ミステリと、現実の彼らを襲う不可解な連続殺人が交互に描かれ、読み進むうちに虚実が繰り返し反転する、という不思議な作品だ。

密室の謎と推理合戦、物理学や神秘学のペダントリーが横溢(おういつ)した異形のミステリであり、幾何学(きかがく)精神に富んだ幻想小説であり、その惑乱(わくらん)と異世界への憧憬(しょうけい)が青春小説にもなっている。まさに傑作と呼ぶにふさわしく、後進の新本格作家に与えた影響の大きさも特筆に値する。

千二百枚の大作『匣の中の失楽』は、「幻影城」の七七年四月号から七八年二月号にかけて連載され、同年七月に単行本として世に出た。個人的な感慨だが、この連載期間はちょうど筆者の大学受験時代にあたっており、大学で推理小説研究会に入った夏、『匣』をめぐってサークル内で熱く論じ合ったのが懐かしい。

それほどの傑作にして問題作を引っ提げてのデビューは、さぞや華々しく衝撃的だったであろう、と若い読者は想像するかもしれないが、それがそうでもなかった。「アレは、いったい……」という波紋が静かに広がっていった、という感じか。無理もない。発表媒体はマイナーな探偵小説専門誌であり、「作者はどこの誰」とも紹介されないままに連載が始まったのだから。かの中井英夫の推挙による、とファンが知るのは後日のことだ。どうか想像していただきたい。不意にアレの連載が始まり、少しずつ物語が進行していったのだ。得体が知れないこと夥しいではないか。

そんな『匣』は単行本になった時点で高く評価され、デビュー作にしては稀有なことに翌七九年の日本推理作家協会賞の候補作にもノミネートされた（受賞したのは天藤真の『大誘拐』と檜山良昭の『スターリン暗殺計画』）。ファンは謎の新人・竹本健治の第二弾に注目したのだが、アクシデントが起きる。かねてより経営難が囁かれていた「幻影城」が版元ごと倒れてしまったのだ。予告されていた新作『偶という名の惨劇』は、あまりにも魅力的に題名を公表しただけで幻と化してしまい、竹本健治は、いったん私たちの前から退場した。

『偶』はもう読めないのか、と諦めかけた頃、謎の作家の新作が書店に並んだ。それが本書『囲碁殺人事件』である（前置きが長くて恐縮です）。なんともシンプルな題名であるな、と意外に思いつつ、すぐに飛びついてページをめくると——

「知能指数208だって。凄いね。凄いとしか言いようがないね」

大脳生理学者・須堂信一郎から囲碁の天才少年・牧場智久に向けられた賛辞で幕が上がる。どうやら天才少年が名探偵を演じるらしい。人知を超えた怪事件を解くヒーローに自称あるいは他称天才を起用するのは、本格ミステリにおいて常套手段だ。主人公は一千万人に一人の天才である、という言挙げから始まるのだから、どんなめくるめく謎と推理が展開するのだろう、と期待が膨らんだ。

天才少年の前で、事件は起きる。渓谷の宿で行なわれた棋幽戦の夜、対局者の一方が首なし死体で発見されたのだ。事件の前には、犯行を予告するようなメッセージが届いていた。囲碁を用いた不吉なメッセージが……。はたして犯人の正体は？

一読した後、軽い戸惑いを覚えたのを告白しよう。『匣』に接した時とは反対の意味で、「コレは、いったい……」である。須堂、智久、その姉で探偵小説マニアの典子らによる推理比べや、囲碁というゲームの奥深さに関する考察などには『匣』の残響が木霊していたが（三劫という伝説の凶兆が碁盤に現われたり、中手の手数を数学的に解く公式といったエピソードが『匣』でも見られた）、全体として『囲碁殺人事件』は非常にオーソドックスな犯人当てミステリに仕上がっていた。

珍しい小道具（棋譜）を用いた殺人予告と暗号。犯人の側に伏在していた意外な事情。そこから生じた特異な殺意。解決に至るまで丁寧に張られた伏線。読みどころは多く、うるさい本格ファンを満足させるに足る出来だ。首なし殺人をめぐる推理比べを読めば、作者が本格ミステリのマニアを〈盤面の敵〉として意識しているのが窺えて、頰がゆるみそうになる。

だが、しかし。

前作にあった過剰さが、影を潜めた。ペダントリーの濃度だけではない。『匣』では、読者に投げつけたままで、最後まで解かれない謎があり、物議を醸したりもしたが、『囲碁』ではすべての謎に答えが用意されている。土屋隆夫が言うところの、剰余のない解決で、本格ミステリにおいてはそれが理想形であるのに、『匣』の作者が今度はコレか、と拍子抜けしたのだ。自分が囲碁について無知なので、何か大きな見落としや勘違いをしているのでは、とさえ思った。

作者は、「自戦解説――あとがきに代えて」の中で、「囲碁などのゲームと、ミステリーとの類似性は、以前から指摘されていたようだ」と書き出し、最善手順に至る絶対的なアルゴリズムに人間が到達することを不可能と断じた上、「ミステリーにおけるアルゴリズムも、これに似ている」とした。言わんとすることは理解できる。しかし、それがモチーフだとしたら、『囲碁殺人事件』はやはり穏当すぎるようだ。『匣』の作者の第二作にしては、つい破格なものを期待してしまったがゆえか。

　翌八一年、作者は『将棋殺人事件』と『トランプ殺人事件』を発表し、ゲーム三部作が全容を現わした。どれもウェルメイドな本格作品としての仕上がりを見せているが、『将棋』では謎の形が〈首のない死体〉といった定型からズレを見せていき、『トランプ』では頭が爆発しそうになるほどの技巧を駆使した仕掛けが施されている。やはり竹本健治は竹本健治であった。『囲碁』は、私たちを迷宮へと導く入口だったのだ。

　と書いてしまうと誤解を招くので、すぐに補足せねばなるまい。『囲碁』が小手調べの作品だ、ということは決してない。本格ミステリとしては作者の全作品中で最もタイトで、軽みを装った中に底なしの虚無が広がっている。まぎれもなく竹本健治ならではの作品だ。

　この作家のまなざしが、名探偵の天才的な謎解きや名犯人の卓抜なトリックなどを透過した向こうにあることは、『匣の中の失楽』を読んだ時点で明らかだった。〈世界というものが連続してあるのかどうか〉という幼少期の疑問に始まったあの小説の中では、何もかもを呑み込むブラック・ホール、この世で起こる総ての現象を解明せんとするカタストロフィー理論、宇宙の誕生から消滅までを見通すラプラスの悪魔といった最先端の知や現代数学の鬼っ子などが次々に語られ、読む者の眩暈を誘う。あたかも、〈はかり知れないもの〉に魅せられた作者が、自分が感じた眩暈を共有するよう読者に促しているかのように。

そんな作家が、すべての謎を解体して閉じようとする物語＝本格ミステリを書くのは倒錯しているようだが、見方を変えると必然の方向にも思える。作者は謎が閉じるところを私たちに見せることによって、謎が開く場面を想像しやすくしているのだ。竹本健治にとって、謎解きは目的ではなく手段である。

生と死を定義せよ、というのは難問だ。死は生の欠如と理解するしかなく、生は何かと問われたら死の欠如と答えるしかない。同じ問いは無数に存在し、そもそも何かが「有ること」と「無いこと」も定義づけるのは困難だ。無とは有の欠如、有とは無の欠如。

では、竹本健治を魅了する〈はかり知れないもの〉＝謎とは何だろう？　それを描こうとしたら、どういう方法があるだろうか？

〈はかり知れないもの〉とは、〈はかり知れるもの〉の彼岸にある。それを描きだそうとすれば、〈はかり知れるもの〉の輪郭をくっきりと示すのが有効だ。あの甘美なる〈はかり知れないもの〉は、その輪郭線に沿って出現するのだから。

竹本作品において、謎を解くという英雄的な行為は、解明し得ないはるけき謎を際立たせる役割を担っているかのようだ。そこが竹本ミステリ独特の蠱惑(こわく)的な手触りに通じているのだろう。そのような方法論こそ、ミステリが時として〈単なる気晴らし〉の域を超え、はるか遠くまでジャンプできる理由なのだと思う。

竹本健治が好んで少年を描くことはよく知られている。聡明（時に天才）にして繊細な少年たち。彼らは、手の届かない彼方に焦がれ、〈はかり知れないもの〉に畏怖と憧憬を抱く作者の分身なのだろう。ゲーム三部作を通じて、実は牧場智久は純粋な名探偵役を演じていない。彼が作者から託されたのは、あくまでも〈はかり知れないもの〉へ読者の注意を喚起し続けることであった。

囲碁を題材にしたミステリを気軽に楽しみたい、とお思いの方には興味の湧かない文章を書いてしまったかもしれない。この作品は、囲碁やミステリに関する蘊蓄も盛られた〈気軽に楽しめる小説〉でもある。作者がそれらに注ぐ愛着がしっかり紙の上に定着しているからだ。

ことに作者は囲碁については並々ならぬ思い入れがあるようで、牧場智久を主人公にした本格的な長編囲碁漫画『入神』という著書もある。これはミステリではなく、囲碁そのものが主題になった作品だ。十七歳で史上最年少の本因坊となった智久が、宿敵の桃井雅美（『妖霧の舌』で登場）と死闘を繰り広げる。その渦中で、智久の脳裏に浮かぶのは「神様との対話」という一語だ。漫画家・竹本健治は、渾身の筆でそれを描こうと奮闘している。

同作品の中で、こんな智久の言葉が出てきた。

「碁は天帝に捧げる果実　一手たりとも腐っていてはならない」

にやりとする方もいらっしゃるだろう。これは中井英夫が遺した「小説は天帝に捧げる果実、一行でも腐っていてはならない」をもじったものだ。『虚無への供物』の作者へのオマージュと解そう。

〈はかり知れないもの〉へ想いを馳せながら、竹本健治はこれからも小説を書いていくのだろう。

　供物を捧げるように。

## 華麗にして強靭

芦辺拓『時の密室』（講談社文庫・05年3月15日）

芦辺拓は、いつも私の視野の中心にいるミステリ作家だ。それは単に、彼が自分と同世代（一つ違い）、同郷（大阪市の同じ区内で育った）、同学（出身大学の学部学科が同じ）、同時期のデビュー（一年違い）という理由からではない。その作品がどれもハイ・クオリティで、本格ミステリへの鋭い批評性に富んでおり、そして何よりも面白い小説だからに外ならない。

その芦辺さん（いつもの調子で気安く呼ばせていただこう）に、まずお詫びしたいことがある。かなり過去に遡るのだが――。

もう二十年も前（！）のこと。鎌倉に鮎川哲也先生を訪ね、どこかの切り通しを散策している時だった。当時の私はファンが昂じて先生にお手紙を出すうちに面識を得て、あつかましくも「こんな小説を書いたのですが……」と自作の感想を求めたりしていた。ミステリ作家を志望する私に、先生は歩きながら言った。

「あなたと同じ大学の出身で、やはり本格推理を書いている人がいる。ご存じありませんか?」

心当たりがなかった。私は大学時代に推理小説研究会というサークルに所属していたのだが、〈彼〉は入部していない。先生曰く「入ろうかと思って近づいていったら、みんなで麻雀の話をしていたので、踵を返したのだそうですよ」。わがサークルは「四つの署名」と称して雀を啼かせたりしていたが、たまには真剣にミステリ談義を交わしていたし、部員が創作を発表する機関誌も作っていたのだが……。たまたま(?)、麻雀の話で盛り上がっていたのだろう。失望させて、申し訳ないことをした。

と、書いてから「詫びるようなことか?」と思い直した。わがサークルに入らなかったおかげで、芦辺さんはより多くの有意義な時間を得て、それが今日の旺盛な創作活動の糧になっているのかもしれない。ならば、むしろ感謝してもらうべきか?

自分とのつながりを誇示するような私事を綴ってしまった。この挿話で伝えたかったのは、彼と私には鮎川哲也フリークという接点もあった、ということだ。いわば同門。その後、私は先生の後押しで東京創元社からデビュー作を出し、芦辺さんは同社が主催する鮎川哲也賞の栄えある第一回受賞者となる。

本書の話に移ろう。

『時の密室』は、『殺人喜劇の13人』でデビューした彼の十七冊目の著書で、森江春策シリーズの長編九作目。そして、高い評価を獲得した『時の誘拐』の姉妹編にあたる。

芦辺ミステリの魅力が横溢した傑作で、『2002本格ミステリ・ベスト10』では、並み居る強豪を押さえて二位に食い込んだ。

明治九年、(当時の)大阪府庁にほど近い川口の外国人居留地で、土木技師としてオランダから来日していたエッセルが遭遇した不可解な〈河畔の密室〉事件。

二十世紀末、名探偵・森江春策が弁護を依頼された〈路上の密室〉事件。

二つの謎が対位法的に絡むうちに、現代の事件は三十年前(学生運動華やかなりし政治の季節)の別の事件につながり、物語はますます重層化して混迷を深めていく。森江が三つの謎をすべて解いた時、読者の前に現われる意外な真相は……。

先に「芦辺ミステリの魅力が横溢」と書いた。それが何なのか、ざっと箇条書きにしてみる。
①都市小説であること。
②大阪を描いていること。
③歴史考証が綿密であること。
④批評的であること。
⑤大小のトリックが物語に有機的に組み込まれていること。
⑥物語性に富んでいること。
⑦メタ・ミステリの手法を用いていること。
⑧バーチャルな世界を取り込んでいること。

⑨懐古趣味的でありながらアクチュアルであること。

いずれも芦辺ミステリを語る上で大切な要素で、重要な順に並べたのではない。①と②は、ほぼ不可分のもので、この作者はもっぱら大阪を通して都市を描く。というよりも、かつてモダン・シティと呼ばれたまぶしい大阪の姿を、何とか甦らせようとして、都市を描いてしまうのだ。多くの大阪人（この私も含めて）が大阪の経済的・文化的な凋落を嘆くのを尻目に、彼は諦念に沈むことなく、愛する大阪の栄華を、愛する本格ミステリへと流し込んで再生を試みる。

そもそも私が考えるに、都市小説とは単に都市を舞台にして、都市とは何かを万人に紹介・解説する小説ではない。都市が自明のものであると信じている者に対して、「あなたは都市を知らない」と再考を促し、既知だったはずの都市を見知らぬ都市として紙上に現出させる物語のことだ。したがって、まだ見ぬ都市なるものを恐れ、畏れるタイプの小説とは対極に位置しよう。かつてあった輝かしい大阪が見失われているのなら、それを再発見するためには都市小説を書かなくてはならない。いや、書かれたものは都市小説にならざるを得ない。「あなたは大阪を知らない」のだから。芦辺作品は、そんな方法論からできている。

『時の誘拐』では、〈失われた水の都〉をモチーフにし、その失われぶりを見事にトリックに利用していた。大阪を知る読者は「そういえば！」と驚いただろうし、東京育ちの読者も「ああ、東京でいえば……そういうことか！」と目から鱗がぱらぱら落ちたはずだ。都市ミステリならではの興趣である。本書では、アクアライナーの使い方が印象的。

昨今、〈都市格〉という言葉が聞かれるが、大阪は実態よりも都市格が低いためか、現代小説の舞台として未開発のままだ。そんな大阪の不幸は芦辺さんにとって幸運でもあり、「なんや、ここも手つかずか」と、鍬を入れる余地は大きい。たとえば、本書で重要な舞台となる安治川河底トンネルは、かつて私の散歩圏内にあったため、「小説に使えないかなぁ」と思案したこともあるのだが、あのようなトリックに利用できるとは思いつかなかった。

余談ながら、自転車や徒歩でこのトンネルをくぐる人たちは、エレベータから下りる際、操作係の職員に「ありがとぉ」「おおきに」とひと声かけるのが常で、大阪の温かみが感じられるスポットでもある。またこれも余談ながら、私は川口居留地跡のワンルーム・マンションを借りていたことがあり、「このへんを小説にしたいなぁ」と、ぼんやり考えていたこともある。

③は、失われた大阪を甦らせるために必要不可欠な手続きだが、ここでは資料の渉猟が趣味だという芦辺さんの面目躍如だ。狙った資料を探しだす嗅覚は天性のものなのか、新聞記者時代に養われたのか？　いやいや。彼は、資料探しだけでなく、都市の隠れた貌を捉えてはストックし、「ここぞ」という時にすかさず取り出す才能に長けているのだ。学生時代から小説家を志し、自らを鍛えているうちに身に付いたものなのだろう。

④は、反権力の視点に立った社会批評として顕れるが、これは彼の創作の基本姿勢だ。この作品では、〈東洋のヴェニス〉たり得た大阪の景観を奪った者たちの愚（それは日本社会全体の問題として今日も続いている）を糾弾するとともに、いわゆる団塊の世代へ痛烈な批判がぶつけられている。後者については、彼や私のような狭間の世代の持ちネタだ。ちょっと表現がストレート過ぎないか、とも思うが、この熱さも芦辺拓の作家性である。

ある時、彼がこんなことを話した。

「編集者や新聞記者出身の作家というのは、読みどころを強調してしまう傾向にあるように思う」

これは本格ミステリの読みどころについて語ったもので、「このトリックは、ここに新しさがあるんだ」「この結末は、従来のどんでん返しとここが違う」といったポイントを読者が見逃さないよう強調してしまう、ということ。「編集者や新聞記者出身の作家」に共通する傾向かどうか私には判らないが、芦辺さんについては、その癖がミステリのアイディア以外にも及んでいる。私自身は、セザンヌのように塗り残しのある絵画、音で空間を埋めるのを避けて音色で聴かせる音楽も好きなので、なかなか彼のようには書けない。大阪について書く際も、彼とは正反対の戦略（大袈裟か）を採っているのだが、まぁ、そんなことはどうでもいい。芦辺拓は「何となく伝わればいいよ」「察してほしい」では済ますことができない作家なのだ。

彼の批評精神は、社会派的な態度だけでなく、本格ミステリそのものにも向かう。本格ミステリの現状について、このところ彼は違和感を表明することも多くなっており、『本格ミステリ・クロニクル300』（原書房）に寄せた「新本格マイナス十五周年の試み――僕らの原点」には、こういう文章があった。

「（今のミステリは）あまりに頭でっかちというか、あるいは何も考えてないのか、《物語》のスタイルも面白さも壊しまくった作品が増え」ている、と。

そんなことを言われてもよく知らない、という読者のために状況説明から始めると長くなり過ぎるので深入りはしない。私が斟酌するに、舞台設定・人物造形からストーリー展開に至るまで練り込んだ作品がめっきり減り、ミステリの伝統的な様式をやんちゃに破壊して、そのことに哲学的な意味があるような素振りでアピールする作品が目立つ、と彼は嘆いているのだろう。《物語》を信奉する彼にとって、そのような事態はミステリ作家のモラル・ハザードなのだ。

彼は、断固たるノーを作品の形で突きつける。その意味でも、『時の密室』は非常に批評的な作品だ。そして、「何も考えてない」ような作品を否定するため、どんなトリックをどのような物語に嵌め込むか（⑤）、トリックでどのような物語を生み出すか（⑥）に知恵のかぎりを尽くす。

⑦のメタ・ミステリ性について。前述のように本格ミステリへの批評性を帯びた作品は、半ば必然的にメタ・ミステリとなる。メタ・ミステリとは、彼自身が『グラン・ギ

ニョール城』あとがきで明らかにした解釈によると、「その作品が探偵小説であること自体が探偵小説としての仕掛けにつながっている作品」。私は「ミステリであることを利用したミステリ」と表現したことがあるが、理解に齟齬はないだろう。

本書と同じ年に発表された『グラン・ギニョール城』は、作中劇と思われていた虚の部分が、作中の現実を侵食する過程に創意があってスリリングだった。『時の密室』では、過去の二つの事件と現在の事件の交錯と合体を、本格ミステリならではの手法で達成している。

ジャンル小説の典型であるミステリは、大方がメタ・ミステリだ、とも言えるのだが、それは「ミステリであることに甘えたミステリ」に堕する危険も孕んでいるため、注意が必要だ。彼の眼鏡にかなう作例はそう多くはないだろう。メタ・ミステリがどういうものか理解しづらい、という方には『紅楼夢の殺人』をお薦めしたい。私は一読感嘆し、「自分がこれまで山ほどミステリを読んできたのは、この作品に騙されるためだったのか」とさえ思った。

メタ・ミステリを成立させるために彼がフルに活用するのが⑧のバーチャルな世界なのだが、これについても芦辺さんは一家言以上のものを持っている。『和時計の館の殺人』カッパ・ノベルス版のあとがきには、「あまりにもバーチャルかつ閉鎖的となり、現実への着地点を見失ってしまった本格ミステリ」という一節があり、実は多分に否定的なのだ。同あとがきには、「バーチャルな〈館〉空間——その中でしか通用しないルールによって支配され、そのおかげでかろうじて謎が成立する」という表現も見られる。

何をもってバーチャルと呼ぶのか定義づけてはいないが、彼を苛立たせるバーチャリティとは、単なる仮想現実ではなく、「現実から遊離したままの閉じた世界」らしい。現実と紐帯で結ばれた仮想世界は、彼の好むところなのだから。『殺人喜劇のモダン・シティ』では失われた〈大大阪〉、『地底獣国の殺人』では恐竜の棲むアララト山の人外魔境、『十三番目の陪審員』では陪審員制度が復活した仮想日本、『死体の冷めないうちに』や『メトロポリスに死の罠を』では自治体警察のある近未来大阪、『紅楼夢の殺人』では中国古典の夢幻的な作品世界、本書においてはミステリ空間として模型のごとく再現された川口居留地や〈絶景内国勧業博覧会〉……というふうに、彼の作品にはバーチャルそのものの舞台が頻出する。作者が深い愛着を抱いている大阪も、生臭い現実のままの姿では出演を許されていないのだ。と、すると何のことはない、芦辺拓自身こそ、バーチャルな世界に耽溺する作家ではないか。

この逆説は、彼のバーチャル志向の強さをひとえに示している。彼は、パノラマ、博覧会、映画・映像といった目の快楽を愛する作家で、風景や情景の視覚的錯誤を使ったトリックを得意としている。それゆえに、安易なバーチャリティの使用に苛立ち、ついつい異議を唱えたくなるのだろう。大阪についても、本格ミステリについても、言葉は悪いかもしれないが、彼は理想と現実のギャップに不寛容である。バーチャルなミステリの意味づけについては色々な考えがありうるが、芦辺拓の姿勢は、自らが筆を執る時に禁欲的で厳しくあることを迫るはずだ。彼がよくそれと格闘し、ポリシーを貫き続けていることには惜しみない拍手を送りたい。
⑨の懐古趣味は、これまた芦辺作品とは切っても切れない。まぶしいモダン・シティだった大阪、一九三〇年代の英米ミステリや昭和二十年代の国産ミステリ、子供の頃に興奮で胸を高鳴らせてくれた一九四〇−五〇年代のハリウッド映画をこよなく愛する彼は、大好きなそれらを再構築して、バーチャルな世界を創る。今、それらの味つけが読者に受けるから、といった計算は度外視して、純粋に好きだから、書きたいから。それができなくて、何が小説家か……といった心意気に私は共感する。
しかし、彼はただ「僕のコレクションを見てください」と趣味に淫することはせず、そこに持ち前の批評精神を注いで、バーチャルな世界が現在―現実を照射するよう作品をまとめ上げる。⑨の懐古趣味的でありながらアクチュアルとは、そういうことだ。そして、両者をつなぐことを可能にするのが⑥の豊かな物語性なのである。

芦辺ミステリをひと言で評するなら、〈華麗にして強靭〉ということになろうか。膨大なアイディアと手間の産物ならではの輝きと手応えを持つ。贅を凝らした作品群は時代を超えて、永く読み継がれていくのに違いない。

このような本格ミステリの書き手は他におらず、彼はワン・アンド・オンリーの存在だ。その創作姿勢を貫徹しようとすれば、道はどこまで行っても険しいだろう。しかし、ぜひ歩き通してほしい。ワン・アンド・オンリーであることを誇りながら。

## ユーモア本格ミステリのエース

東川篤哉『密室の鍵貸します』
（光文社文庫・06年2月20日）

まずは、東川篤哉氏のデビュー長編である本書『密室の鍵貸します』の出自について。この作品は、カッパ・ノベルスの中の新人発掘プロジェクト〈KAPPA‐ONE〉の一冊として刊行された。カッパ・ワンは、ベストセラー作家への登竜門として、光文社・ノベルス編集部が二〇〇二年四月にスタートさせた叢書で、ジャンルを問わず「21世紀の新たな地平を拓く前人未到のエンターテインメント作品」を公募している。同シリーズからは有望な新人が次々に世に送り出されているが、その記念すべき第一弾は、応募原稿から選ばれたのではなかった。光文社文庫で鮎川哲也氏が監修していた『本格推理』（本格ミステリの短編の公募作品を集めたオリジナル・アンソロジー）に採られた書き手の中からヘッドハンティングされた四人の書き下ろし作品が並んだのだ。

他の三作品は、石持浅海氏の『アイルランドの薔薇』、加賀美雅之氏の『双月城の惨劇』、林泰広氏の『The unseen 見えない精霊』。作風はそれぞれに違ってバラエティに富むが、いずれも謎解きの興趣をたっぷり盛った本格ミステリである。

この時、四つの作品に四人の作家が推薦文を寄せていて、その顔ぶれは石持作品に西澤保彦氏、加賀美作品に二階堂黎人氏、林作品に泡坂妻夫氏。そして私・有栖川が東川作品へのコメントを書いた。

新刊本の推薦文なるものは、編集部が「この本ならば、あの人が面白がるであろう。あの人のコメントが似合うであろう」と判断して、依頼するものだ。『密室の鍵貸します』を一読した私は、作者の腕の冴えに敬服すると同時に、それを私に送ってくれた編集者の慧眼にも感心した。私のミステリの好みがよく判っているではないか、と。

手を抜いて原稿の二度売りをするつもりではない、とお断わりした上で、ノベルス版のカバー折り返しに掲載された拙文をここに挙げさせていただこう。


「最近、ミステリを出汁に書かれた面白いのか面白くないのか判らないミステリが多い」と思っている方に、この作品をお奨めしたい。ストライクゾーンからストライクゾーンに切れ込む鋭いシュートだ。飄々としたユーモアがちりばめられ、思わず含み笑いをしてしまう楽しい小説でもあるのだが……その面白さも実は〈罠〉なのかもしれない。

スマートな本物の本格である。われながら気が早いが、第二作が今から待ち遠しい。」


本質を捉えて簡潔にまとめられたコメントだなぁ――と思うのは書いた本人だから当

然か。本作の文庫化にあたり、解説のお役目を仰せつかったのを幸いに、前記の短い文章に〈圧縮〉した感想を〈解凍〉してみる。

「最近、ミステリを出汁に書かれた面白いのか面白くないのか判らないミステリが多い」というのは、当時の私が感じていたことだ（「出汁」という表現が不適切だったかとも思うが、そういう作品を否定・誹謗していない）。ここで私の頭にあったのは、メフィスト賞を受賞して講談社からデビューした舞城王太郎氏の『煙か土か食い物』、佐藤友哉氏の『フリッカー式』などの作品である。

従来の本格ミステリと思って飛びついた読者は、そこに本格とは異質の小説世界を発見し、戸惑ったり驚喜したりした。本格ミステリの回路を経由していながら、そこから離脱した小説で、作者に「本格ミステリの形式を破壊し、枠組みを改変したい」といった志向があるとも思えない。笠井潔氏は、そのようなニュータイプの作品を〈脱格〉と呼んだ。

かつて時代遅れだと誹られた本格ミステリが新しい小説の産道となったのは、喜ぶべきことだ。そう理解しつつも、根っからの本格好きである私は、新しい流れができた結果として、本格ミステリが捨て石となって衰退するようなことになったら淋しい、という懸念も抱いた。脱格、大いに結構。しかし、それと同時に純度の高い（謎解きの味が濃い）本格の書き手にもどんどん出てきてもらいたい、と希っていた。『密室の鍵貸します』は、そんな時に私の前に差し出されたのだ。本格ミステリならではのアイディアを練って書かれた手堅い本格ぶりに、思わず頰がゆるんだ。

驚天動地の不可能状況を描いて、読者に衝撃を与える、という作品ではない。事件自体は小さく地味ではあるが、だからといって不可能興味が減じているわけではない。マジックでもそうではないか。鍵の掛かる箱に閉じこめられた手品師が水中から脱出するイリュージョンと、お客がサインしたトランプが手品師の手から消えてパンの中から出現するクロースアップ・マジックでは、どちらが不思議か？　後者がお好みのファンも多いはずだ。

氏の作品は、よく練り込まれていて、いつもウェルメイドだ。禁欲的な印象すらある。そんな作者の志向性を端的に示しているのが、実は本書のタイトルかもしれない。若い方にはピンとこないだろうが、これはビリー・ワイルダー監督の『アパートの鍵貸します』（一九六〇年）のもじりに他ならない。主演はジャック・レモンとシャーリー・マクレーン。コメディ映画史に遺る傑作で、大人向けのドラマながら、私は十歳ぐらいの時にテレビの洋画劇場でたまたま観て、「こんなによくできたお話を考えついた人は、なんて頭がいいんだろう！」と感嘆した記憶がある。映画がらみの事件が扱われているからこういうタイトルが浮かんだのだろうが、わざわざこんな古い映画を採用しなくてもよさそうなものだが、作者にとってはしっくりくるネーミングだったのだろう。

古さを恐れないことは、本格ミステリの作家にとって大切な資質だ。本格が新しい小説に拡散しながら衰退することを心配しかけていた私は、この点にも共感を覚えた（ちなみに、同時に配本されたKAPPA-ONEの三冊は、いずれも本格ミステリとしか呼びようのないもので、質的にも高く、多くの本格ファンに歓迎された）。

「ストライクゾーンからストライクゾーンに切れ込む鋭いシュート」と書いた。ストライクゾーンからストライクゾーンに、というのが一つのポイントである。ボールゾーンから食い込んでくるのでもなければ、まともなストライクでは打たれそうだからとボールゾーンに落下するのでもない。あくまでもストライクゾーン＝限定された領域で勝負しようという心意気を好もしく思った。清々しい第一球だ。ただし、東川氏がいつもストライクゾーンからストライクゾーンで勝負してくるとは限らないことも付言しておく。

「鋭いシュート」。ここも大事です。東川投手はなかなかの技巧派で、その球はよく曲がる。様々な工夫を凝らして打者を眩惑してくれるのがうれしい。野球の喩えがうるさく思われたら恐縮だが、尾道出身の作者は熱烈な広島カープファンだそうなので、それに免じて（？）お宥しいただきたい。

「飄々としたユーモア」。これについては、説明する必要もないだろう。冒頭からして、ぬけぬけとすっとぼけている。適切な言葉が適切に配置され、リズムが整い、読み進んだ果てに〈烏賊川市〉にたどり着く。お洒落で高尚なユーモアとは言えないかもしれないが、なかなか書けない前口上だ。これしきは作者にとっては名刺代わり。本編には笑いどころが豊かに鏤められており、それがページをめくる推進力になっていると同時に、作品をふっくらと温かいものにしている。うんと砕けても格調を落としすぎないように留意されており、目的にかなった良質のユーモアと言うべきだろう。

ところが「その面白さも実は〈罠〉なのかもしれない」。何しろトリッキーな本格ミステリなのだ。ユーモアで和ませ、もてなしながらも、作者は落とし穴を掘って、読者ができるだけ派手に転落するように仕掛けている。笑いやユーモアは、実世界の対人関係において防御や武器となり得るが、本格ミステリでも有効に働く。それでいて、その技法を自在に駆使する作家が多くないため、東川ミステリの可能性は大きい。

本格ミステリには伏線がなくてはならないが、これを作中に配置する時、私などは内心びくびくものである。どうだ、これが見抜けるかな、と自信満々なケースは稀で、たいていはバレませんように、と祈りながら書く（そのスリルが楽しくもあるが）。笑える場面や台詞にまぶして伏線が伏線であることを隠してしまう、という手があるのだが、これが難しい。東川氏は、デビュー長編からそれを実践している点で、本格ミステリ作家としての力量を示し、安定感すら見せつけてくれたのである。

氏の作風は「軽み」を持ち味としているが、それは力を抜いた作品を意味しない。むしろその反対に大変な力業であって、私にはこの作者が、敢えて困難な道を選んでいるように思える。

氏のめざすところは、ユーモアミステリだが、これが生半なことでは書けない。ユーモア小説（まずこの絶対数が少ない）とミステリは、ともに多くのアイディアを要するから、これを掛け合わせるとなると、普通に小説を書く二倍も三倍も骨が折れる（と想像する）。また、緊張感を解放する小説と緊張感を持続させるべき小説の融和であるから、両者のブレンドも充分に計算しなくてはならない。それでいて、東川氏にはちょっと申し訳ないことを書いてしまうが、このジャンルで秀作をものしても、わが国では労力に見合うだけの評価を得にくく、シリアスなテーマを扱った作品や胸に迫る浪花節の方が、えてして強い印象を与える。おそらく作者は、そんなことは先刻承知の上で、好きだから、書きたいから、困難な道を歩きだしたのだろう。そのチャレンジングな姿勢を私は「敢えて」と評したい。

敢えて正攻法の本格ミステリを選び、敢えてユーモアミステリを選んだ東川篤哉。その存在は貴重だ。私は、この作家からしばらく目が離せそうにない。いつまでも見つめ、追い掛けることになればいい、と思っている。多くのミステリファン、面白い小説が好きな方々とともに、次なる作品の発表を待ちたい。

「まだ読んでいない作品を読みながら待ちたい」という方のために、二〇〇六年二月現在の著作リストを掲げておこう。光文社から出ているいずれの作品にも、ファンタスティックな烏賊川市や戸村流平、鵜飼杜夫らが登場する。

密室の鍵貸します（二〇〇二年）本書
密室に向かって撃て！（二〇〇二年）光文社
完全犯罪に猫は何匹必要か？（二〇〇三年）光文社

学ばない探偵たちの学園（二〇〇四年）実業之日本社
館島（二〇〇五年）東京創元社
交換殺人には向かない夜（二〇〇五年）光文社

また、『本格推理』の常連だった氏の短編は次のとおり。同シリーズは二〇〇一年から『新・本格推理』と装いをあらためている。

中途半端な密室（『本格推理8』所収）
南の島の殺人（『本格推理12』所収）
竹と死体と（『新・本格推理01』所収）
十年の密室・十分の消失（『新・本格推理02』所収）

小文が東川ミステリへのささやかなご案内になればうれしい。
最後にもう一つだけ野球の喩えを。
東川篤哉は、すでにユーモア本格ミステリのエースである。

## 妖（あや）しい謎物語

西澤保彦（にしざわやすひこ）『リドル・ロマンス 迷宮浪漫』
（集英社文庫・06年4月25日）

奇想天外な設定を採用しながら、密度の濃い推理が展開する作品を矢継ぎ早に発表し、本格ミステリファンを驚喜させてきた西澤保彦。本書『リドル・ロマンス 迷宮浪漫』は、そんな西澤氏のユニークな作品群の中にあっても、かなり特異な一冊である。異色で、官能的で、どこか妖しい。率直なところ、私は巻頭の「トランス・ウーマン」を読み終えた時、「これはどうしたことか……」と戸惑ってしまった。

何が特異かといって、〝ハーレクイン〟なる魔法使いみたいな探偵があまりに正体不明で……というわけではない。本格ミステリにSFの道具立てを導入する西澤ミステリには超能力者やら超自然現象がしばしば登場するから、ファンはそれしきでビクともしない。「せめて〝ハーレクイン〟とでもお呼びください」と本人が言っただけで、呼称すら仮初（かりそ）めの名探偵。洒落（しゃれ）ているではないか。

多くのミステリファンは、ほとんど反射的にアガサ・クリスティーの短編集『謎のクィン氏』で探偵役を務めるハーリ・クィン氏を連想するだろう。クィン氏は、事件の場にいずこからともなく現われ、明敏な推理で謎をするりと解くや、またいずこへともなく去っていく。非常にファンタスティックな探偵で、クリスティーは彼のことを「物語の中にただいるだけの人物で、触媒であり、それ以上の何者でもない」と自伝（乾信一郎・訳、ハヤカワ文庫）で記している。メルヘンの風合いもある作品なのだが、クィン氏が披露する推理は確かで、ポワロやマープルに勝るとも劣らない。

西澤氏は先行する作品からの影響を隠すことなく、逆にそれをアピールしようとする。今回は、クリスティーから〈寓話的でミステリアスな探偵〉というモチーフを借りてきたようだ。クィン氏的な名探偵の設定に惹かれるのだろう。氏はかつても、『完全無欠の名探偵』という長編で山吹みはるという奇妙な探偵を起用したことがある。彼は一見したところ愚鈍そうな大男なのだが、無自覚のまま事件の関係者らに過去の秘密を「本人に解明させ処理させる」ことができるのだ。この力は、同書の中で「〝触媒〟としての能力」と評される。それゆえ探偵が関係者たちのプライバシーをむやみに暴いたり、謙虚さを失ったりすることもなく、「完璧」である、と。

そんな前例もあり、〝ハーレクイン〟というキャラクターだけなら狼狽えることはなかったのだが、驚いたのはその使い方である。前述のごとく、クリスティーが創ったクィン氏が夢の国の住人のようでありながらも、きちんと名探偵らしい推理で謎を解いてみせたし、山吹みはるの周囲でも理詰めで捜査が進んだのに対して、〝ハーレクイン〟

は……。

私が『リドル・ロマンス』に戸惑ってしまったのは、この不可思議な探偵役の機能が理解しづらかったからだ。依頼者の悩みに耳を傾け、ことの経緯を聞き出した後、たちまちもつれた謎を解いて彼女もしくは彼の魂を救済する、という設定の〈安楽椅子探偵もの〉でありながら、どうも様子が変だ。そもそも第一話で〃ハーレクイン〃のもとに持ち込まれたのは「謎の答えが知りたい」という相談ではなく、人殺しの手助けである。最後まで読むと、依頼者自身が秘匿していた事実を〃ハーレクイン〃が明らかにして探偵の役を演じるのだが、人殺しの手助けがそこに着地する過程が面妖だった。

〈安楽椅子探偵もの〉は、機知に富んだ論理を連続させて、純粋な推理だけで事件を解決させる高難度のミステリだ。西澤氏が私淑する都筑道夫氏の『退職刑事』シリーズがその代表格の一つとされており、海外作品ではハリイ・ケメルマンの短編集『九マイルは遠すぎる』が名高い。西澤氏は、この趣向がお好きなようで、『退職刑事』の贋作をものし、『麦酒の家の冒険』では、長編の全編にわたって四人の登場人物が議論を続けるという離れ業をやってのけ、それ以外の多くの作品でも魅力的なディスカッションを盛り込んできた。だから『リドル・ロマンス』も同じ路線のものかと思っていたのだが、そんな素直なものではなかった。

〃ハーレクイン〃は、依頼者に幻想を視せ、自在に未来をシミュレートすることができる。過剰なまでに不可解な特殊能力である。安楽椅子探偵は推理マシンであればよく、アクロバチックな論理で謎を解いてから、自分の頭のよさを自慢するなり、真相から導かれる教訓を垂れるなり、好きにすればよさそうなものなのに。

〝ハーレクイン〟に推理力とは別に超越的な能力を与えたために、この連作は〈安楽椅子探偵もの〉の定石から逸脱している。もちろん、作者が意図した上での逸脱だ。〝ハーレクイン〟が依頼者の意識を操って過去を掘り出し、時間や空間の壁を無効にしてしまえるのならば、彼には卓越した推理力など無用ではないか。論理的に依頼者を説得せずとも、百聞は一見に如かず、望むものを視せてしまえばいいのだから。

実際、そんな〝ハーレクイン〟の造形のために、この連作においては西澤流のアクロバチックな論理が時に抑制されており、大胆な仮説が唐突に提示される場面も少なくない。この作者ならば、推理のための要素を書き足して、手堅い〈安楽椅子探偵もの〉に仕上げることも可能なはずなのに、それを控えている。その傾向は本書の前半において顕著だから、私は意表を衝かれたのだ。

いつもの西澤ミステリとは、何がどう違うのだろう？ そして、それは何故なのか？

そもそもが、夢とも現ともつかぬ場所が舞台の作品の〈迷宮浪漫〉であり、作者はファンタジー色を前面に押し出している。現世の論理から離れた浮遊感を出すために、お得意の精緻な論理を抑えた、という忖度が成立しそうだ。これは思い切った決断で、持っているものを全部さらしてやっとこさ勝負できる、という書き手にはできない芸当である。

かといって論理性を薄めたのではない。作者は、ロジックをあえて後退させた代わりに、あたかも謎が自然に解けていくような事態を読者に目撃させるのだが、やはりそのプロセスにはしっかりとしたロジックが寄り添い、脇から支えている。例を挙げるならば、「マティエリアル・ガール」の中で、〝ハーレクイン〟が「もっともらしい仮説ですが、ご自分で矛盾を感じませんか？」と依頼者の言を否定する場面だ。あるいは、「アモルファス・ドーター」の犯人を特定する伏線。謎解きが単なる妄想に流れてしまいそうになると、すかさずロジックが引き戻して、しかるべき着地点へと誘導する。

ノンシリーズ短編集『パズラー　謎と論理のエンタテインメント』のあとがきで、「本質的に整合性とは無縁の世界」と「割り切れるカタルシス」の狭間（はざま）で本格ミステリを書くことの困難を吐露しつつ、それでも「ひとつの作品ごとに暗中模索・試行錯誤し続けなければならない」とした氏の決意表明を思い出さずにはいられない。その目標はどのミステリ作家にとっても遠いものだが、西澤保彦が実験的・冒険的な手法でエンターテインメントを書き上げる手際は、すでに見事である。

ところで、小文の冒頭で私は「官能的で、どこか妖しい」と感想を述べた。漠然としたコメントだが、その印象の出所について探ってみよう。本書にはエロティックな匂いが漂っている。依頼者（ほとんど女性）が〝ハーレクイン〟に心を委（ゆだ）ね、自ら意識の深層心理をまさぐる、という作業そのものが官能的であり、さらに暴かれて出てくる真相に性的な問題が多いためだろう。西澤氏にとってジェンダーやセックスは重要な主題の一つなのでこのことに意外性はなく、いわば予定・予想されたことなのだが、それとは別の妖しい輝きが『リドル・ロマンス』にはある。

それは、〈謎解き〉にまつわるものだ。本格ミステリの魅力とは、〈不思議な謎が解けてしまう不思議〉にある、と私は考えているのだが、本書ではそのプロセスに靉靆（あいたい）とした ぼかしを意図的に入れることで、謎に増して謎解きを神秘的に見せる工夫が凝らされている。謎（リドル）という漢字は、言（ロゴス＝ロジック）が迷うと書く。そして、迷ったロジックを日常・秩序という檻（おり）に導くのが探偵の推理だというのに、〝ハーレクイン〟はそれを半ば放棄して、迷子のロジックが自分の脚でひょろひょろと檻に帰っていくように仕向ける。見慣れていないだけに、その光景はいかがわしくて、どこか妖しいのだ。タイトな〈安楽椅子探偵もの〉が書ける西澤保彦の作品であるだけに、どきりとさせられる。

もしかすると、〝ハーレクイン〟が対話を交わした最初の依頼者は、西澤氏自身なのかもしれない。そして、技巧的な本格ミステリを書く上でぶつかる某（なにがし）かの悩みを相談したのではないか。空想を広げると、氏は、〝ハーレクイン〟の助けを借りて、自らを分解掃除したように思える。その後、アウトプットされたのがこの妖しさを湛（たた）えた一冊だ。〝ハーレクイン〟が何にどう答えたのかは判らないが、おそらく「謎を解くこと、謎が解けることのロマン」が語られたのだろう。『リドル・ロマンス』というタイトルが、それを窺（うかが）わせる。この作品が「官能的で、どこか妖しい」のは、おそらく私たちが作家の心の内を覗き見たことからくるのだ。

「私にできるのは、あなたの〝手助け〟をすることです」

それで充分だ。日々、謎を解く物語と格闘している私も、一度でいいからピクチャアウインドウを背にした〝ハーレクイン〟にお目にかかってみたいのだが……。

あいにく住所も電話番号も不明である。

# 名探偵とハンディキャップ

坂木司『仔羊の巣』
（創元推理文庫・06年6月26日）

本書『仔羊の巣』は、坂木司（僕）と友人、鳥井真一を主人公とした連作短編集で、三部作の第二作目にあたる。前作『青空の卵』の文庫版解説で、北上次郎氏は「本書は異色のミステリーだ」と書き出していた。まさに、そのとおり。私もこのシリーズの異色ぶりについて書かなくてはならない。

過去の不幸な体験から、ひきこもりになってしまった鳥井。彼が社会に出ていけるように、坂木は寄り添って、あれこれと面倒をみる。自分のまわりで起きた不可解な出来事を友人のもとに持ち込むのも、そのためだった。鳥井が明敏な推理力に長けていることを利用し、謎解きというミッションを担わせることで、心のリハビリをしようというわけだ。前作『青空の卵』では五つ、本書では三つの謎と鳥井は相対し、その都度、新しい出会いを体験する。閉ざされた彼の心が開き、密室のような世界から外へ自力で踏み出す日はやってくるのか……。

第一作の帯に書かれたキャッチコピーは「名探偵はひきこもり」（単行本、文庫本とも）。いかにも現代的な設定と主題で、そのコピーを見ただけで「なるほど、こういうミステリもあるんだな」と意表を衝かれた。面白い新手で、なかなかの妙案だ、とも思ったのだが――。一読して、その異色ぶりに不意打ちをくらった。

私は、牧歌的な謎解き小説を頭に描いていた。ひきこもりの名探偵は、部屋から外に出ないのだから、ごく自然に安楽椅子探偵（情報を聞いただけで真相を見抜く探偵）となる。友人が運んでくる謎を、部屋にいながらにしてバッサバッサと解き、そうすることで自らの思索を深め、少しずつ他者と交わり、自らの心の傷を治癒していく――という物語。いかにも、きれいにまとまりそうだ。

が、このシリーズは様子が違った。

鳥井真一の造形の異色ぶりを語る前提として、名探偵の定型を見てみよう。

ミステリにおける名探偵という存在は、全知全能の断罪者という役割を演じる。いかにも正義の味方然とした者ばかりではなく、憎めない三枚目キャラクターという造形であろうと、知的英雄、知的強者であり、まともに書けば可愛げがない。そこで、ミステリ作家たちは、名探偵に何らかのハンディキャップを負わせるのを常套手段としてきた。

卓越した能力の代償として、名探偵たちの多くは何かが欠落しているのだ。

そのハンディキャップは、大雑把にいって身体的なもの、精神的なもの、社会的なものの三つに分類される。もちろん、そのうちのいくつか、あるいはすべてを備えている場合もしばしばで、心身に障害があった場合、社会的に弱い立場に置かれがちだ。

身体的なハンデは、ごく判りやすい。アーネスト・ブラマは盲人のマックス・カラドスを、エラリー・クイーンは聾者のドルリー・レーンを創造した。懐かしいテレビドラマ『鬼警部アイアンサイド』の主人公は車椅子の刑事。最近では、ジェフリー・ディーヴァーが四肢が麻痺したリンカーン・ライムという名探偵を生み、人気を博している。

精神的なハンデは、やや事情が複雑で、心身症に悩むというより、人格に著しい偏りがある場合が目立つ。名探偵の代名詞、シャーロック・ホームズが代表格で、興味を惹く事件がない時は退屈をまぎらわすために麻薬に手を出す悪癖あり。また、それだけではなく、超人的な推理力や調査能力を誇る一方で、文学には無知で、地動説さえ知らないという非常識さを合わせ持つ。このアンバランスさが、また魅力にもなるのだ。その他、傲慢・陰険・狡猾・吝嗇・好色・下品などの理由でまったく人望がない名探偵や、小心・粗忽・臆病などの弱点を抱えた名探偵がいて、読者に愛敬をふりまく。

社会的ハンデにも、様々なものがある。ハードボイルドに女私立探偵の作例が多いのは、いまだに女性であることが社会的ハンデである証左だろう。若者や老人が探偵役を務める場合も、なかなか周囲の人間に耳を貸してもらえず苦労する。二階堂黎人氏の

〈ボクちゃん探偵シリーズ〉の渋柿信介は幼稚園児で、「かつてこれほど孤独な探偵がいただろうか」がキャッチフレーズだ。

二重のハンデの持ち主として、天藤真氏の『遠きに目ありて』に登場する岩井信一少年を紹介しておこう。十代半ばの彼は、重度の脳性麻痺のため全身の自由がほとんどきかず、話すこともままならない。この身体に障害がある少年は、瞠目すべき知性を持っていた。たまたま知り合った真名部警部に聞いた事件の謎をたちまち解いてしまうのだ。彼が懸命に真相を語り、警部が耳を傾けるシーンは感動的だ。『遠きに目ありて』は安楽椅子探偵もの（この場合は車椅子探偵ものか）の本格ミステリとして素晴らしく、同時にバリアフリー社会の実現を訴えた社会性も有した傑作である。

さて、この鳥井真一シリーズ（と称させていただこう）において、名探偵はいかなるハンデを背負わされているか？　対人関係をうまく築けず、一人で外出することさえままならない鳥井は、嫌というほどヘヴィーな精神的ハンデを負っている。また、肉体的には問題がなく、コンピュータ・プログラマーとして経済的に自立してはいるが、ひきこもりゆえ社会的にはとても弱いから、信一少年と同じく二重のハンデを持っていることになる。――二人ともシンイチという名前なのは偶然か？

しかし、二つのシリーズを較べてみると、鳥井真一シリーズの異色ぶりが浮き彫りになってくる。「肉体的なハンデに苦しむ人を思いやることは大切ですが、精神的なハンデに苦しむ人にも目を向けてください。ひきこもりについて、もっと理解して」というものなら、帯のキャッチコピーを読んで感じたとおり「なるほど、こういうミステリもあるんだな」ですんだかもしれないが……。

先に『遠きに目ありて』を傑作と評した。本格ミステリとしての充実ぶりも、シリアスなテーマも、その描き方も、見事と言うしかない。だが、私はある時、ふと一抹の後ろめたさを感じた。舌をもつれさせながら一生懸命に真相を語る信一少年に対して、読者は思わず応援したくなる。関係者を集めてエラソーに演説する名探偵とは大違いだ、がんばれがんばれ。ほとんどすべての読者が、そう思うことだろう。しかし、そんな自分の姿をもう一人の自分が観察して、ぽつりと呟いた。「いい気なもんだな」

誤解なきように強調しておくが、私は『遠きに目ありて』という作品が傑作であることを疑わず、作者の天藤氏には深甚な敬意を払っている。それはそれとして、自分を戒めたくなったのだ。ハンデを乗り越えてがんばる少年を描いた小説に感動し、いい気になっているだけでは社会は変わらない。感動を消費してはならない、と。

天藤氏は、決して感動を消費するような書き方はしておらず、そんな浅い読み方をされないように筆をふるっている。バリアフリーなどという言葉がなかった三十年も前の先見的な作品でもある。「でも、えてしてそう読まれてしまうのは避けられないよね」とも思わない。氏は、一本の小説で社会がたちまち動くなんて甘い考えで書いてはいなかっただろう。どれだけか読者の心に届けばいい、いつか届けばいい、と希ったはずだ。

私は、あわや浅く感動しそうになった自分に気づき、こっそりと反省したのである。

再び翻って、鳥井真一の物語。『遠きに目ありて』をお読みになったことがある方も、ない方も、私が紹介した岩井信一少年と彼を比較してみれば、二つの小説の違いと、鳥井真一シリーズの異色ぶりがご理解いただけると思う。

信一少年は、「がんばれがんばれ」と励まし、できれば力を貸してあげたくなるキャラクターだった（抱き締めてあげたい、と思う女性読者がいるかもしれない）のに対して、鳥井真一にシンパシーを寄せるのは簡単ではない。ひきこもりという状態が、肉体的なハンデほど理解しやすくないからだ。「本人がしっかりすれば、それで解決するのでは」と思われがちなのが、ひきこもりの辛いところだ。

ただでさえ、ひきこもりを理解するのが難しいのに、作者の坂木司氏は容赦がない。鳥井真一を、読者がとことん愛しにくいように造形している。「そうかな。私は最初から彼に同情して、語り手の坂木くんと一緒に行く末を温かく見守っているけれど」という方がいらしたら失礼。別の読み方がある、と言うしかない。

本書の単行本の解説で、はやみねかおる氏は、前作『青空の卵』を読んで鳥井の性格が「好きになれなかった」、『仔羊の巣』を読んでも「やっぱり、好きになれない……」と書いている。解説で主人公が腐されるのは異例のことだろうが、紳士のはやみね氏に続けて、私も書いてしまう。「鳥井を好きになれない」

はやみね氏がお書きのとおり、鳥井真一の言葉遣いは「ぶっきらぼう」を通り越して

「とげとげが一杯ついてる」。それも、不必要なとげとげだ。もしも彼と出会い、初対面で「お前」呼ばわりされたら、私ははっきりと抗議する。謝罪は期待できないから、家に帰ってから寝る前に「思い出しても腹が立つ！」と叫ぶに違いない。また、抗議したことで彼がパニックに陥ることもありそうで、そうなれば、まるでこっちに非があるようで不愉快な思いをするだろう。

かくのごとく、傷つきやすい人というのは実はあっさり人を傷つける。実生活でもよく経験することだ。「私は傷つきやすい。他の人間は、私ほど傷つかない。だから、されたら嫌なことでも私はする」という思い違いをしているからだ。鳥井がそれを自覚する兆しは、この本の中では見当たらない。彼は、「他者は尊重しなくてはならない」という人間の基本を見失っている。だから本人も苦しんでいるのだが。

鳥井が好きになれないことこそ、このシリーズの眼目である。「ひきこもりの鳥井くん。卵の殻を破って、外へ出るんだ。そして、いつか空に羽撃け」と読者が応援しやすいよう、鳥井に「可愛げ」や「いじらしさ」といった属性を付与して、同情や共感を買うこともできたのに、作者はあえてそうしなかった。これは非常に大胆な設定ではないか。

読者からも「好きになれない」と疎まれるかわり、彼には坂木司がついていてくれる。友人のケアがしやすいように、という基準で会社まで選んだ坂木は、自分こそ鳥井に依存しているのではないか、彼の自立を妨げているのではないか、と自問しつつも、友人から目が離せない。そういう役割の人物を作中に配置したことによって小説の風通しがよくなるかというと、これがそうではなく、読者が「私が鳥井くんを応援しなくては」と案じる気持ちが抑制される。作者は、鳥井と読者の距離がすんなりと縮まることを許さない。ここまでして、初めてひきこもりという厄介な問題をテーマにできるのだ。

　鳥井が向き合う謎についても、独特の創意がある。作者の言葉を引用すると、それは「小さいけれども、ちくりと気になるような問題」であり、『死ねば事件だ』のような話だけは書きたくなかった」がゆえに、もっぱら人死にとは無縁の「日常の謎」なのだが、この謎がまた異色だ。

　たとえば、それは「野生のチェシャ・キャット」に顕著である。佐久間恭子（さくまきょうこ）の挙動がおかしいことについて、坂木と吉成哲夫（よしなりてつお）は気を揉（も）む。鳥井は才能を発揮し、与えられた情報を組み合わせて真相を言い当てるのだが――。なるほど、ここで行なわれているのは、「死ねば事件」という犯人あてミステリとは性質を異にした謎解きだ。殺人事件と違い、死体＝もの言わぬ被害者が登場しない。したがって、身も蓋（ふた）もない言い方をしてしまうと、「当事者に思い切って解答を尋ねてみる」という可能性が残されている。それができないからドラマが成立しているとはいえ、生じているのはコミュニケーションをめぐる問題なのだ。

「銀河鉄道を待ちながら」では、地下鉄のホームで少年がとる不審な行動の意味が問われ、「カキの中のサンタクロース」では、何の心当たりもないのに坂木がいやがらせを受ける理由が謎となる。どちらも相手の腕を摑んで、「何故だ？」と詰問することが物理的には可能だ。だから謎としてもの足りない、というのではない。それらの謎こそ、コミュニケーションの不全に陥った鳥井真一が向き合うのにふさわしい謎だろう。

「日常の謎」は、柔和な目をした懐の深い探偵に似合う。私は、何となくそう思ってきたが、鳥井真一はその枠組みから外れたところに立っている。そこにいる根拠をしっかりと持って。それを理解したところで、私はあらためて「なるほど、こういうミステリもあるんだな」と嘆息した。書き手を得れば、ミステリには色んなことができるのだ。

鳥井真一について厳しいことを本音で書いた。彼には、自分の思い違いを自覚する兆しがない、と。しかし——。

「カキの中のサンタクロース」で、鳥井は檜山利明の態度に苛立って、彼の甘えぶりを「一人っ子の特徴」と断じ（鳥井自身も一人っ子なのに）、「あいつの生い立ちなんて、それはどうでもいい話だ。それより、鬱陶しいんだよ」と毒づく。そして、坂木から「でも、もしかしたら鳥井が一番、利明くんに近いのかもしれないよ？」と言われたら、「考えるだけで寒気がすらぁ」。そんな反応に、坂木は「粗暴な態度をとらなければ崩れてしまいそうな繊細さ」を見て取るのだが、それは虫のいい解釈で、繊細ならば粗暴な態度で他者を傷つけていいなどというわけがない。

だが、あと少しだ。彼らは、見失った道のすぐそばを彷徨(さまよ)っている。「あいつの生い立ちも、俺の生い立ちも、どうでもいい話だ」あるいは「どちらも、どうでもよくはない」と鳥井が言える日はくるのか、どうか。

物語は続く。今、読まれるべき小説である。

# 仰ぎみる高峰

高木彬光『高木彬光コレクション／長編推理小説　黒白の囮　新装版』
（光文社文庫・06年8月20日）

高木彬光について語る時、最もふさわしい言葉は熱情・情熱ではないだろうか。わが国を代表する本格推理作家として偉大な功績を残しただけでなく、社会派、歴史、法廷、伝奇ものからＳＦや少年ものに至るまで、多方面で旺盛な筆をふるったこの作家の小説は、常にハイテンションで熱を帯びていた。また、現実の裁判で特別弁護人を引き受けたり、松本清張と激しい邪馬台国論争を繰り広げたりするなど、著作の外でもエネルギッシュに行動した。

熱烈なファンを多く持つ作家だ。それは、作品が素晴らしいからということに加えて、作者と作品が放出する熱が私たちを魅了するせいもあるだろう。「面白いものを書く作家の一人」というだけに止まらない存在なのだ。こんな推理作家は、なかなかいない。後進の作家にとって、仰ぎみる高峰である。

かくいう私は三十数年来の高木彬光ファンなのだが、作品があまりに多いために読み逃しているものもたくさんある。うれしいことだ。既読の名作群を読み返すこともあるので、まだまだ楽しみは尽きない。

本稿を書くにあたり、『黒白の囮』を約二十八年ぶりに再読したわけだが、初読の時の興奮を懐かしく思い出した……というよりも、「ここまでやっていたのか」と感服してしまった。畏れ入りました。巨匠の膨大な作品群の中でも、屈指の名編と言えよう。

ところで、この作品には一つだけ自分と接点がある。

『黒白の囮』は、一九六七年（昭和四十二年）に、読売新聞社の〈新本格推理小説全集〉の一冊として刊行された。もちろん書き下ろしだ。〈新本格推理〉。これこそが巨匠との接点で、私の著書もそう呼ばれることがしばしばある。その意味合いは大きく違っているのだけれど。

現在〈新本格推理〉と称されているのは、一九八七年にデビューした綾辻行人の『十角館の殺人』に端を発するムーヴメントを指しており（その言葉自体は第二作の『水車館の殺人』の帯で登場）、人工的な謎とその解明、アクロバティックな仕掛けが特徴だ。それに対して、今からおよそ四十年前の〈新本格推理〉は、「人工的な謎とその解明、アクロバティックな仕掛けに止まらない」ことをめざして書かれた。

叢書のすべての巻頭には、「新本格推理小説に寄せて」という監修者・松本清張の文章が掲げてある。社会派・風俗派などに流れ、中間小説化していくことへの揺り戻しとして、「今や推理小説は本来の性格にかえらなければならない」とアピールした上で、社会派・風俗派によって推理小説が獲得したものをふまえた「新しい展開」が提唱された。読書界で市民権を得たのだから、「戦前のそれにもどるべくもない」というわけだ。

私がその流れに加わった現代の〈新本格推理〉は、「戦前のそれ」とまでは言わないが、「社会派・風俗派の洗礼を浴びる前のそれ」への回帰をはかったものだから、同じ言葉でも意味するところは異なる――というより、相反している。しかし、一九八〇年代後半においては、そんな回帰もまた「新しい展開」だったのだ。実際、現代の〈新本格推理〉は「戦前のそれ」とはかけ離れた試みに満ちているのだから。

『黒白の囮』を〈新本格推理〉として見てみよう。時は、まさに高度経済成長の真っ只(ただ)中(なか)。名神(めいしん)高速道路で起きた自動車事故のシーンから幕が上がる。雨の高速道路の危険性がスタンディング・ウエーブという耳に馴染(なじ)みのない用語とともに語られ、「日本では、高速時代にはいったばかりで、この方面の研究が不十分なことはたしかだし……」と警察官らは言う。モータリゼーションという時代性を取り込んでいるのだ。

やがて第二の事件が発生し、社長の座をめぐる骨肉の争いが炙(あぶ)り出されると、企業小説や社会派推理の雰囲気も漂い始める。そこに男女の愛憎劇が風俗派推理のように重なり、「戦前のそれ」とはまるで違った世界が作中に広がっていくが、高木彬光はそこから力業で本格推理を立ち上げる。

作者は、大小様々なテクニックを駆使しているのだが、ここで詳しく触れるわけにはいかない。ぼかしながら書くと、本格推理として見事なのは、スケールの大きなアリバイトリックと、捻(ひね)りの利いた真犯人の設定だ。しかも、充分に長編を支えられるだけのトリックを、いわば捨て駒に使っていることに驚かされる。それは後に、幾多の優れたバリエーションを生むほどのものなのに。「これしきはメイントリックにしない。自分ほどの作家になると、もうできない」という自負の表われか。

『黒白の囮』というタイトルはどこか松本清張的で、『刺青殺人事件』『能面殺人事件』『人形はなぜ殺される』など、無邪気なほど本格推理らしいタイトルとは趣を異にしている。しかし、このタイトルは伊達(だて)につけられたものではなく、作品を読み終えてから見直すと、推理小説としてなかなか深い意味を持っていることに気づくだろう。「戦前のそれ」にはないセンスである。囮は、作中で犯人が仕込んだ罠(わな)であると同時に、作者から読者に差し向けたものでもある。

現代の〈新本格推理〉と、昭和四十年代の〈新本格推理〉の違いは、かくのごとし。旧〈新本格推理〉は、本格推理小説らしいアイディアを核に持ちながら、社会派推理や警察小説などの要素・手法を積極的に取り入れたハイブリッド型になっている。「戦前のそれ」に戻ることは書き手としてためらわれ、読み手の理解も得にくい時代にあって本格推理を延命させようとすれば、このような形になるのが一つの必然だった。「これならどうだ」「これでよかろう」と巨匠が見得を切るのが目に浮かぶようだ。

ただ、『人形はなぜ殺される』などの神津恭介(かみづきょうすけ)ものに見られた思い切りのよさは後退し、リアリティに留意した分、この作者独特の華やかさが減じている印象は否めないし、ハイブリッドという手法についても、苦心の末の折衷案だと取るファンもいるだろう。しかし、様式の折衷というのは生半なことではできない。ここまでの成果は高木彬光の剛腕があって初めて挙げられるのだ。名探偵・神津恭介の出番はないものの、本作で長編デビューをはたした近松茂道検事も味のあるキャラクターで、社会派・風俗派の臭みを中和し、小説に潤いを与えている。昭和四十年代を代表する本格推理としても、読み継がれるべき作品なのだ。

結局のところ、〈新本格推理小説全集〉は（こういった叢書にしては珍しいことに）めでたく完結したものの、〈新本格推理〉が広範な支持を集めることはなかった。というよりも、〈新本格推理〉という名称は普及しなかったが、以降、本格推理的なトリックのある社会派・風俗派というスタイルが一般的になったのだから、熱く支持されないまま定着したというのが正確か。

その後、昭和五十年代になって横溝正史ブームが起こったり、探偵小説専門誌「幻影城」から新しい本格推理の新しい書き手が生まれたり、高木彬光の後継者とも言える島田荘司がデビューしたりして、新〈新本格推理〉へと時代は続いていった。その末端にいる私は、自分が高峰の広大な裾野に立っていることを実感する。目標とし、仰ぐ名山があったればこそ、ここに立てたのだ、という感謝とともに。

後年、巨匠は病と闘いながらも神津恭介を復活させ、名探偵史に残る鮮やかなエンディングを見せてくれた。本格推理で始まり、本格推理で終えた作家人生だ。裾野に立つ者からすれば山頂ははるかに遠いが、巨匠が本格推理に注いだ熱情・情熱だけは、しっかり引き継ぎたいと思う。

# ヒロシマ以後とミステリ

柳広司『新世界』
（角川文庫・06年10月25日）

「職業病」と題された柳広司氏のエッセイを読み、にやにやしてしまった。自分は推理作家なので、炭鉱夫の珪肺やタイピストの腱鞘炎のような職業病とは無縁だと思っていたのに、ご家族から「自分で気づいてないだけ！」と反論されたのだとか。

書いている作品に没入するあまり、たとえば原爆をモチーフにした本書『新世界』を執筆している最中は、夜中にむっくり起き上がって「熱い……背中が焼ける！」と叫んだり、ホームズ譚を書いている時は「初歩だよ、ワトスン君」が口癖になったりするのだそうだ。また、何を見ても「およそ裏の意味を推理しないことはなく」なる、とも。なるほど、これは一種の職業病だ。

柳氏の場合、歴史上に名を残す偉人や有名な架空の人物が登場するミステリをお得意にしているので、ある時はトロイアを発掘したシュリーマン（『黄金の灰』）、ある時はソクラテス（『饗宴』）、またある時はシートン博士（『シートン（探偵）動物記』）と、カメレオンのごとく変身なさるのだろう。もちろん、偉人や架空のヒーローになりきるためには、彼らが生きた時代背景・時代精神も知悉しておく必要があるから、時間や空間を自由自在に超えなくてはならない。かなりハイブロウな病だ。

　そのような趣向は、ミステリの世界ではさほど珍しいことではなくて、私だって、ぼんやりと考えたことはある。ある時、卑弥呼を名探偵に起用する手があるな、と閃いた。『魏志倭人伝』によると、かの邪馬台国の女王は「見る有る者少なく」、「男弟あり、佐けて国を治む」。「鬼道に事え、能く衆を惑わす」というのは、巫女的な存在であったことを示すらしいが……。実は、「姉さん、こんな不思議なことが起きたんだけれど」と弟が持ち込む謎を聞いただけで、卑弥呼は館から一歩も外に出ることなく、「それはね、きっとこういうことよ」と解いていたのではないか。いわば安楽椅子探偵（玉座探偵？）。女王は呪術ではなく卓越した推理力によって国を統治していた、という設定だ。いけるかもしれない、と思って、横光利一の『日輪』を参考文献に買ったところで、面倒になって挫折した。

　根気よく資料を集め、それを咀嚼し、ミステリに発展するストーリーを捻りだすのは、難易度が高くて骨が折れる作業だ。単発でたまに書くのなら気分が変わって楽しいかもしれないが（私はそれもできなかった）、柳氏のように次から次へとアイディアに満ちた長編作品を書き継いだ作家はいない。よい意味で、非常に職人的であると思う。

よい意味で、とわざわざ断わっても、職人的という言葉には、創造性よりも器用さをは、『新世界』を一読しただけでお判りいただけるだろう。

強調するニュアンスがまとわりつく。しかし、柳ミステリについてはそうではないこと

この小説には外枠があり、私（柳広司）がアメリカのエージェントと称する人物から売り込まれた原稿の翻訳、という体裁をとっている。内容は、にわかには信じられないものだった。それは原子爆弾の開発を指揮したロバート・オッペンハイマー博士によるもので、原爆投下によって第二次世界大戦が終結したその夜に、ロスアラモス国立研究所内で起きた奇怪な殺人事件の顚末が綴られていたのである。

ニューメキシコ州ロスアラモスは、原爆開発のために砂漠の真ん中に作られた町で、天才と呼ばれる選りすぐりの頭脳が研究所に集められている。外界から隔絶した環境といい、ユニークな登場人物といい、ミステリの舞台として申し分がない。J・グリックのベストセラー『カオス　新しい科学をつくる』の冒頭によると、この研究所で現在も最先端科学の研究が行なわれており、「ここで世界初の原爆を作った連中なんぞは、もう幽霊同然なのだ」というから、なんとも浮き世離れしたところだ。

柳氏はいつも読者の意表を衝く舞台を選び、しばしば文明批評を織り交ぜるが、本作のインパクトとテーマの深さは、特に際立っている。ヒロシマとナガサキを消滅させ、何十万人もの命を一瞬にして奪った爆弾。それを開発した場所で、〈たった一人〉の男が殺される。人類の運命を変えた兵器の開発者たちが、誰が、何故、どのようにしてそ

の〈たった一人〉を殺したのか、を探るのだから、なんと痛烈な皮肉であろうか。死んだのが〈たった一人〉であろうと、それはどうしても解かなくてはならない謎だ。この物語は本格ミステリだから。

作者は『2004本格ミステリ・ベスト10』のインタヴューで、「ミステリの手法を用いることで小説というメディアの面白さがテーマの重さに拮抗できるのではないかと思った」と語っていた。その目論見は成功し、『新世界』は上質のエンターテインメントとして成立している。だが、テーマの大きさゆえに「原爆文学と呼ぶには面白すぎる。楽しんでいいのか？」と抵抗を覚える向きがあるかもしれない。

ナチスから逃れてアメリカに亡命したユダヤ人思想家テオドール・W・アドルノの「文化批判と社会」（『プリズメン』所収）という論考の中に、「アウシュヴィッツ以後、詩を書くことは野蛮である」という有名な一節がある。ならば「ヒロシマ以後、ミステリを書くことはさらに野蛮である」とも言えそうだ。ただ、前記の一文は「そしてそのことがまた、今日詩を書くことが不可能になった理由を語り出す認識を侵食する」と続いており、アドルノは「世界がこんな危機的な状況にあって、悠長に詩など書いている場合ではない。行動せよ」とアピールしているのでもない。文明と野蛮は分かちがたく、文明的であるがゆえに詩すら野蛮である、と言っているのである。それでもあえて俗流解釈を採用して、再び問うてみよう。

ヒロシマ以後、ミステリを書くことは野蛮か？

そうではない――と言いたい。

英米で本格ミステリが興隆をみたのは、第一次世界大戦の後。第一次大戦の惨禍をまともに受けなかった日本で本格ミステリが本格的に書かれだすのは、第二次世界大戦の直後。そんな照応関係に着眼した笠井潔氏は、本格ミステリの根底には、大量死（大量殺戮（さつりく）という方がより的確だと思うが）によって失われた〈死者の固有性〉や〈死の尊厳性〉を回復しようとする精神がある、と唱えた。本格ミステリ中の被害者は、並大抵ではない苦労をして彼もしくは彼女を殺害した犯人と、目の覚めるような推理で事件の真相を解き明かす名探偵とによって、〈二重の祝福〉を享（う）ける。それが、虚（むな）しい死から人間を象徴的に救うわけだ。すべての本格ミステリがその要件を満たしているとは限らないが――

人類という種の絶滅すらも可能にした発明（猶予された極限大の大量死）に、その誕生に携わった〈たった一人〉の死の謎をぶつけた『新世界』は、笠井氏の理論の好個の作例と言える。いや、好個というより、ユダヤ人絶滅収容所での殺人を描いた笠井潔の『哲学者の密室』や、真珠湾（しんじゅわん）奇襲の直後に空母で起きた不可解な死に始まる奥泉光（おくいずみひかる）の『グランド・ミステリー』などと並ぶ極めつきの一例だろう。

柳氏は、〈たった一人〉の死の舞台として、廃墟（はいきょ）と化したヒロシマではなく、固有の死を徹底的に破壊した者たちが集うロスアラモスを選んだ。私は、そこに日本人としての怒りを感じて、共感する。「ヒロシマ、ナガサキは必然の結果だった。自業自得である」というのがアメリカの言い分で、その考え方は多くの日本人にも理解可能だ。しかし、理解はできても納得がいかぬ事態というものはある。前記のインタヴューで柳氏は、原爆を扱った『コペンハーゲン』（マイケル・フレイン作）という三人芝居を観て、「それは違うだろう」と思ったことが本作を執筆した直接のきっかけだと話している。私はその芝居を観ていないが、被爆国の人間として、容認できないことがあったのだろう。「謝罪しろ、補償しろ」とアメリカに拳を突き出したりはせずとも、ただ、後悔は求めたい。本格ミステリであるこの小説の中に作者があえてファンタジーの要素を一滴垂らし、超自然的な少女を登場させたのは、その悲惨さを彼らに想像してもらいたい、という祈りにも似た気持ちからだろう。

大量死に呼び寄せられるのだとしたら——ヒロシマ以後の本格ミステリは、ある種のジョークとして機能しているのではないだろうか。とんでもない窮地に陥った時、しばしばアメリカ人は真顔でジョークを口走る。映画でそんな場面に出くわすと日本人は「どういうつもりだ」と呆れるが、語学に強い吉村達也氏によると、あれは「だいじょうぶ、おれはいつものおれだぞ」ということを確認するための気付け薬なのだそうだ。ならば、アドルノに「それこそが野蛮」と指摘されるだろうが——明日、核兵器によって人類が絶滅する可能性がゼロとは言えない現在、〈たった一人〉の死に食い下がる本格ミステリは、「だいじょうぶ、まだ正気は残っている」という気付け薬の効用があるのかもしれない。

「殺すか、狂うか」の二者択一を、本格ミステリは否定している。ヒロシマ以後、ずっと。

# 無垢（むく）の力、夢の形

柄刀一（つかとうはじめ）『殺意は青列車（ブルートレイン）が乗せて　天才・龍之介がゆく！　本格痛快ミステリー』（祥伝社文庫・07年2月20日）

天地龍之介（あまちりゅうのすけ）を主人公とした『殺意は青列車（ブルートレイン）が乗せて』は、『殺意は砂糖の右側に』（本書と同じく連作短編集）、『幽霊船が消えるまで』（同）、『殺意は幽霊館から』（中編）、『十字架クロスワードの殺人』（長編）に続くシリーズ第五作にあたる。目次を見ると、1章、2章……という章立てになっていて長編のようだが、やはり連作短編集と呼ぶのがふさわしい。五つの事件＝エピソードは独立していながら、それを貫いて龍之介の夢をめぐる大きなストーリーが進むからだ。シリーズ前作を未読の方も読むうちにその大きなストーリーがどんなものか判ってくるようになっており、1章の第一節を読めば、およその事情は呑（の）み込めるはず。

それにしても、〈天才・龍之介がゆく！〉とは、なんと勇ましくて、大胆なタイトルであることか。古今東西、ミステリには犀利（さいり）な推理力を誇る天才的な名探偵がたくさん登場してきたが、その名前に〈天才〉を冠した例は知らない。

龍之介は、博覧強記で自然科学にめっぽう強く、七ヶ国語に堪能で、IQ一九〇だという。畏れ入るしかない能力だ。しかし、書くだけなら誰にでもできる。「八ヶ国語に堪能で、IQは二〇〇」でも何でも、小説ならば書き放題なのだが、それを説得力をもって描くのは容易ではない。作者が「主人公は天才です」と紹介するのは、読者に「おやおや、とてもそうは見えませんね」と冷笑されるリスクを冒すことでもある。

どうやってこの高いバーを飛び越えればいいかは、はっきりしている。本格ミステリなのだから、龍之介に難事件の謎を解かせることによって、天才ぶりを読者にたっぷりと見せつければいいのだ。他に道はない。柄刀氏は、〈天才・龍之介〉を主人公に据えることによって自らを追い込んだ上で、見事な跳躍を披露するのである。チャレンジングですね。

その飛びっぷりを、本書の収録作を順にたどりながら見ていこう。

「龍之介、黄色い部屋に入ってしまう」では、龍之介らが中畑保の義弟を訪ねたところ、貴重な骨董品を収めた四阿が黄色いペンキで塗りたくられる、という怪事件に遭遇する。いかにも本格ミステリ的な発想の転換が効いており、さりげない伏線がいくつも張られていて、長さに比して密度が濃い。

「光章、白銀に埋まる」の舞台は蔵王のスキー場。ロッジで起きた殺人事件の謎を、龍之介はある科学知識によって解き明かす。このシリーズではお馴染みのスタイルだ。

「そんな現象は知らなかった」という理科音痴の私も、「それを利用してこんな謎を組み立てたのか」と感心してしまった。ミステリを書いてみようか、とお思いの方は、作者の思考のプロセスを逆にたどってみると、参考になるのでは。私も勉強になりました。

この物語の最後に龍之介は、遺産で子供達のための体験ミュージアムを作る、というアイディアを得て、夢が具体化へ動きだす。シリーズ中、大きな節目となる作品である。

「一美、黒い火の玉を目撃す」は、那須のとある研究所が舞台。黒い火の玉が飛んだり、九尾の狐の呪いを暗示するような現象が起きたりして、オカルトの味つけがなされている。ここでも龍之介の知識とテクニカルな伏線がぴたりと結びついて、思いがけない真相が暴かれる。手の込んだ作品なのだが、柄刀氏にすればこれしきは何でもなさそうな書きっぷりだ。

「どうする卿、謎の青列車と消える」は、本書中のメインディッシュとなる作品だろう。中畑らが乗っていたミステリートレインに爆弾が仕掛けられ、列車消失の大魔術が演じられる。誘拐ものにもなっていて、サスペンスフルな仕上がりになっているが、目玉はやはり消失トリックだ。ある時、本格ミステリの二大巨匠エラリー・クイーンとジョン・ディクスン・カーがミステリ談義をしているうちに、「最も困難なテーマは何か？」という話になり、「それは消失トリックである」で見解が一致したのだそうだ。人間一人を消すのも難しいのに、列車一編成を消してしまうとなると、これは至難の業だ。

それだけに挑戦のしがいがあるのか、あとがきで作者自身も書いているとおり、列車消失は小さな一ジャンルを形成している。コナン・ドイルの「消えた臨時列車」に始まり、エラリー・クイーンの「七月の雪つぶて」、島田荘司の『消える「水晶特急」』、西村京太郎の『ミステリー列車が消えた』、辻真先の『幻の流氷特急殺人事件』、種村直樹の『JR最初の事件』、阿井渉介の『列車消失』『赤い列車の悲劇』、木谷恭介の「新幹線《のぞみ47号》消失！」、霞流一の『スティームタイガーの死走』など、楽しい作例が目白押しだ。柄刀氏は斬新なトリックをもって、その華麗なリストに名を連ねることになった。

「龍之介、悪意の赤い手紙に息を吞む」は、次々に送られてくる暗号の解読がテーマ。暗号の趣向もさることながら、事件全体に仕組まれた逆転の構図が鮮やかで、作者の技巧が冴え渡る。解決部分で「そうそう、あのひと言がちょっと引っ掛かったんだ」と思いながら、騙される快感が味わえる一編だ。ラストでは、思いがけないストーリーの展開があり、次作への興味をつなぐ。物語は、まだまだ続くのだ。

全編を読み通し、あらためて感じたのは龍之介の力のユニークさだ。彼は、天才的な閃きと博覧強記を兼ね備えているから、ただちに名探偵としてふるまえるのではない。森羅万象を虚心に見つめ、欲得も偏見も抜きで、「何故こうなのだろう？」と子供のような疑問を抱けるから、誰もが見落とす答えが見えるのだ。無垢の力とでも呼ぶべきか。『幽霊船が消えるまで』の文庫解説で霞流一氏は、龍之介をG・K・チェスタトンが創造した名探偵ブラウン神父と比較し、両者の「ピュアな部分」が重なる、と指摘していた。まことにそのとおりで、かの神父が大活躍する『ブラウン神父の童心』の原題は“The Innocence of Father Brown”。『ブラウン神父の無垢』とも訳せる。無垢であることは、時には弱々しさに通じかねないが、同時に自由でしなやかな精神を育む。それは、名探偵にとって必須の資質だろう。

子供達が豊かな知識を楽しみながら身につけられる体験ミュージアムを作りたいというのは、いかにもイノセントで、知恵の力を信じる龍之介らしい夢だ。優しく、美しく、清々しい。そして、教育の在り方が問われている昨今、とてもアクチュアルな発想でもある。これは作劇上の都合といったものではなく、知を愛する柄刀氏の心が書かせたものなのだろう。

氏は、本書のノベルス版に〈著者のことば〉を寄せているが、その中で「龍之介が見せてくれるのは、シンプルなところに立ち返ったミステリーです」とし、しばしば自然が重要な背景になる物語から顔を見せるのは「純粋に明朗なエンターテインメントです」と締め括っている。確かにこのシリーズには、「明朗」という言葉が、とてもよく似合う（シンプルというには凝りに凝った作品ばかりだけれど）。

明朗な夢を語る明朗な本格ミステリ。そんな〈龍之介シリーズ〉こそ、いや柄刀ミステリこそ、夢の体験ミュージアムの似姿ではないだろうか。作中で龍之介が求める夢がいつどんな形で結実するのか、まだ判らない。しかし、私たち読者は、もうそこに入館し、楽しんでいるのかもしれない。

# 〈ゲシュタルトの欠片(かけら)〉の射手

北山猛邦(きたやまたけくに)『「クロック城」殺人事件』
（講談社文庫・07年10月16日）

『「クロック城」殺人事件』は、今、最も先鋭的な本格ミステリ作家の一人、北山猛邦のデビュー作である。その文庫版巻末に文章を添えられることは、私にとって光栄だ。北山氏に初めてお目にかかった際、短くこう伝えた。「（あなたの）ファンです」。くだくだと話さなかったのは、落ち着いてしゃべれる環境ではなかったことに加え、本当にファンだからだ。そういうものです。

それはさておき、本書を手に取ってまずこのページを開いた方へ。
［この作品には大胆な物理的トリックが登場し、その解明場面で図版が使われています。くれぐれも途中のページをめくって見ないでください。］
老婆心めいたご忠告のあとに、慌てて付け加えなくてはならない。「図を一枚見ただ

けでネタが割れてしまうようなミステリだったら、通読するには及ばない。そのページだけ見て、買わずにすませてやれ」などと絶対に思うなかれ。そんな愚行に走ったら、この作品の真の凄さを知ることなく人生を終えることになってしまう。ミステリファンなら、あってはならない事態だ。

一瞥しただけで大きなヒントになってしまう図を読者の目から隠すため、本書のノベルス版は後ろの五分の一ほどが袋とじになっていた。そして、帯には〈本文208頁の真相を他人に喋らないでください〉というお願いが。いったい何事か、と思わせる作りだった（もちろん、ノベルス版と文庫版では問題のページが異なっている）。

本の一部を袋とじにした前例に、ビル・バリンジャーの技巧派ミステリ『歯と爪』や、リチャード・マシスンのモダンホラー大作『地獄の家』があるが、それらには「袋を開封せずに出版社に届ければ、代金を返す」という返金保証がついていた。つまり、最後まで読まずにはいられない面白さですよ、というアピールのための封印だ。

島田荘司の『占星術殺人事件』の単行本では、別の目的から袋とじが採用された。この作品の華麗な大トリックの解明部分にはふんだんに図版が使われ、文字どおり絵解きになっている。そのため、読者がうっかり真相を目にしてしまわぬよう、親切心から編集部が袋とじにしたのだ。そして『「クロック城」殺人事件』は、この『占星術』の衣鉢を継いでいる。

ただし、両者のトリックが全体に占める比重は異なり、『クロック城』はトリックが割れた後も謎解きは続く。驚愕の真相が判明するのは最後の数ページに至ってからだ。ミステリ史上に前例のない異様な真相であり、よくこんなことを思いついたな、と唖然とさせられた。

「途中のページをめくって見ないでください」というアナウンスに続けて、本書の最大の山場が最後の数ページにあることまで、まくし立てるように書いてしまった。ここで呼吸を整え、『「クロック城」殺人事件』がどんな作品で、北山猛邦がどんな作家なのかについて語っていこう。

この作品で第二十四回メフィスト賞を受賞し、北山氏はデビューを果たした。メフィスト賞とは、新本格ミステリ・ムーヴメントの中心である講談社ノベルス編集部（文芸図書第三出版部）が一九九五年に設けた新人賞で、編集者のみの選考で受賞作が決まる。投稿は随時受け付け、よい作品があれば何本でも授賞。第一回受賞作は森博嗣の『すべてがFになる』。第二回が清涼院流水の『コズミック』。以降、個性的な作家を輩出し、賞金もなく権威とは無縁のところで始まった賞は、俄然、熱い注目を集めるようになる。賞そのものにファンがついたのだ。

もとよりメフィスト賞は、広義のエンターテインメントを募っているのだが、新本格の震源地が創設した賞で、第一回受賞作が鮮烈な本格ミステリだったこともあり、当初は本格ミステリを指向する新人の登竜門だと見られていた。現に、多くの有望な本格新人を発掘している。しかし、第二回受賞作からして本格ミステリの様式を逸脱した破格の作品で、舞城王太郎（第十九回）、佐藤友哉（第二十一回）、西尾維新（第二十三回）がデビューする頃には、エンターテインメントの既存の枠組みに囚われない新感覚派・ニューウェーヴの新人賞という趣を持つに至る。そこに登場したのが北山猛邦だった。

驚喜した。メフィスト賞が本格ミステリ離れを始めたと思った時期に、こんな本格の傑作に出会えようとは。さらにうれしかったのは、作者が当時二十二歳だったこと。新本格の中核世代より二回り近く若い。大袈裟ではなく、ベツレヘムの夜空のメシア誕生を示す星を見た気がした。

あったがままを記録しておくと、発表された当時、『クロック城』に対する評価はあまり高くなかった。メフィスト賞が本格離れをしたと思われていたせいなのか、図解されるトリックだけで採点されたせいなのか、他の本格作品の山に紛れて目立たなかったのか、理由はよく判らない。編集部によると、西澤保彦氏が絶賛していたそうだが、概して評論家やファンの反応は鈍く、そのことが私は不満だった。その後、北山氏は登場人物や舞台設定を異とする『「瑠璃城」殺人事件』『「アリス・ミラー城」殺人事件』『「ギロチン城」殺人事件』を発表し、自力をもって評価を獲得していく。『アリス・ミラー城』あたりから評判を聞きつけて、読みだしたファンもいそうだ。もしも、『クロック城』をブレイク前の習作だと思っている方がいたら、ぜひ本書を読んで勘違いに気づいていただきたい。

『クロック城』の舞台は、人類が滅びに直面した一九九九年。雨の中、ボウガンを手にした探偵が〈ゲシュタルトの欠片〉である少女の幽霊を追い、磁気異常のせいでほとんどの時計がまともに時を刻めなくなっている世界が描かれる。SFかファンタジーを思わせる設定だ。読み始めるなり、私はいささか警戒した。タイトルは堂々たる本格だが、そういう設定はもう新しくはないよ、と。死者がゾンビとなって甦る世界で連続殺人が起きる山口雅也氏の『生ける屍の死』や、SF的なルールを本格に持ち込んだ一連の西澤保彦作品を連想したのだ。

あわや作者を見くびりかけたが、そうならなかったのは、クールで濁りのない文章とメランコリックな世界像に惹かれたからだ。世界の滅亡というイメージも、十四歳で『日本沈没』『ノストラダムスの大予言』の洗礼を受けた終末論世代（オウム真理教の幹部らの世代）の私には懐かしかった。そんな作品世界に本格らしい謎の香りが妖しい霧のごとく立ち籠めてくるものだから、ミステリに夢中だった十代の頃を思い出し、次第に興奮していった。袋とじのミシン目を破るのももどかしく読み進むほどに、問題の図が現われる。「なるほど、これを見せないための袋とじか」と納得しながら、さらに期待は膨らむ。残りページがやたらとあるから、このトリックが命のミステリではないらしい。着地点はどこだ？　シュアで美しい推理をたどり、ゴールに着いた時は、溜め息が出た。しごく素直な気持ちで、凄い、と思った。

山口作品や西澤作品は、異世界を舞台にすることで読者の認知能力を（結果として）低下させ、「この世界ではこういうことが起きるのが必然でしょう。あらかじめフェアにルールは示しましたよ」というのが手口だった。当たり前のことが盲点に入り、意外に見えて驚きを呼ぶわけだ。『クロック城』でも同じことが行なわれるのだが、私はことのほか面白く感じた。「この世界ではこういうことが起きるのが必然」と明かされるなり、「この世界」の姿とその哀しさが、勃然と遡行的に立ち上がったからだ。本格ミステリを成立させるために世界を創造するだけでも愉快なのに、北山猛邦は本格ミステリを成立させることで世界を産み落としてみせた。新しく、瑞々しい切り口だった。

新しい一方、『クロック城』は古風な本格のスタイルも墨守している。北山氏は、物理トリック（機械トリックと呼ばれることもある）を多用することで知られるが、本格ミステリの世界では、物理トリックから心理トリックへの移行が唱えられて久しい。さらに新本格では、心理トリックから叙述トリックへの移行が進んだというのに、北山猛邦はシュルレアリスム画家の画風のごときトリックの個性＝作家性をもって、その了解を平然と乗り越え、本格ファンでさえ古いと思っていた物理トリックの面白さを蘇生させた。本格が持つ〈新しくなりようがない部分〉を若い作者がかくも見事な手際で描ききってくれたことに感激せずにおられない。

作者の年齢にこだわるのは、本格作家にはしばらく空白の世代ができることを予想＝覚悟していたからだ。音楽シーンを見れば判る。弟は、兄貴が熱中した音楽に醒めるのが普通で、その下の世代に揺り戻しがくる（ハードロック→パンク→テクノ・ニューウェーヴ→ヘヴィーメタル等）。小説の場合、そのサイクルはもっとゆるやかだろうから、次の本格世代はもう十歳ほど若くなると思っていた。北山猛邦は、暴れ馬のごとく早駆けしたのだろう。

ファンタジックなゲームやアニメに親しんだ世代からすれば、この作品は「世界もキャラクターも私たちの世代らしい」と感じるかもしれない。だが、先にも書いたとおり、終末論世代の私にとって、本作の滅びの風景はとても懐かしい。世界が滅びるのは、ほぼ確定。打つ手はなく、自分たちはカタストロフの目撃者となる。十代の頃、私の世代はそんな悪夢を楽しんでいたのだが、『探偵小説と記号的人物（キャラ／キャラクター）』（笠井潔）巻末の座談会で北山氏は、「世紀末的なイメージは僕らの世代の根底にあるのではないか」「僕は特に、破滅した世紀末というイメージの強い影響下にありました」と発言している。そんな意識がつながっているのなら、私と北山氏が本格ミステリ――徒手空拳（くうけん）の個人が世界にカタをつけられる小説――に引き寄せられる理由も、あまり変わらないのかもしれない。

その座談会の中で、氏は叙述トリックは嫌いで物理トリックが好きである、と明言しているのだが、叙述トリックを避けようとする理由が、私には想像できる。小説内の世界が不可視であることを利用して読者を幻惑する叙述トリックは、作者のみに使用が許された一種の魔法だ。そして、自分が生きる現実世界は魔法がかかったようにわけが判らない。だから、本格ミステリの中に魔法じみた要素をむやみに持ち込みたくないのではないか。はずれているかもしれないが——私の場合はそういうことだ。

昨今、そうした発想は主流たり得ず、むしろ貧しいのかもしれない。だとしたら、その依怙地さは本格ミステリが孕む貧しさでもある。北山猛邦は、それを引き受けてくれるらしい。

この世は、本格ミステリを必要とする人間ばかりではない。それは、〈ゲシュタルトの欠片〉のように〈どうせ幽霊みたいな存在〉であり、〈ぼんやりと夢想のように現れる幻影〉。消えたかと思うと現れ、射貫いたからといって殺せるわけでもない。それでも北山猛邦は、ボウガンを手に追ってくれるだろう。誰にでもできる業ではないことを自覚しつつ。そして私は、この特異な才能に満ちた作家を追い続けたい。

# 水車は今も回り続ける

綾辻行人『水車館の殺人』新装改訂版
（講談社文庫・08年4月15日）

『水車館の殺人』（一九八八年）が講談社ノベルスの一冊として発表されてから二十年。文庫化されて十六年目の新装改訂版である。私はその文庫版に解説を書かせてもらったのだが、その後に考えたことやら現在思うところなどを書いてほしいという依頼がきたので、再び『水車館』の巻末に漫文を添えることになった。少しお付き合いください。

以前の解説で、綾辻氏と私との共通点について縷々記した。当時から「解説、頼んでいい？」「ええよ」の間柄だったものの、知り合って三年目、まだ親しくしている同業者という域だった。それが会う回数が増えるにつれて、もし商売替えをすることがあっても付き合い続けたい友人になっていく。最近、彼が私のことを盟友と呼んでくれている文章を何度か目にしたが、彼は私にとって盟友であり、畏友だ。……なので、これ以降は綾辻氏なんて堅苦しい呼び方はやめて、綾辻さんでいこう。

親交が深まった最大のきっかけは、一九九九年十月に放映された『安楽椅子探偵登場』(朝日放送)の原案を共同で書いたことだろう。これは関西ローカルの深夜枠で企画された懸賞金つき犯人あてドラマで、できあがるまでの経緯などはエッセイ集『アヤツジ・ユキト　2001-2006』に詳しい。好評だったためにシリーズ化し(二〇〇八年十月に第七弾が放映予定)、その都度どちらかの家に泊まり込み、夜を徹してアイディアを練っている。内容はガチガチの犯人あてで、並みいる視聴者を欺きつつ、謎解きを楽しんでいただいた上、最後には納得してもらわなくてはならないから、仕事としては精神的にヘヴィーだ。パートナーがいるから気が楽というわけもなく、行き詰まって二人とも頭がふらふらになることも多いのだが、それだけに否が応でも紐帯は強まる。

平素は独りで創作活動をしているだけに、共同で作業をすることからくる連帯感はなかなかいいものだ。が、それだけではなく、ブレイン・ストーミングの過程でお互いの本格ミステリ観をぶつけ合うことからとてもいい刺激が得られる。「本格とは何か?」と問われたら、簡単に答えるのは難しいけれど、定義をすり合わせないまま語る時に、思わぬ発見がある。

『水車館の殺人』のあとがきで、「本格ミステリとは何か?」という議論に触れ、(あえて大まかな表現で)「雰囲気」と言ってのけた綾辻さんは、やはりその問題に敏感だ。本格=雰囲気論については、十六年前の文庫版あとがきで「こだわる人が見れば激怒しそうな暴論」かもしれないが、「現在でも基本的にその思いは変わっていない」し、スタティックな論を立てたがために縛られ、「かえって面白いものが書けなくなってしまう」ことを危惧している。そんなスタンスを取りながら、創作の中で「本格とは何か？」という疑問に直面した時、彼は膝を乗り出してくる。

つい先日の打ち合わせの際も、こんなことがあった。「この事件の犯人は、目的を達したら警察に捕まってもいいという覚悟で犯行に及んだ」という設定の是非について、私が「それはあかんやろ。本格の犯人はそんなふうにはせん」と言い切った（その場で思いついたことで、自分が必ず実践しているかどうか怪しいのだが）のに対し、彼は「それは本格からはずれるの？　面白い！」と声を弾ませたのだ。そこから白熱した本格談義が始まるわけでもないのだが（そんな寄り道をしていたら納期までに仕事が終わらない）、考えるヒントが一つ手に入った感覚がある。

　昨今の彼は、自らのホラー幻想体質を自覚することが多いようだが、「本格とは何か？」が常に念頭にあるようで、やはり骨がらみの〈本格者〉である。

　意見が食い違う場面も珍しくない。それでも決して険悪なムードにならないのは、彼が紳士であり、私が綾辻行人の才能に敬意を払っているからだ。〈本格者〉の彼は、妙案を思いついて話す際、いかにもうれしそうに目を輝かせる。一方の私は、内心は自信があっても「こんなん、どうかな」と少しおずおずと口にする（ような気がする。錯覚かもしれない）。そのアイディアが採用されるかどうかをいち早く教えてくれるのは、やはり彼の目だ。「面白いね」と言う前に、輝いている。書くものはとことんトリッキーだが、綾辻さん自身は裏表がない清々しい人物なので、そのうれしそうな目を見た時は、本当にほっとする。

ただ、合作というのは創作者として裸の姿をさらすに等しいから、怖い場面もなきにしもあらず。最新作の打ち合わせをしていた時のこと。私が提示したアイディアを聞いた彼は、「有栖さんなら、これで書くんでしょう?」(「書けるんでしょう?」だったやも)と尋ねてきた。「書くね。この部分に幻想味を持たせて、森の描写でがんばる」と答えながら、ひやりとした。彼の言い方に皮肉な調子はまるでなかったが、綾辻行人なら書かない、書けないのだ。そう言われて「このネタではまだ温(ぬる)いな。甘かった」と思い直し、「彼は、自分より一歩踏み込むのか」と知らされて、背筋が伸びた。

ちなみにそのネタは、綾辻さんが素晴らしいアイディアを付与してくれたおかげで、何とか使い物になった。私だけなら何日思案しても浮かばなかったであろうギミックだ。それが加わった瞬間、作品全体が抱え上げられたような気がした。合作の醍醐(だいご)味である。

世の中には、「私は世界中の誰よりも作家・綾辻行人とその作品を愛している」と叫びたいファンが大勢いらっしゃるだろう。ごめんなさい。大人げないが、「有栖川有栖はファンでありながら一緒に本格ミステリを創っています」と自慢したい。ミステリ作家になったおかげで究極のポジションを手にできて、幸せと言うほかない。

そんなパートナーシップの中で思うのは、綾辻行人が本格ミステリに注ぐ愛情と情熱は、デビュー以来、薄らいでいないということ。その本格ミステリ創造力は、まったく衰えていないということ。それを身近で感じられることもまた幸せである。

『水車館の殺人』についても書こう。

多くの熱烈なファンを持つ館シリーズにあって、この作品の評価と人気がどのあたりに位置するのか、私は知らない。傑作が目白押しの館シリーズには、それぞれの作品に「これが一番好き」とファンがついているようだから。私は「『時計館の殺人』の次に好き」だ（『時計館』は傑作ならぬ大傑作）。

デビュー作『十角館の殺人』は衝撃的だった。わが国の本格ミステリ史における里標的名作と呼ぶべきもので、『十角館』があったからこそ館シリーズが生まれたわけだから、最初に指を折りたくなる。が、リアルタイムで読んだ私は、綾辻行人なる新人をいきなり「信用」はしなかった。作者本人に話したことがあるから、遠慮なく書かせてもらおう。『十角館』のインパクトがあまりに強かったため、暗い目をして「まぐれではないか？　これ一発で終わる作家かもしれない」などと疑ったのだ（失礼な）。

期待と不安を持って第二作に注目した。それこそが『水車館』。一読するや、ペシミスティックな私の予想は完全に霧消する。『十角館』はまぐれでなかった。大きなトリックやミスディレクションで度肝を抜く作品は楽しいが、「その作者の頭脳に飛来した生涯最大にして最後のアイディア」の賜物という場合がある。しかし、縦横に伏線を張り巡らせ、大小様々なトリックを配置し、組み立ての妙味を堪能させてくれるような作品は、まぐれでは書けない。メロディなら誰でも口ずさんで作れるが、対位法をふまえたオーケストレーションは素人には無理なのと同じ。だから、『水車館』を読み終えた時こそ、完全に脱帽した。

　また、全編を包んだゴシック趣味にも感服した。これは『十角館』には見られなかったものだ。再び下手な喩えをさせてもらうと、私が棚に並べ鑑賞していたアンティークな洋燈を、綾辻行人がちゃんと実用に供していたことに驚かされた。古城めいた洋館、仮面の当主、無気味な執事。そういったものは、「さすがに現代を舞台に本格を書くと出しにくい」と思っていたが、書き手に技量があれば何ほどの問題でもなかったのだ。やられた。

　そんなわけで、『水車館』は私にとって『十角館』に勝るとも劣らず衝撃的な作品なのだ。同書ノベルス版の帯に躍っていたコピーこそ、「香気あふれる新本格推理第2弾！」。ご存じの向きもあろうが、今に続く新本格という呼称の始まりで、その意味でも記念すべき一冊と言えるだろう。

　また、〈著者のことば〉には、「閉ざされた〝静寂〟の空間を造り出すために回り続ける三連水車。館は、これらの水車によって時の河面に浮かんだ〝船〟です」とあった。時間の流れは、しばしば川に喩えられるが、この〝船〟は少し奇妙だ。どこにも向かわず、ただ時の河面に浮かんでいるだけではないか。しかし、これを本格ミステリの比喩だと捉えると、たちまち腑に落ちる。時代に流されてしまわず、留まることで美しい館は館たり得る。それを支えるため書き手と読み手も集え、と訴えるために、三連の水車で館を象徴させたのだろう。水車は今もなお、力強く回っている。

# 出しそびれたファンレター

笹沢左保(ささざわさほ)『笹沢左保コレクション 招かれざる客 新装版』(光文社文庫・08年9月20日)

これから書くのは想い出話みたいなものだが、亡き笹沢左保さんに宛てたファンレターでもある。お会いしそびれた憧(あこが)れの作家への、出しそびれたファンレター。弟子でもないのに〈笹沢先生〉ではかえって馴(な)れ馴れしい気がするので、気安く響くかもしれないが、〈笹沢さん〉と呼ばせていただく。

笹沢さんは昭和を代表する流行作家の一人だ。三百五十を超す著作を世に送り、推理小説・現代小説・時代小説の各分野で圧倒的な人気を博した。その作風は多彩で、作家的ピークをいくつも持っている。今の私は同業者の端くれに連なっているが、ご尊顔を拝する機会もなかったし、とても遠い存在だ。

初めて笹沢左保という名を知ったのは、いつだったか。中学生時代にテレビドラマ『木枯し紋次郎』の作者としてだったかもしれない。ニヒルな主人公が魅力的な西部劇風時代劇で、父が好んでよく観ていたが、股旅(またたび)ものにあまり興味がなかった私は横目に見て、「暗そうだな」とだけ思っていた。

その後、作者が推理作家として絶大な人気を誇っていることを知り、高校生になって手を伸ばしたのが『招かれざる客』だ。（事件）と（特別上申書）の二部構成からなり、筆致はハード。いかにも大人の読み物というタッチで、たちまち惹きつけられた。アリバイと密室の謎の追及が始まると、もう夢中になり、解決編ではトリックの冴えに感嘆したものだ。「笹沢左保って、こういう作家だったのか」と知った。

それをきっかけに笹沢ミステリに傾倒していったのかというと、これがそうでもない。私は本格ミステリをマニアックに読み漁っていたので、おかしな偏見を持っていたのだ。それがどういうものかというと……。

――手の込んだ推理やトリックを盛り込まなくてはならないから、本格ミステリは量産がきかないし、その面白さは他の娯楽小説と一線を画している。だから、多作なベストセラー作家に本格ものは似合わない。したがって、三段論法的にいって笹沢左保は本格ミステリ作家ではないだろう。ただ、『招かれざる客』の他にも『空白の起点』『突然の明日』なんていう本格作品があるらしいから、折を見てそのあたりは読んでおこうか。

という調子だったのである。当時の高校生が入手できる情報の量は乏しく、まぁ、ものを知らなかったわけだ。書店の棚に並んでいた文庫本には〈紋次郎シリーズ〉を始めとする時代小説の他、『六本木心中』や『愛人ヨーコの遺書』といった現代小説が多かったせいもある。そういう題名は、高校生の本格ファンにとってあまり魅力的ではなかった。

そんな私を開眼させてくれたのは、大学の推理小説研究会で出会ったM先輩（現在ミステリ作家の白峰良介、パズル作家の三輪みわ）だ。鮎川哲也の熱烈なファンで、アリバイものが大好きだった私に、笹沢ミステリを薦めてくれた。M先輩も鮎川ファンだったので素直に指南に従って、『霧に溶ける』『人喰い』『暗い傾斜』などを読み、「本格ファンを自称しながら、これを今まで読まずにいたのか！」と瞠目したという次第である。

私が大学に入ったのは一九七八年。紋次郎ブームが一段落した頃だ。七〇年代の後半になって、笹沢さんはデビューした当時に戻ったかのように長編本格ミステリを次々に発表しだしていた。ルポライターの天知昌二郎を主人公にしたサスペンス色の強い〈岬〉シリーズや、やはり天知を探偵役に起用して時代遅れと言われがちだった密室トリックに真正面から取り組んだ『求婚の密室』。あるいは、伊勢波警部を主人公にしたアリバイもの『遙かなりわが愛を』『遙かなりわが叫び』。片っ端から読んだ。至福の時期である。新刊書店で買えるものがなくなると、せっせと古本屋を回った。

一作ごとに斬新なトリックが盛り込まれているだけでなく、作品全体に及ぶ趣向の数々が素晴らしかった。エンターテインメントとは〈もてなし〉の意だが、こんなに客＝読者を誠実にもてなしてくれる作家はめったにいない。本格ミステリは、理屈を前面に押し出すために踏むべき手続きが多く、ある種の退屈さがつきまといがちだ。私はそれを半ば諦め、「退屈な部分に耐えられてこそ本格ファン」とすら思っていたのだが、笹沢さんは自分に厳しく、読者に優しかった。新しい本格の形であり、当時〈新本格派〉と呼ばれた所以である。

　また、トリックの出来やオリジナリティの高さもさることながら、それが小説へ溶け込んだことで生まれる効果に溜め息が出た。トリックというと、小説における手品的座興だと見られがちだし、私自身も「手品でもいいではないか」と考えていた。ところが、偉大なミステリ作家の手にかかると事態は一変、トリックは犯人の内面が実体化したものとなり、それそのものが小説に生命を吹き込んで、できあがった作品はミステリでしか表現できないものになる。『暗い傾斜』『盗作の風景』あたりに、その味わいが顕著ではないか。

　いや、十代の私だって、それまで読んできた名作群から「トリックは人間を描くこともできる」と思ってはいた（本格ミステリでは、トリックを描いたトリックでもかまいはしない。作中できちんと成立していれば）。しかし、男女のドラマを主軸とすることが多い笹沢ミステリにおける達成は独特なものがあって、えも言われぬ余情を残してくれる。これは、ニヒルにしてリリカルという笹沢さんの作家性に拠るところが大だろう。

「本格ミステリは量産がきかない」と先に書いた。しかし、笹沢さんが「そんな決まりはない」ということを、実作をもって示してくれたことにも感謝したい。その後、大作『宮本武蔵』など時代小説の執筆が増えていくが、笹沢さんは最晩年まで本格ミステリに強い関心を保ってくれた。九〇年代に入ってから、『アリバイの唄』のタクシードライバー夜明日出夫（よあけひでお）シリーズ、『取調室』の水木正一郎（みずきしょういちろう）警部補シリーズをスタートさせている。「いつまでも本格を手掛けてくださるだけでうれしゅうございます。失礼かもしれませんが、大トリックは期待していません」と思いながら読んでは、「まだこんなアイディアが出るのか」と何度も驚喜した。どれだけ楽しませていただいたことか。

二〇〇〇年に本格ミステリ作家クラブが発足する際、見ず知らずの若手作家（笹沢さんから見れば）たちの勧誘に応（こた）えて、笹沢さんはすぐに入会してくださった。「本格が好きなら、しっかりやりなさいや」というエールと受け止め、感激した。光栄にも思っている。本格の形式でいかに小説を書けばいいのかを後進に教え、本格を最後まで愛してくれた笹沢さんに、ファンレターにふさわしいひと言を告げよう。

「ありがとうございました」

人気者の笹沢さんが大勢のファンに囲まれている情景を思い浮かべる。近づくこともできない私は遠くから眺めているだけ。しかし、ふと目が合うと笹沢さんは一笑し、パチンと指を鳴らす。すると、頭上からうっとりするような本格ミステリが舞い降りてくるのだ。私は両手を掲げて、それを受け止める。

目覚めたまま見た正夢である。

## 鉄道探偵の冒険

小池滋（こいけしげる）『「坊っちゃん」はなぜ市電の技術者になったか』
（新潮文庫・08年10月1日）

新潮文庫編集部から、本書の文庫解説を書かないか、と言われて驚いた。しかも、「有栖川さんは、なかなかテツ分が多そうなので」と著者の小池滋先生直々のご指名だという。

ちょっと待ってください。テツ分というのは、鉄道への愛だと思われるけれど、私なんて電車に揺られて旅するのが大好きで、鉄道もののミステリに入れ込んでいるだけの人間。巷（ちまた）にあふれる鉄道愛好家の皆さんに比べたら貧血で倒れそうなほどテツ分不足なのに。小池先生の著書、しかもこの『「坊っちゃん」はなぜ市電の技術者になったか』なんていう名著の巻末に文章を寄せるなど、荷が重すぎる。他に適任の方が山ほどいらっしゃるでしょうから……と辞退したら今、拙文を書いてはいない。物書きをやっていると、こんなこともあるんだなぁ、と感心しながら、お引き受けしてしまった。

小池先生が私を指名してくださったのは、何度かご面識を得ていることと、かつて私が『有栖川有栖の鉄道ミステリ・ライブラリー』（角川文庫）というアンソロジーを編纂した折、本書の中の「田園を憂鬱にした汽車の音は何か」を収録させていただいたことによるのでは、と想像している。

書店の店頭でこの本を手に取り、「はたして自分向きの本だろうか？」と迷っている方もいらっしゃるだろうから、まずはその背中を押してさしあげよう。大丈夫、お読みになったらきっと大喜びします。

「なんていい加減な薦め方だ。私が誰かも知らずに適当なことを」とおっしゃるなかれ。本書の著者名と題名をゆっくりと読み返していただきたい。こういう本を手に取ること自体、あなたの嗜好が奈辺にあるかを示している（新潮文庫の新刊には触れずにいられない、というフェチを別にして）。小池滋が書いた鉄道がらみの本である、ということに反応した人なら、無条件に楽しめる。読後の満足は約束されたも同然だ。そんなあなたは小説好きで、かつ名探偵による謎解きに魅せられるタイプの人だろうから（もしかしたらミステリファン？）。この本の中では、小池先生がすごい推理力を発揮し、著名な文学作品に意外な方向から光を当て、そこに隠された秘密を引き出す。いわば「文学をめぐる鉄道探偵の知的冒険」だ。見逃す手はない。

「とうに買った。読み終えたところだ」という方には無用の文章を綴ってしまった。これから先は、そういう皆さんと一緒に本書の面白さを振り返って、感動を新たにしたい。喜びは、分かち合えば二倍になる。この小文はそんな役目を果たすだけのもので、解説やら解題やらではない。

開巻劈頭に、いきなり『坊っちゃん』の書き出しにひっかけた愉快な文章がある。そこに曰く著者は、面白い小説にあたると目を皿のようにして読み返し、作者が筆を省いた部分に着目して「もう一度別の、あるいは裏の物語をでっち上げたくなる」のだとか。これは、さほど変わった性癖ではない。

すぐに連想するのは、シャーロッキアンという人種だ。コナン・ドイルの筆から生まれた名探偵シャーロック・ホームズをこよなく愛するがあまり、テキスト（正典と称する）の裏の裏まで読み尽くそうとする人たち。架空の人物であるホームズの語られざる経歴を推理したり、友人であるワトスンの古傷の部位や結婚歴の矛盾について答えを見出そうとしたりする。ただの粋狂な遊びなのだが、中には思わず身を乗り出すほどユニークなアプローチも見受ける（ちなみに、小池先生にはシャーロック・ホームズ全集の監修・翻訳の訳業あり）。

また、そんな数寄者たちを持ち出さずとも、昨今「もう一度別の、あるいは裏の物語」をでっち上げることは、二次創作という形で大流行だ。いわゆるオタクで賑わうコミックマーケット（コミケ）会場に行けば、人気アニメや漫画、小説をパロディ化した同人誌が大量に販売されている。ファンによる戯れだから、質的にはピンからキリまで。惚れたものをいじるのは愛情表現の一つだし、パロディという形で自己表現することは快感だろう。

しかし、小池先生の場合、シリーズキャラクターに没入したりはせず、「松山の中学校教師を辞めて街鉄の技手になったその後の坊っちゃん」を空想したパロディに走りもしない。夏目漱石はどうしてそんなふうに『坊っちゃん』を終わらせたのか、という疑問を抱いて、その答えの探究に乗り出すのだ。

さすが英文学の泰斗だけあって、創作よりも研究に頭が向くのだな、と浅く納得してはいけない。前述の謎を解いていきながら披露されるのは、知識の集積だけにあらず、どこまでも柔軟な著者の頭脳だ。その過程は実にクリエイティヴで、生半可なフィクションの創造をはるかに凌駕している。このような「絵解き」は、小池先生にすれば本業を離れた余技、いや遊びだ。遊びでそれだけのことをする力があって、はじめて文学を「読み解く」ということができるのだろう。

「『坊っちゃん』――」においては、坊っちゃんが物理学校を三年間で卒業できたことを「奇蹟としか言いようがない」と指摘することから始め、教職に愛想を尽かした後の彼の身の振り方を考察していく。その途中、漱石が電車嫌いだったであろうという推察や、当時の東京市内電車をめぐる様々な状況が参照され、文学ファンも鉄道ファンも唸らせてくれる。

「電車は東京市の交通をどのように一変させたか」を読んで、私は初めて田山花袋の「少女病」という小説のことを知った。「痴漢小説」「ストーカー小説」にして元祖「通勤電車小説」！　安らかだが退屈な家と職場を電車で行き来する都市生活者が誕生してまもなく、通勤電車の車中にだけロマンティシズムを見つける男の欲望の顚末。そこに注いだ花袋のまなざしをたどり、それが『蒲團』の一節につながっているという発見はお見事。この短編は、小池滋・編集解説『鉄道愛［日本篇］』（晶文社）というアンソロジーに収録されている。

「荷風は市電がお嫌いか」と「どうして玉ノ井駅が二つもあったのか」で俎上に上がるのは、永井荷風とその作品二編だ。

前者では、市電嫌いの遊歩者・荷風が市電で東京をぶらつき、旧き東京の姿を留める深川の理想化に至る手順を、ベンヤミンの『パサージュ論』の引用もまじえてテツ的に考察している。あまりに整いすぎる車内風景について、「荷風がよく考えた末に選んだ系統」という看破もテツの眼か。

後者でクローズアップされる玉の井界隈について、一九五九年大阪生まれの私は土地勘もなければイメージも乏しいのだが、興味深く読めた。玉の井に不案内のふうを装った「空とぼけ」ぶりを暴くところは傑作で、夜の暗がりの中で「もと鉄道線路の敷地であったと見え」たとする荷風に、「その場で推理できたはずはない」と突く。読みながらにやにやしてしまったが、著者は最後に、新旧の東京を隔てる土手に佇む荷風の幻影を描き、玉の井知らずの大阪人をも感慨にふけらせる。

佐藤春夫の『田園の憂鬱』をテキストにした「田園を憂鬱にした汽車の音は何か」は、前記のとおり私が編んだアンソロジーに採らせていただいた。「凡百のミステリの何倍も濃密な推理」「針の穴を通すようなギリギリの推理」という紹介を添えて。その推理とは、主に著者が「蛇足」とした部分を指す。神経を病んだ登場人物が幻聴を耳にする、という文学的表現に「ひょっとすると、本当に貨物列車が走っていたのではないか」と返し、論証してしまうのだから驚く。どこに謎とその答えが潜んでいるか知れたものではない。退屈で残酷なばかりかと思ったら、世界って精妙で美しいじゃないか、とすら思わせてくれる。広軌実験のために鶴嘴をふるった保線員、汽車を走らせた運転士、汽笛に心を乱した作家、八十年以上の歳月を経てからその情景を読み取った著者。人間の些細な営みも虚空に消えず、時空を超えて遠く遠く木霊するのだな、とも。

次の「蜜柑はなぜ二等車の窓から投げられたか」も、私の大のお気に入りだ。芥川龍之介の「蜜柑」という有名な小説にも、こんなドラマが秘められていたのだ。蜜柑の娘、恐るべし。そして、よくやった。小池先生が見抜いてくれたおかげで、小説の味わいがより深まった気がする。そして、本書で繰り返し説明があるため、一等車や二等車の意味をようやく理解することができた。雑学や豆知識ではなく、当時の小説を鑑賞する上で必要な知識だろう。

「銀河鉄道は軽便鉄道であったのか」は、わが国屈指の人気鉄道小説（？）、「銀河鉄道の夜」の改稿部分にあたり、その書き換えの意味を探ったもの。銀河鉄道のモデルとされる鉄路の歴史をたどり、宮沢賢治の複雑な内面に迫る。賢治ファン必読。「勾配だから速いぞ」という一節に着目し、ここまで推理を展開させたことにも舌を巻いた。

掉尾（ちょうび）の「なぜ特急列車が国府津（こうづ）に停ったのか」は、山本有三（やまもとゆうぞう）の『波』に出てくる「あした国府津まで行けば、ちょっとぐらいは会うことができるだろう」という台詞（せりふ）が出発点。作品の謎を掘り出すのではなく、丹那（たんな）トンネルの開通によって役割が大きく変わってしまった国府津駅の盛衰に思いを馳（は）せた好エッセイになっている。テツ分の多寡に拘（かかわ）らず、心に残る文章だ。

以上、充実の八本立て。

鉄道と文学に留まらない豊かな学識、犀利（さいり）な推理と洞察に満ちた一冊である。著者が鉄道や文学に注ぐ愛情は、それらを生んだ人間にも及んでいる。ふくよかなユーモアは、読む者を幸せにしてくれる。これ以上、望むことはない。

いや、一つだけ。できることなら、この本の続編が読んでみたい。再び「日本文学の中の鉄道をめぐる謎」でもいいし、的を転じて「世界文学」に切り込んでいただくのも面白そうだ。私の趣味に合わせてもらえるのなら、「推理小説の中の鉄道をめぐる謎」を。古今東西の名探偵が解き残した謎を追うのはどうでしょうか、小池先生。

そんなリクエストをしてしまう私は、まるで終点に着いたのに「まだ降りたくない」と駄々をこねる子供ですね。

# これぞ不朽の名作

エラリー・クイーン『Xの悲劇』越前敏弥(えちぜんとしや)訳
（角川文庫・09年1月25日）

今、この本を手にしているのはどんな方たちなのだろう？　名作の新訳が出たので目を通そうとしたマニアかもしれないが、初めてミステリの世界に入ろうとしている方も多いのでは、と想像する。

読書好きだがミステリに取り立てて興味はないという人が、こんなことを言うのを何度か聞いたことがある。「『Xの悲劇』や『Yの悲劇』ぐらいは読んだよ」。『X』や『Y』はよく読まれてきた。もとより知名度が高い作品だが、タイトルがいかにもミステリらしく謎めいていて、アルファベット（記号）＋悲劇という言葉の組み合わせに知的な仕掛けを感じるから手が伸びるのだろう。

その選択は正しい。『Xの悲劇』に始まるこの四部作は、まぎれもなく本格ミステリ史上に輝く傑作だ。名作の中の名作と言っていい。貴方(あなた)がまだ本編をお読みでないのなら、これから飛び切り幸せな時間を過ごせるに違いない。

ミステリ入門者のために、まず基礎的な情報を提供しておこう。作者エラリー・クイーンはユダヤ系アメリカ人作家で、マンフレッド・B・リーとフレデリック・ダネイという従兄弟同士の合作ペンネーム（リーやダネイというのも本名ではない）。一九二九年にコンテストに投じて入選した『ローマ帽子の謎』で覆面作家としてデビューし、『フランス白粉の謎』『オランダ靴の謎』など国名を冠したシリーズでたちまち人気作家となった。主人公を務める名探偵は、作者と同名の青年エラリー・クイーン。華麗にして精緻なロジックを売り物とし、犯人を指摘する材料が出揃ったところで読者に挑戦状を突きつけてみせる。時はまさに長編本格ミステリの黄金時代で、クイーンの作品はその象徴あるいは一つの完成形と言えるだろう。

本書の冒頭にもあるとおり、『Xの悲劇』は当初はバーナビー・ロスなる名義で一九三二年に発表された。こちらも覆面作家であったから、リーとダネイのコンビは二人二役を演じたことになる。悪戯好きの彼らが覆面を脱ぎ、クイーン＝ロスの秘密が明かされたのは（フランシス・M・ネヴィンズJr.の『エラリイ・クイーンの世界』によると）一九四〇年になってからのこと。その間、世界中のミステリファンが完全に騙されていたわけだ。ちなみに、本の売れ行きは格段にクイーン名義の方がよかったらしい。

高木彬光の「二人一役・エラリー・クイーン」という文章で、こんなエピソードが紹介されている。日本の推理小説研究家某氏は、クイーン＝ロスという噂を耳にしても「抱腹絶倒の珍論」と信じず、「二人の文体、感覚、教養は、それぞれ異なり、私としてはクイーンよりロスにはるかに期待をかけるものである」と言ったのだとか。この某氏の見解こそ無類の珍論に思える。『Xの悲劇』を一読すれば、「ここまでロジカルな本格ミステリはクイーンにしか書けないと思っていた」と驚くのが自然で、クイーン＝ロスと聞くなり、「なんだ、やっぱりそうか！」と納得するべきだろう——と、すべての事情を知っている現代人の私が嗤うのはアンフェアか（いや、それにしても……）。

『Xの悲劇』の探偵役は、当然ながらエラリー・クイーン青年ではなく、引退したシェイクスピア俳優で聴力を失ったドルリー・レーンが務める。彼も多くのファンを持っているが、『Xの悲劇』『Yの悲劇』『Zの悲劇』『レーン最後の事件』（私の書架のポケットブック版には、扉ページに「一五九九年の悲劇」の副題あり）の長編四作にしか登場しない。これらの作品は、〈レーン四部作〉や〈悲劇の四部作〉と呼ばれている。一編ずつのクオリティもさることながら、シリーズを読み通した時に得られる効果が素晴らしく、四部作というより四部構成の大河ミステリとするのが適切かもしれない。

小説の内容に立ち入ろう。

先に推理小説研究家某氏のエピソードをご紹介したが、ロス名義のデビュー作『Xの悲劇』は、犯行現場からしてクイーン初期作品の特徴が顕著に出ている。ひと言で表わすなら、〈騒々しい現場〉だ。デビュー作『ローマ帽子の謎』で第一の死体が見つかるのはブロードウェイの劇場の客席。第二作『フランス白粉の謎』では、デパートの陳列窓に死体が転がり出る。第三作『オランダ靴の謎』の犯行現場は、医師や看護師らが忙しく出入りする大病院内の一室。いずれもパブリックな場所で、死体が発見されるなりあたりは騒然となる。

『Xの悲劇』の第一の犯行現場は、満員の市電の中だ。続いて起こる惨劇の舞台もすべて公共交通機関の中という乗り物尽くしで、いったんは不特定多数の人間が容疑者となる。そこからたった一人の人物=犯人を突き止めるというスタイルを、クイーンは完成させた（シリーズ第二作の『Yの悲劇』では様相が一変し、いわゆる館ものになる）。

まず注目したいのは、ハムレット荘を訪れたブルーノ地方検事とサム警視が、その推理力を買ってレーンに捜査協力を依頼する場面だ。並外れた才能に向かって、ブルーノは恐縮しながら言う。「ご期待に副うものではない気がします。ただの殺人事件（原文は really just a plain case of murder）ですから……」。浮き世離れしたハムレット荘に圧倒されたせいもあるのか、ごく日常的な殺人でも引き受けてくれるのか、という打診だ。レーンはそれに答えて「珍奇な事件（fantastic one）でなくてはならない理由があるとでも？」。すかさずサムが言う。「ただの事件か珍奇な事件か（plain or fancy）はさておき、難事件（puzzler）ではありますよ」。興味深いやりとりなので、原文と突き合わせてみた。

これこそクイーンの流儀だ。前述のように、クイーン初期作品の死体発見シーンは地味どころか華々しいのだが、現場が堅牢な密室であったとか死体に奇怪な装飾が施されていたとかいう不可解さはない（『エジプト十字架の謎』から様子が変わるが）。見せ場はそこではなく、美しくスリリングな推理が披露される解決シーンだ。ブルーノ検事たちとレーンのやりとりは、それを作者がアピールし、理解と共感を求めているのではないだろうか。自分の作品は解決こそが夢のよう（fantastic）である、と。

さらに重要なのは、犯罪捜査に強い興味を示すレーンのこの台詞だ。さわりだけを抜き出すと、「これまでわたしは人形遣いの糸に操られてきましたが、いまはおのれの手でその糸を操りたい衝動を覚えています」。印象的な探偵宣言であると同時に、ちょっと悪魔めいた言葉だ。レーンは、名探偵として実世界のドラマに介入し、事件を解決に導くのみならず、様々な形でドラマに関わっていく。本書においては、ある意図を持って自分の推理を公表しないあたりに人形遣いぶりが窺えるし、最後の事件ではダイイング・メッセージの陰の演出者となる（結果として、死の直前にレーンから聞いた話に触発されて被害者がダイイング・メッセージを残す）。レーンの人形遣いぶりをチェックしながら読めば、この四部作の興趣が増すことは請け合いだ。

付言しておくと、ダイイング・メッセージはクイーンの十八番であり、晩年まで手を替え品を替えて繰り返すが、この『Xの悲劇』で使ったのが最初である。判じ物みたいなものだから、ロジカルに解読できるものではないし、そもそも出題者が昇天しているので答え合わせが不可能。間違っても犯人指摘の決め手にしてはならない。よってスマートで節度ある使い方が求められるのだが、本作においては上々の仕上がりだろう。メッセージに読者を注目させながら、ある手掛かりから目を逸らさせるあたりは特に……。

内容に立ち入ろう、と書いたものの、贅言を弄するうちに無用のヒントを読者に吹き込んでは取り返しがつかない。ただ、この作品で展開されるレーンの推理は、本格ミステリとして最高のレベルのものであることだけを保証しよう。それはもう溜め息が出るほどで、「こうだったとも考えられるではないか」という反論の余地がなく、真相の意外性も充分。日本のエラリイ・クイーン・ファンクラブ会員が選出した長編ランキングにおいて、『Xの悲劇』は二位の座を獲得している（一位は『ギリシア棺の謎』）。古典とは、不朽の名作とはこういうもの、という作品である。

傑作であるという世評はすでにあるが、それにしてもこの作品はどうしてこうも堂々としているのか？　それは、レーンの推理が卓抜していることに加え、犯人の設定にもよる。序盤で読者も気づくことだから明かすが、この事件は練りに練られた計画殺人だ。咄嗟の犯行を隠すため、知恵の限りを尽くす犯人にも魅力はあるが、ハードな本格ミステリの要件として、私は事件が計画的なものであることを挙げたい。そして、その犯行計画が相当に冒険的で、ある種の夢想になっていることが望ましい。『Xの悲劇』は、その要件を完璧に充たしている（第二の犯行は特に冒険的だ。冒険的すぎるほどに）。

一九三二年にクイーンが成したことは、ミステリ史上の奇跡と言ってよい。本作とともに『Yの悲劇』『エジプト十字架の謎』『ギリシア棺の謎』を立て続けに発表したのだから。いずれの作品も、本格ミステリのオールタイム・ベストを狙えるほどの傑作だ。――という事実は、これまでに私自身も書いたことがあるし、他の作家・評論家・ファンも指摘している。が、驚くのはまだ早い。ロス名義の〈悲劇の四部作〉は、いつ完結したか？　一九三三年だ。つまり（正確な執筆期間は不明ながら）、たったの二年で書き上げられているのだ。この三三年というのも奇跡の年で、ロス名義で『Ｚの悲劇』『レーン最後の事件』を発表する一方、クイーン名義で『アメリカ銃の謎』『シャム双子の謎』の二作（いずれも違った趣向が凝らされている）を書き上げ、短編の名品も書いているし、なんと伝説のミステリ専門誌「ミステリ・リーグ」の編集発行もたった二人だけで行なっている。コンビ作家だったとはいえ、人間にここまでのことができるのか、と驚嘆するしかない。

偉大な作家エラリー・クイーンが誕生した一九二九年といえば、ウォール街の暗黒の木曜日（ブラック・サーズディ）をきっかけに世界恐慌が起こった年だ。金融市場は大混乱をきたし、最悪の不況が世界を覆った。企業はばたばたと倒れ、アメリカの失業率は三三年には約二十五パーセントにまで達する。奇跡が起きたのは、そんな暗い時代であった。

最後に訳文について。越前敏弥（えちぜんとしや）氏によるこの度の翻訳は、宇野利泰（うのとしやす）氏のもの以来の新訳である。英語力が貧困な私に大したコメントはできないが、とにかく明晰（めいせき）で気持ちよく読めた。ビールのＣＭ風になるが、とてもクリアで喉（のど）ごしがいい。それでいてしっかりコクとキレがあり、作品が書かれた当時の空気も伝わってくる。肝心の謎解きシーンの迫力も申し分ない。〈悲劇の四部作〉を新鮮な気持ちで読み返す機会が与えられたことを幸せに思う。

ご存じの方もいらっしゃるだろうが、現在、エラリー・クイーンの作品が最も広く読まれ、カリスマ的な人気を誇っている国は、おそらく日本だ。それは、わが国のミステリファンの本格に対する愛着の深さと鑑賞眼の高さによるものだ、と私は考えている。新訳が出たことにより、クイーン作品は日本で若返った。これは翻訳小説の有利なところだ。その輝きは永遠・不滅……とまでは断言しかねるにせよ、きっと本格ミステリが滅びる日まで消えないだろう。

# 私と清張　永遠の仮想敵

松本清張『松本清張短編全集06　青春の彷徨』
（光文社文庫・09年2月20日）

二〇〇九年の新春、一月四日の産経新聞に、ともに生誕百年を迎える松本清張と太宰治の対談が掲載された。言うまでもなく架空対談だ。構成・清水義範となっている。パスティーシュの第一人者で、文体模写も巧みな清水氏ならではの読物になっていた。

この中で、清張は「人気作家先生」と太宰に呼ばれ、ぶちぶちと皮肉を並べられるのだが、司会者に現代文学の実情について訊かれると、推理小説に限定しつつ以下のような辛口のコメントをする。

「一見21世紀にも推理小説はよく読まれ、大いに栄えているようでありながら、実は質がはなはだしく低下してますよね。新本格派とかいう、社会性のまったくない、ただパズルやゲームのように人工的な謎を解いていくものばかりですよ。ああいう、人間を描く気のない、一種のファンタジーのようなミステリーしかないのは嘆かわしい」

うわあ、と思った。ご存じない方のために書き添えると、私はその新本格派に属する作家だ。叱られてしまった。

もちろん、これは清水氏が「清張ならこう言いそう」と想像した見解で、しかも多分に誇張してあると思われる。知らない人が読むと、最近のミステリーは本格ものが席巻していると取れるが、そんなわけはない。むしろ「新本格派なんて、とっくに虫の息じゃないか」と思っている人がいそうだ。現代ミステリーの質が低下しているかどうかはさて措き、ある特定のタイプの作品ばかり書かれているのではなく、実に様々なアプローチが為されている。新本格派ばかり、としては、それ以外のものを書いている作家に礼を失するだろう。

つい苦笑したのだけれど、告白すると寸時、清張本人の発言と錯覚し、「まだそんなことを……」と不愉快になった。お恥ずかしい。以下、そんな筆者の清張体験を綴ってみる。

私は十代の初めに本格推理小説に出会って夢中になった。そして、一九七〇年代に最も熱心に読み漁ったのだが、当時、本格ものはあまり元気がなかった。本格を「筋とトリックだけで辛うじて支えている底の浅い作品」と斥け、社会派推理を提唱・確立した清張の登場によって、退潮していたのである。本格が大好きな少年は、「清張のせいでこうなった」と恨んだものだ。

そんな私のファースト清張は、日本推理小説史上の里程標的傑作とされる『点と線』

なのだが、この初読の印象がまた悪かった。トリックがちゃちで話にならん、と。作品の評価は後日に修正されるが、当時の本格キッズは納得がいかず、「一作だけでは語れない。他のものも読もう」と次に短編集を手に取った。これまた名作とされる『張込み』だ。冒頭の表題作を読んだ感想は、「怒る気もせん。これは普通のおっさんの読み物で、推理小説ではない」。

……本格キッズが嘆息したのも無理はない。強盗殺人の犯人が、今は人妻となった昔の女のもとに現われるのではないか、と張込みをする刑事。やがて姿を見せた犯人を温泉旅館で逮捕。思いやりのある刑事は人妻に向かって、「今からだとご主人の帰宅に間に合いますよ」と告げて、幕。推理小説と銘打たずともよさそうな作品で、気が短いキッズは「この本、読むのをやめようか」と思ったぐらい。

せっかく買ったから、と読み進めたのは幸いだ。次々に「これは面白い」というものに当たる。たとえば、殺人を犯した新人俳優の「ぼく」が、完全犯罪を達成したと信じたところで運命に裏切られる「顔」。百人単位の声を聴き分けられる電話交換手が、たまたま殺人犯の声を耳にしたことで悲劇に見舞われる「声」。本書にも収録されている名編で、わざわざ地方から新聞を取り寄せる女の目的に迫る「地方紙を買う女」や、法律を逆手に取った「一年半待て」など。どれも狭義の本格推理ではなかったが満足し、「うむ、さすが大家と言われるだけあるな」と生意気に思ったのであった。

何が面白かったというと、リアリズムによる地に足が着いた感じと、多彩な舞台や題材ということになるだろうか。この「地に足が着いた感じ」は、少し好みからはずれると、たちまち夢のない世知辛さにつながってしまうのだが、思春期の私はふわふわとした夢みたいな物語だけを愛好していたのではない。むしろ、「夢だけでは虚しい。憎らしい現実と闘えない」と考える質だったので、リアリズムで書かれた小説が現実の裂け目を指摘する時、静かな興奮を覚えたのだ。犯人側の視点から描かれた、いわゆる倒叙形式の作品は実にスリリングで、特に楽しめた。

とはいえ、『点と線』や「張込み」は当時の私にとって凡作でしかなかったし、本格否定発言は苦々しいばかりで、アンチ清張という立場を取るしかなかった。その頃から推理作家を志望し、本格の習作（作風は今とほとんど同じ……）をせっせと書いていた私にすれば、清張は仮想敵とも言うべき存在であった。

高校生になると横溝正史ブームが到来したが、本格推理というジャンルにはなかなか順風が吹かない。書店に行けば清張作品がずらりと並び、映画化された『砂の器』が大ヒットする。そんな状況が続く中、私は折に触れて清張作品を読んだ。敵情視察か？　いや、そうではなく、純粋に読みたくて読んだだけだ。

アンチのはずなのに、奇想天外な大トリックや名探偵のめくるめく推理はないのに、時々、読みたくなって手が伸びる。いったい、清張作品の何が自分を惹きつけるのか、と思案したこともあったが、よく判らなかった。そういうことか、と理解したのは、作家デビューを果たした後、三十歳を過ぎてからである。きっかけは、ひょんなことだった。
ガチガチの本格派であるエラリー・クイーンに、『The Egyptian Cross Mystery』『The Greek Coffin Mystery』など、題名に国名を冠したシリーズがある。本格ものの古典的名作が目白押しで、特にわが国に熱心な読者が多い。そのため、複数の出版社から文庫本が出ているのだが、『エジプト十字架の謎』『エジプト十字架の秘密』というふうに、邦題に違いがある。推理小説の翻訳ではよくあることながら、名作なのだから意地を張り合わずに統一すればいいのに、と思っていた。Mysteryを謎と訳そうが、秘密と訳そうが、どちらでもいい。本格ものなのだから謎がよりふさわしいけれど。

そんなことを考えているうちに、はたと気がついた。ミステリーという単語は、推理小説の別称でもある。つまり推理小説は、「謎や秘密を解く物語」と解すべきなのだ。本格推理は、凝ったトリックを弄する犯人の正体を名探偵が暴く過程に面白さが詰まっているが、それだけが推理小説ではない。個人や組織（国家を含む）がひた隠しにする真相を突き止めるタイプのものもある。今日では、後者が主流だろう。日本では、松本清張が提唱した社会派推理の登場以降そうなった。

本格キッズだった私がある種の清張作品に接し、「推理小説ではない」と感じたのは、ミステリー＝謎としか見ていなかったせいである。ミステリー＝秘密と捉（とら）えたら、どうだろう。清張作品にどれだけ切実な秘密が、どれだけ豊かに描かれているかが見えてくるではないか。秘密の中身そのものが意外性に富んでいることもあれば、些細（ささい）なことが意外にも秘密になることもある。秘密の隠し方が意表を衝いていることも。

　秘密を抱えることはスリリングで、その秘密が深刻なものであれば恐ろしい。それを守ろうとしたら、嘘をつかなくてはならない。嘘がばれないようにするには、嘘を重ねなくてはならない。秘密を守っているうちにスリルと恐怖は、いよいよ増していく。清張作品の魅力は、秘密が崩れていく有様を冷徹な目でトレースしていることにあったのだ。面白くないはずがない。その効果が最もよく発揮されるのが「顔」のような倒叙ものだ。本書の収録作品の中では、「捜査圏外の条件」が好個の例。

　清張作品を、昏い秘密をめぐる物語と捉え直すことで、私が抱えていたもやもやは晴れたし、推理小説観にも変化が生じた。そして、（声明文を発表したわけではないが）アンチ清張の立場をようよう撤回したのである。

　仮想敵としての清張。実は、この態度はまだ留保している。清張の晩年にあたる一九八〇年代後半に新本格ムーヴメントが興り、リアリズムを犠牲にして夢想を紡ぐがごときタイプの本格推理の書き手が続々とデビューし、読者を獲得した。そして、巨匠が逝った八年後に本格ミステリ作家クラブが創設される。その創設メンバーの中に私もいたわけだが……それをもって、かつての本格キッズは勝利したと言えるのか？

　違うだろう。清張が存命ならば、前に引用した架空対談にあったものに近い批判を浴びたかもしれず、それを跳ね返す力を本格が持っていると断言するのもためらわれる。

小説はすべからく人間を描くべし、と思わない。描かないことで描くことすら小説には可能だ。であるにしても、力量不足で描けないから描かないというのではまずい。巨匠に「これでどうです」と突きつけ、唸らせる本格作品は「ある」と思うが、その評価が本格全体に及ぶかどうか。本格が稚気に溺れることは、今も「ある」。だから――

ここまで泉下の巨匠に失礼なことを書いてしまったかもしれないが、失礼ついでに(敬意を込めて)言わせていただく。

松本清張先生。どうかこれからも、本格推理小説に甘えを許さない〈永遠の仮想敵〉でいてください。代わる人は、いません。

# それは「旅」に連載された

松本清張『点と線　長篇ミステリー傑作選』
（文春文庫・09年4月10日）

『点と線』は、松本清張最初の長編推理小説である。社会派推理の発火点となり、それまで読者層が限られ気味だった推理小説をポピュラーなものに変える契機となった。一九八〇年代に隆盛をみて、今日まで根強い人気を持つトラベル・ミステリーの祖型でもある。古典的名作であり、わが国の推理小説史上、最も重要な意味を持つ作品の一つであることは論を俟たない。

そんな名作の文庫解説を仰せつかるとは。光栄に思うと同時に、感慨があった。というのも、私はかつてこの作品が嫌いだったからだ。現在は評価を大きく改めている。そのあたりの事情を説明しつつ、『点と線』の真価について思うところを書く。本稿は、いわば私の『点と線』体験である。

やむなく事件の真相にも触れることになるが、著名な作品ゆえすでによく知られた部分でもあるし、未読の方の楽しみを根こそぎ奪うことがないよう配慮するので、ご了承をいただきたい。何も知らずにまっさらの状態で名作に接したい方は、どうか本編を先にお読みくださいますように。

私がこの作品と出会ったのは、中学生の時である。それまでエラリー・クイーンやディクスン・カーなど海外作品に夢中だったのだが、横溝正史を読んだのをきっかけに、国産作品にも興味を広げようとして手を伸ばした。当時の私は、中島河太郎が児童向けに書いた『推理小説の読み方』を指南書にしていた（筒井康隆編の『SF教室』とともに、本当にためになった）。そこに掲載された日本の推理小説ベスト10では『点と線』が一位だったのだから、これはもう読まずにはいられない。

多大の期待とともに読み、がっかりした。この小説には、当時の私が推理小説に望むものが欠けていたからだ。それはとりも直さず、鮮やかなトリックと華麗なる推理。汚職事件を扱い、動機に社会性を持たせた作者の意図については、中学生なりに汲み取ったつもりだが、「ああ、それも結構ですね」という程度のこと。それはそれとして、やはり推理小説ならではの仕掛けが読みたかった。

仕掛けならあるではないか、と言われるかもしれない。『点と線』は、時刻表を駆使したアリバイトリックを金看板にしているし、他殺を情死に偽装する工作も立派なトリックだ。しかし、後者は早々から作中人物（鳥飼刑事）が疑問を抱くので、感心する間がない。

その理由は、現在の読者なら理解していただけるだろう。いくら当時は交通網が未発達だったとはいえ、九州と北海道を結ぶアリバイに挑んだ三原刑事の勘の鈍さは度を超している。繰り返し自分を「うかつ」と詰るが、言い訳にもならない。その頃から私は鮎川哲也の鉄道推理を読んでいたので（こちらは掛け値なしに鉄壁のアリバイが描かれている）、あまりの落差にぽかんとなった。「これしきをアリバイ崩しとするのか。世評に騙された！」という思いは、実は今も変わっていない。後年、小林信彦の『地獄の読書録』を読み、鮎川哲也の『鍵孔のない扉』について書いた文章の中で、『点と線』のトリックを「あんなのは初歩も初歩。戦前にすでに使われていたトリックだ」という一文に出会った時は、溜飲が下がった。

そうではない、時刻表を駆使したアリバイトリックとは、東京駅における〈空白の四分間〉を指すのだ、という声が飛んできそうだ。確かに、そちらは意外性があり、一度聞いたら忘れないほど印象的なエピソードだ。面白いし、名場面でもある。が、そこは詰めが甘く感じられて、もどかしかった。

これまでにも多くの方が指摘しているとおり、十五番ホームにいる男女を「おや」と指さして、十三番ホームから同伴者の二人の女中に目撃させるためには、その男女と同伴者を狙ったとおりの時間（その幅は四分間未満）にしかるべき場所に立たせなくてはならない。男女が乗る寝台特急《あさかぜ》は、ホームに長々と四十一分間も停車している。二人が〈空白の四分間〉に、ホームに立っている可能性すら低いだろう。それについては、巧妙な詐術が働いていたと好意的に解釈しても、同伴者である女中たちを望むとおりの時間帯にホームに誘導することは現実的には困難だし（ぶっつけ本番で予行演習はできない）、そのためにあらかじめ設定した彼女らとの食事の時間が午後四時台というのも首を傾げる。晩御飯、早すぎ。

さらに名作にケチをつける。共犯者および多数の協力者が存在することが推理小説としては不満だ。「共犯者がいたらアリバイ工作なんて楽なもの」と白けてしまう。共犯を使った傑作もあり得るが、その場合は共犯者がいても不可能という設定であって欲しかった。

「推理小説の発想」という随筆の中で、清張は本作ができるまでのプロセスを詳らかにしている。曰く、『点と線』は「捜査権を発動させないためのトリックをつかう話」で、別々に殺害した男女の死体を寄り添わせておけば情死に偽装できるから、警察の捜査がそこで打ち切られて完全犯罪が成立する、ということらしい。この着想を鑑識課のベテラン警視に話したところ、「それなら、ぼくだってだまされるだろう」という答えが返ってきたので、「俄然自信ができてきました」。そして、偽装情死を「もっともらしく見せるため」に〈空白の四分間〉を利用した工作を考案したのだ、と。

リアリズム推理の領袖のくせに、おかしな発想だと思った。ベテラン警視が「だまされるだろう」と太鼓判を捺しているのに、どうして綱渡りめいた工作を付け足すのか？　納得がいかぬ。

そんなわけで、同好の士と推理小説談義をしていて『点と線』の話になるたび、私は辛口の評を述べることになる。十代前半から三十歳を過ぎるまで。その時期は長かった。
何かの必要があって再読したのは、推理作家の端くれとなった三十代前半。どんな素晴らしいトリックと出会えるだろうか、という期待抜きで読むと、いくつも興味深い発見があった。初読の際の読後感は散々だったが、香椎（かしい）海岸の情景や香椎駅近辺で鳥飼刑事が聞き込みをして歩く場面は好きだった。再読しても、その土地の空気まで伝わってきて、やはりいい。テンポも快調で、贅肉（ぜいにく）のない小説を読む快感もある。書かれてから年月をふるほどに、作中の何もかもが時代色を帯びていくのは小説の常。それでも古びた感じはせず、むしろ美しいセピア調に染まっていることに作品の強さを感じもした。

特筆すべきは、作中の随筆「数字のある風景」をじっくりと味わえたことだ。中学時代にも「うまいなぁ」と思ったが、これが単なる物語進行上の小道具ではなく、事件全体の構図に及ぶ深さを持っていることにようやく気づき、感嘆した（これは作者の巧妙な罠（わな）で、単なる小道具と錯覚させるような書き方をしている）。

私自身にも年齢的な成長以外の変化があり、二十代の初めあたりから鉄道で旅する楽しさに目覚め、旅というものに対する関心が格段に強くなっていた（だから、前述の随筆は鉄道ファンのマニフェストにさえ思えた）。そのせいだろう、『点と線』がまるで違ったものに見えてきた。

この小説には、実に様々な旅が登場する。見せ掛け上の心中行、殺人の旅、遠距離の出張、そして病弱な女が夢想する架空の旅。『点と線』が書かれたのは、高度経済成長が始まったばかりの頃だ。旅は今よりずっと非日常的であり、多くの日本人にとって憧(あこが)れの対象だったはず。そんな旅のいくつもの貌(かお)を並べた上で、経済的な幸せに憧れすぎて破滅する犯人の旅を炙(あぶ)り出す小説が、『点と線』なのだ。これほどシニカルに、だが切なく旅を描いた小説は稀(まれ)ではないか。いや、他にないかもしれない。

ここで付記しよう。本作は、旅行専門誌の「旅」の昭和三十二年二月号から三十三年一月号にわたって連載された。作者は、端(はな)から旅を描いていたのである。

そして今回、文庫解説を書くにあたって久方ぶりに読み返したわけだが、これまた刺激的な読書となった。不満たらたらだったトリックについても、見方が違ってきた。

基本的な評価は変わらない。九州から北海道への移動手段は「初歩も初歩」だし、〈空白の四分間〉を利用した工作はあまりにもリスキーで、偽装情死の補強がしたかったのならより簡便で効果的な方法があったはずだ。トリックだけが売り物の小説だったら、傑作どころか凡作である。

作者の言葉にあるとおり、「捜査権を発動させない」ことがトリックの眼目なのだから、複雑なアリバイ工作をせず、地を這(は)うような捜査で点と点を結ぶ線の不在を証明していく話にするのがリアリズムだろう。その方が推理小説として新しい。ましてや清張は、奇抜なトリックに淫(いん)する従来の本格推理小説に批判的で、それらへのアンチテーゼとして社会派を旗揚げしたのではなかったか。何故、こんなに無理なトリックを作品に埋め込んだのか？　その理由は――判らない。ただ、とても興味深い。

珍奇なアイディアを誇る一方、小説として荒っぽい本格推理を、清張は「お化け屋敷の掛け小屋」と呼んで蔑視した。前出の随筆で、人間臭がなくて読むに堪えない、とも書いている。しかし、トリック自体を嫌悪したわけではないのは、その作品群を見渡せば明らかだ。中短編では「火と汐」や「投影」等、長編では本書の鳥飼・三原両刑事が再登場する『時間の習俗』や野村芳太郎監督で映画化された『砂の器』（映画では省かれているが、空想的な殺人トリックが出てくる）等々。どれも新聞の社会面ではお目にかかれないようなものばかり。リアリズムから離れたトリックが散見される。

清張は、よく苦言を呈してはいたが、本格推理やトリックそのものを嫌悪していたわけではなさそうだ。「古くから探偵小説の読者でした」と表明してもいる。好きだったのだ。そうでなければ、あんな無理（無茶と言ってもいい）はしない。まったく無理がなくて意外性に富んだトリックこそが理想だとしても、並外れた才能をもってしてもその達成は極めて難しい。無理はあるが名場面を作れるトリック、ファンの間で語り継がれる印象的なトリックを創案した時、清張はリアリズムより無理を選んだ。そのことをもって、言行不一致と言うものか。本格推理も松本清張も、大きくて面白くて得体が知れんわ、と思う。

こんな発見もあった。以前から香椎の場面がお気に入りだったが、三度読み返してみて、ようやく自分が何に惹かれていたのかはっきり判った。「四　東京から来た人」で、鳥飼刑事はある疑問に突き当たる。九時二十四分に国鉄の香椎駅で降りた被害者らしき男女が、西鉄の香椎駅前を通りかかったのが九時三十五分。二つの地点を十一分かけて歩いたとしたら、時間がかかりすぎている。不可解。これこそが『点と線』の最大にして最も魅力的な謎だったのだ。その答えの見事なこと。だから昔から香椎の場面に心惹かれていたのだな、と腑に落ちた。そこがポイントなのは自明のことじゃないか、と笑われるかもしれないが、気がつくまで三十五年ほども要してしまった。やたらとアリバイ崩しを喧伝する「世評に騙された！」と再び叫びたい。

また、これは具体的に書けないが、解決部分で三原刑事が「鬼気迫る」と評する光景が出てくる。これがまさに鬼気迫る、底なしの悲しみを湛えた残酷な光景であることを、痛烈に感じた。玄界灘の暗い波音が、(作中に描写がないのに！)耳について離れない。三回読んで、やっと作品をわがものにできた気がする。読み手としての反射神経の鈍さを吐露したようなものだが、そんな「うかつ」はわれらの三原刑事に免じてお赦しいただきたい。

時間をおいて、私はいつかまた『点と線』を読むだろう。その時にも、何か見つけそうな予感がする。まだ見過ごしていることがあるのではないか。そう思わせるのが名作の力なのだろう。

# ミステリのための練習曲（エテュード）

太田忠司（おおたただし）『玄武塔事件』
（創元推理文庫・09年12月25日）

狩野俊介（かのうしゅんすけ）を主人公にしたシリーズも、この『玄武塔事件』で四冊目。ますます快調という感じだ。もちろん、ここらが絶頂ということはなく、シリーズはさらに面白さと深みを増していくので、ファンの皆さんはどうかご期待を。

さて、「ミステリのための練習曲」という表題を見て、「どういうことだ？」と訝（いぶか）った人がいらっしゃるだろう。もしかしたら、「このシリーズはミステリの初心者向けに書かれた好個（こうこ）の入門書だ、とでも言いたいのか？」と思われたかもしれない。

確かに狩野俊介シリーズはミステリへの絶好の入口になり得ると思うけれど、それが言いたいのではない。音楽用語としての練習曲は、こんな意味を持っている。

エテュード　etude〔仏〕　練習曲。演奏技巧の修得を目的として書かれた曲。（中略）あるひとつの技巧のために書かれている、きわめて部分的なものから、非常にむずかしい技巧の、程度の高い演奏会用練習曲（étude du concert）まであり、ショパンのピアノのためのエテュードやシューマンの《交響的練習曲》などは後者の例。

『新音楽辞典　楽語』（音楽之友社）

実のところ、私は中学時代にショパンの『24の練習曲』を聴いて、不思議に思った。「こんな曲を演奏するのはものすごく難しそうなのに、どうして練習曲と呼ばれているのか？」と。あれは、程度の高い演奏会用の曲なのだ。

太田忠司さん（同い年でもあるし、気安くこう呼ばせていただこう）によるこのシリーズは、ライトノベル・テイストで口当たりがいいから、あまり読書になじんでこなかった年少の読者にもすらすらと読める。しかし、だからといって作者が鼻歌まじりにすらすらと書けるものではない。むしろ逆。肩の力を抜いて気軽に読んでもらえる話を書くのは易しいことではなく、豊かなアイディアと確かなテクニックが必要になる。ビギナーにも判りやすい話やパロディは、ともすれば「作者も肩の力を抜いて気軽に書いたのだろう」と思われることが多いようだが、誤解と言うしかない。

また、「好個の入門書」になり得る小説とは、初心な読者を喜ばせれば足るのではなく、上級者になってから再び読み返した際も面白く読めるのが理想だ。「ああ、昔はこの程度で喜んでいたんだ」ではなく、「そうそう、だから自分はこれが好きになったんだ」と再確認できるような作品。狩野俊介シリーズは、そんな条件を見事に満たしている。

ミステリの楽しさに目覚めて間もない読者は、このシリーズを読むうちに、「ミステリにはこんな驚きがあるのか」「こんな面白さもあるんだ」と発見し、さらに奥へ奥へと進んでいくことだろう。そうするうちに、ミステリへの理解が深まって、鑑賞眼が培われる。そんな意味で、これはミステリのためのエチュードだ。

思いついたままを勝手に綴っているが、太田忠司さんがミステリのビギナーをどれだけ意識してこのシリーズを書いたのか、本当のところは知らない。でも、私には「ミステリに興味を持ちかけているあなた、さあ、いらっしゃい」と作者が手招きしているように思えてならない。

シリーズをお読みの方なら、先刻ご承知だろう。各巻冒頭の「序章」は、いつも野上英太郎探偵からかつてのボスである石神法全への語りかけになっている。まるで私信のようなのだが、それでいて手紙でもなさそうだ。どうして作者は物語の幕開きにこんな文章を置くのか？　思わせぶりな言葉で読者を作品世界へ導入する、という目的もあるのだろうが、それだけではあるまい。

シリーズで主役を務めるは、まだ声変わりもしていない探偵助手の狩野俊介少年。野上英太郎は、彼の保護者であり、仕事上のボスでもある。明晰な推理で最終的に謎を解くのは俊介だけれど、人間や社会について、その他諸々、多くのことを彼は野上から学ぶ。その意味で二人は親子と師弟を合わせたような関係だ。そして、「序章」を読むと、その野上は探偵としての師である石神へ尊敬の念を注いでやまない。作者は、大切なことは継承されなくてはならない、という想いをこの「序章」に込めているのだろう。

大切なこととは、一義的には探偵としての生き方であるが、ここで私はつい深読みしたくなる。人間について、人生について。大切なことはたくさんあるけれど、それを愛するものにとってはミステリもまた大切なものだ。次の世代に継承し、自分が愛したようにこれから先も多くの読者に愛されて欲しい。そんな希いを抱いてしまう。

きっと太田さんにとっては、ミステリも継承されるべきものなのだ。精魂込めてこのシリーズを書いているからこそ「ほら、こんな面白さに満ちているんです。ミステリって素敵でしょう」という作者の声が行間から聞こえてくるのだと思う。

前述のとおり、そういう作品を書くのは「非常にむずかしい技巧」を要する。それゆえ、作者・太田忠司はエテュードの難曲を弾きこなしているとも言えるのだ。

本書『玄武塔事件』について。

まず、いつにも増して今回は舞台が魅力的だ。崖の上に建つ「西洋のお城みたい」な屋敷とその横に聳える玄武塔。レギュラーキャラクター・アキちゃんの友人・紫織の伯父が暮らす館である。アキちゃんは、もう一人の友人・千春とともに招かれてそこで休暇を過ごそうとするのだが、館に着く前に怪しい老婆と遭遇し、着いた先で待っていたのはひと癖もふた癖もある人々。「さらわれてきたどこかの国のお姫様」のような紫織は、伯父から意に染まぬ結婚を勧められ、彼女らは滞在を予定より早く切り上げることにする。台風の通過を待って帰路に就こうとしたのだが、塔で起きた奇怪な密室殺人事件がそれを阻む――。

舞台装置は、ゴシック小説風だ。不吉な老婆がいきなり登場するシーンは横溝正史の『八つ墓村』を連想させるが、あの作品はジャパニーズ・ゴシックとも言える。ゴシック小説とは、十八世紀後半から十九世紀前半にかけてヨーロッパ（主にイギリス）で流行した怪奇幻想趣味の強い小説。古城や廃墟、迷路や迷宮、薄幸の乙女といったモチーフが多用される。今日のホラー小説やミステリのルーツに当たるものだ。科学的合理精神で謎を解くミステリは幽霊だの呪いだのとは無縁のようだが、謎を解くことで逆説的に「幻想的な事件」を描いているのであり、ゴシック小説との結びつきは強い。

この両者には、別の観点からも共通点がある。それまでの小説は、主として広く世間を見た経験豊かな男性が書くものだったのだが、古城の幽霊や奇怪な密室殺人の物語ならば、誰も実際には体験できないことだから空想だけで書ける、ということ。事実、ゴシック小説史にはアン・ラドクリフやメアリー・シェリーら女性作家が多く名を残している。ミステリ（とりわけ本格ミステリ）も、若い書き手にとってハンデが少ない。さらに加えると、ライトノベルも然り。『玄武塔事件』は、親和性のある三つのジャンルが一体となっている。

いずれも空想力＝夢見る力を試される小説だ。太田さんの得意とするところである。

舞台や道具立てだけでなく、この作品には本格ミステリでお馴染みのモチーフがいくつも出てくる。中でも重要なのが、過去に起きた謎の事件の絡ませ方だろう。本編を未読の方のために詳しくは書けないのだが、この部分に作者が仕掛けたトリックはとても捻りが利いていて、ビギナーどころか擦れたファンでも（私のように）すっかり騙されてしまうに違いない。本格ミステリとしての充実ぶりは、シリーズ中でも屈指のものだろう。かつて徳間デュアル文庫のあとがきで作者自身が「僕が子供の頃から読みふけってきた本格ミステリの楽しさを、思いきり詰め込んでいます」と書いたとおりに。繰り返しになるが、まさにミステリのためのエテュードである。

俊介はいくつもの謎を順に解いていき、真相を白日の下に曝すのだが、その時に直面するのは、またしても悲しく重い事実だった。十二歳の探偵でなくても、受け止めるのはきつい。それでも彼は、乗り越えなくてはならないのだ。自分で選んだ道だから。険しい冒険の旅はまだまだ続き、私たちはそれを見守っていく。

最後に、太田忠司さんについて。

読者にとって、作者がどんな人間であろうと関係ない、とも言える。いくら乱暴で下品な人間であろうと、周囲に迷惑をかけるばかりのどうしようもない人間であろうと、作品が面白ければいい――のだが、そうは言っても「書いているのは嫌な奴らしい」と知ったら作品の輝きが色褪せることもあるだろう。「なんだ、いいことを書いていると思ったら口先だけなのか。心にもないことを並べて、こっそり舌を出しているのかもしれないぞ」と。

お読みになっただけでお判りになると思うが、太田忠司という人は、実に実に誠実で、私など頭が下がるほど真面目(シリアス)で、それでいてユーモアと余裕に富(と)んだ人だ。ひと言で表わすと、信じられる人である。この人の言葉には、嘘や濁(にご)りがない。だから、こんなにピュアな小説が書けるのだ。

その名演に、これからも聴き惚(ほ)れたい。

# 歴史ミステリの快傑作

高井忍『漂流巌流島』
（創元推理文庫・10年8月13日）

高井忍氏は、表題作「漂流巌流島」で第二回ミステリーズ！新人賞（二〇〇五年）を受賞してデビューした。本書は氏にとって初めての著書を文庫化したもの。非常に中身が濃くて高品質の歴史ミステリが四本収録されており、歴史好きやミステリファンにとって、またとないご馳走である。その両方を好む方にとっては、欣喜雀躍したくなるに違いない。

いや、そんなふうに読者の対象を限定するのは不適切か。日本史やミステリに一片の興味もないという方のみを例外として、面白い小説をお探しのすべての方にお薦めしたい本だ。

著者初の文庫の解説という大切な役目が私に回ってきたのは、「漂流巌流島」が前記の賞を受賞した際、選考委員の一人として末席に連なっていたかららしい（他の委員は綾辻行人、加納朋子の両氏）。この作品の受賞は、選考会場に赴く前から予想していた結果であった。

高井氏は、その四年前（〇一年）に「琉球王の陵」という作品を創元推理短編賞（ミステリーズ！新人賞の前身。選考委員も同じ）に投じ、最終選考まで進んでいる。だから、四年間の進歩の跡も知ることができたわけだが、それは瞠目するばかりのものだった（ちなみに投稿時の筆名は鷹斐信之）。高井氏の作家性をご紹介するため、ちょっと遠回りしてその作品の話をさせていただく。

「琉球王の陵」は、近未来を舞台にした冒険小説だった。「二〇一〇年七月。俺は、独立運動に揺れる沖縄にいた」で始まる。琉球王の英祖＝源為朝説を織り込み、山中のアクションあり、国際謀略ありという賑やかさ。この作品が選に洩れたのは、プロットが粗削りだったせいもあるが、与えられた規定枚数が少なすぎたことが最大の理由だ。まるで長編のダイジェストだったのだ。あれほど窮屈な応募作も珍しいほど。

初歩的なミスだ。そんなことも判らんのか――とは微塵も思わなかった。詰め込みすぎはよくないが、この作者は書きたい素材やアイディアをたくさん持っているらしい。読者をもてなそうとする貪婪なまでのサービス精神は、エンターテインメント作家の資質を感じさせる。あれもこれも書きたくて、腕がむずむずしたのだろう。個々のアイディアの中にはきらりと光るものがあり、特に英祖の出自をめぐる謎解きに惹かれた。受賞者の卵というより、プロ作家になる前夜の人という印象を受けた。

そして四年後、歴史の謎に焦点を絞った「漂流巌流島」が届き、同じ選考委員をねじ伏せるようにして栄冠を摑んだのである。ねじ伏せられた方は大喜びで、贈呈式で講評を述べる際、綾辻氏が相好を崩しながら受賞作を褒めちぎっていたのを覚えている。

「選考委員の特権で、僕たちはもう読んだんだけどね」と言わんばかりに得意げだった。

「漂流巌流島」は、日本人なら誰もが知っている宮本武蔵と佐々木小次郎の決闘の実像を暴くというものだが……謎を解くのは歴史学者や探偵ではなく、ビデオ映画の監督とシナリオライター。仕事の速さが取り柄の三津木は、巌流島の決闘を描いた時代劇の監督を引き受けるが、実はまるで知識がない。そこで駆け出しのシナリオライター〈僕〉に決闘の有様からそこに至るまでの経緯まで、すべて「素人の俺にでも分かるように要約してくれ」と安直に命じる。と、〈僕〉の報告を聞くうちに史料の矛盾が気になりだし、二人して思いもかけぬ新説にたどり着く――。

人物設定だけで感心した。前作には大きな計算違いがあったが、今度は申し分ない。

「歴史には弱いから……」と尻込みしかける読者も、自称素人の三津木のいい加減さに安心するとともに、〈僕〉の生真面目で行き届いた解説に手引きしてもらえると判り、安心してページをめくることができる。また、「こんな素人二人にどれだけの謎解きができるんだ?」という興味も湧くというものだ。

さらに巧みなのは、二人が居酒屋で飲み食いしながら語り合うという設定。話が脱線したり、よろよろ迷走したりする場面がいっそう楽しく、親しみやすくなる。鯨統一郎氏がデビュー作『邪馬台国はどこですか?』(自由奔放な推理とバーの描写が楽しい)

以来、よく用いている手法だ。高井氏もそれを踏襲しているのだが、酒が入った上でのディスカッションは熱を帯びやすく、愉快な雰囲気が出る。蘊蓄が連発されるのも、常識にとらわれない大胆な推理が転がり出るのも自然だ。

また、これはよい意味で言うのだが、こういう人物と舞台の設定だと「結論の正確さに責任は持ちませんよ。そのかわり、すごく面白いオハナシをしてあげる」という流れになる。彼らは学究の徒ではなく、単に安上がりのドラマを作るのが目的の映像業界人だ。三津木はちゃらんぽらんにも見えるが、〈僕〉は尊敬している。「臨機応変、その場その場の限られた条件の中で物語を成り立たせてしまう手腕」が「まさに天才的」だという理由で。やや大袈裟かもしれないが、これは本格ミステリの本質にも関わる作劇法ではないだろうか。真実より面白さと技巧が優先というわけだ。

しかし、そんなふうにして生まれ落ちたオハナシが、現実を懸命になぞった作品より劣るわけではない。オハナシは人を幸せにする力があるし、オハナシを経由することで真実がより見えてくることもある。

「漂流巌流島」の内容に戻ろう。

やがて三津木の非凡な発想がちらちらと覗き始めて、これはいいなと喜んでいたら、あっと驚く台詞が飛び出す。それは本書の六〇ページ一六行目の「武蔵には××××××」。この言葉を目にしたところで、私は満面に笑みを浮かべた。ミステリのクライマックスで名探偵が意外な犯人を指摘した瞬間、あるいはその背後に隠されていた真相が判明してどんでん返しが決まった瞬間、驚愕しながら「ミステリって楽しいな」とうれしくなる。が、私がそれに勝るとも劣らぬほど好きなのは、この「武蔵には××××××」的なるサプライズだ。それまで謎でなかったものが謎となったり、謎の捉え方（問題の立て方）が論理の積み重ねによって一変したりする。これこそミステリの醍醐味ではないか。意外な結末だけなら、ミステリ以外の小説にもよくある。

三津木と〈僕〉の推理はいよいよ盛り上がり、これまで誰も考えたことのない物語が「きっとそうであった」と立証されていく。あんなに有名な物語が別物に変わってしまうことに驚かずにはいられない。居酒屋推理、恐るべし。

繰り返すがこれは無責任な推理。どこまで的中しているのかは知ったことではありませんよ、というもので、論理的でまことしやかであることを目的とした、純粋に遊戯としての推理である。だが、しかし！　遊びだから徹底的にやるのであり、遊びだからクリエイティヴなのだ。ミステリファンなら共感していただけるだろう（三津木や〈僕〉は仕事として頭を悩ませているのだが、実態は遊びと化している）。

同作は「ミステリーズ！　vol.13」に掲載されて大好評を博すのだが、短編一本では本にならない。著書を持ってこそ新人作家としてデビューしたとも言えるから、高井氏は受賞後に大きな山を越えなくてはならなかった。編集部から「このキャラクターを活かして同じ趣向の短編を数本書いてください」という指令が下ったのは当然と言える。しかし、高井氏に伺ったところ、そんな用意はまるでしていなかったというのだ。それもまた無理はない。新人賞に投稿する時点で続編を予定しているのが明白な作品も見かけるが、目の前のハードルを越えるのに全精力を傾注し、続編の構想など持たない人も大勢いるだろう。

　高井氏はデビュー早々に難題を背負わされた恰好(かっこう)だが、結論からいうとそれを見事に突破し、受賞作に匹敵する作品を三本書き上げた。かくして初の著書『漂流巌流島』をものすことができたのである。受賞作は、フロックでもなんでもない。やはりプロ作家になるべき人であった。三本ともじっくりと練りこまれた作品で、華麗な推理は快刀乱麻を断つがごとし。

「亡霊忠臣蔵」では、忠臣蔵のお裁きに不公平はなかったかを考察するうちに、別の刃傷沙汰(ざた)に潜む真相が白日の下に曝(さら)される。

「慟哭(どうこく)新選組」では、池田屋(いけだや)事件の裏に隠されたある人物の意図が暴かれる。

「彷徨(ほうこう)鍵屋ノ辻(かぎやのつじ)」では、荒木又右衛門(あらきまたえもん)を伝説の剣豪とした仇討(あだう)ちの実像を調べるうちに、奇怪な〈トリック〉が浮上する。

　かくして本書『漂流巌流島』が完成した。充実の一冊で、その面白さは無類だ。綾辻氏から聞いたところによると、小野不由美(おのふゆみ)氏はもう五回も読み返しているのだそうだ。謎解きの興味だけでは、なかなかそうはいかない。三津木と〈僕〉が繰り広げるディスカッションの間や人間臭さなど、味わいどころが他にもあるから再読に堪えるのである。傑作と評すべきだろう。痛快な読み心地から、快傑作と呼びたい。

ここまでのものが書けたのは、高井氏が中学時代より歴史小説を通して知識を得、センスを磨き、面白いオハナシに対して非常に鼻が利くようになっていたおかげだろう。高井氏は愛読していた山田風太郎、高橋克彦、隆慶一郎といった先達に導かれたのである。高井氏が歴史を専門的に勉強したことはない。

　ミステリファンとしては、やはり中学生の頃から横溝正史や高木彬光などを愛読し、大学に進んでからは立命館大学推理小説研究会に所属。会誌「青髯通信」に小説を寄稿している。その頃から歴史を題材にしたミステリを書いていたそうだ。

　高井氏は「ミステリーズ！」に歴史好きの女子高生三人が斬新な新説をぶつけ合うシリーズを不定期で連載するなど、読み応えたっぷりの作品を発表し、この後にも剣豪・柳生十兵衛が各流派の剣の達人たちと絡みながら名推理を披露するという作品が控えている。歴史ミステリ作家としてのポテンシャルは頼もしいばかりだ。

　高井氏は歴史を離れたミステリにも意欲があるそうだ。つまり、作家としての全貌は、まだ姿を現わしていない。そう思うと、ますますこの豊かな才能に注目せずにはいられない。

# 本格短編のショーケース

## 本格ミステリ作家クラブ・編『法廷ジャックの心理学　本格短編ベスト・セレクション』（講談社文庫・11年1月14日）

本書は、本格ミステリ作家クラブが編纂（へんさん）している年鑑アンソロジーを文庫化したもので、二〇〇六年に発表された選（え）りすぐりの本格ミステリ短編が並んでいる。どこからお読みいただいても、楽しい時間が過ごせることを保証しよう。

同クラブ執行会議の委託を受けた乾（いぬい）くるみ、歌野晶午（うたのしょうご）、円堂都司昭（えんどうとしあき）の三氏が収録作品の選定にあたった。

内容について書く前に、書名にまつわる裏話をご紹介してみる。同クラブが編んだアンソロジーを以前からご愛読いただいている方は、とうにご承知だろう。ノベルス版で出る親本の書名は『本格ミステリ07』といったデジタルなものだが、文庫化の際、これがミステリアスで意味ありげなものに変わる。意味ありげでいて、実は意味がない。いくつかの収録作品のタイトルから適当な単語を拾い、それを繋（つな）ぎ合わせたものを書名にしているのだ。

『紅（あか）い悪夢の夏』しかり、『透明な貴婦人の謎』しかり。そんな命名法のおかげで、『論理学園事件帳』や『深夜バス78回転の問題』など、人知を超えた名タイトル（？）も生まれた。

本書『法廷ジャックの心理学』も、なかなかの出来ではあるまいか。これに決まるまで同クラブの執行会議では白熱した議論が闘わされた。この文庫版のネーミングこそ、一年を通じて最も大切な執行会議の役目であり、本格ミステリ界の厳粛な神事とも言える……はずはないけれど、決定に至るまでにどんな書名が候補として挙がったのか、ことに大胆なことながら、ここでいくつか暴露してみよう。
『紳士ならざる裁判員の未来』『心あたりのある足を取りに行く』『災難は未来の恋』『忠臣蔵の法廷ジャック』『恋の法廷心理学』エトセトラ……。

ご苦労さま、と言うしかない。例年にもまして今年のネーミングは難航し、「これからは、文庫化の際にスマートな書名がつけやすい作品を選ぶのがいいのではないか」という声があがるほどだった。本末転倒である。

他事はさて措（お）いて。

本書に収録した小説作品九編のうち、連作やシリーズものが八編を占める。たまたまそうなったのではあるまい。

短編が読まれない、短編集が売れない、と言われて久しい。海外でも同様で、アメリカでは短編のみを書いて生活ができるミステリ作家はエドワード・D・ホックだけだったという。そのホックが二〇〇八年に他界したことで、「そして誰もいなくなった」のだろう。

しかし、ミステリ（特に本格もの）においては昔から、その醍醐味は長編にある、いや短編だ、と見方が分かれている。ミステリのアイディアには長編でこそ書けるもの、短編だから活きるものがあるから、いずれが正しいとも断じられないが、ともすれば「短編では読み応えが足りぬ。長い小説にどっぷり浸かりたい」という読者の要望が勝るせいか、短編は軽視されがちだ。売上げも伸びない。

それでも、前述のとおり短編の形で書くのがふさわしいアイディアがあるから、短編を書きたい作家は作品をシリーズ化し、またときには大きなストーリーで各作品をつなぐ連作にして、まとまりのある本を作ろうとする。そんな傾向が、本書にも反映されているのだろう。

収録作品を見ていこう。まずは小説作品から。

「熊王ジャック」（柳広司）は、かの動物学者アーネスト・トンプソン・シートン博士を探偵役としており、一連の作品は『シートン（探偵）動物記』に収録された。わが国でも海外でも有名な作例があるが、歴史上の偉人を探偵役に起用するという趣向は作者が得意とするところで、これまでにシュリーマン、ソクラテス、ダーウィン、夏目漱石ら錚々たる顔ぶれに華麗な謎解きを披露させている。

たくさん資料を読み込まねばならず、骨が折れそうだ。それだけではなく、史実をできるだけ活かして、いかにもその人物にふさわしい謎と推理を創造しなくてはならないから、書き切るのは難易度が高い。作者はそんな苦労はおくびにも出さずに、難題をやすやすとクリアしている。伏線の張り方も丁寧で、遺漏がない。そのテクニシャンぶりを堪能していただきたい。

「審理（裁判員法廷二〇〇九）」（芦辺拓）は、のちに「評議」「自白」の二編とともに『裁判員法廷』（第九回本格ミステリ大賞候補作）という連作にまとめられた。二〇〇九年五月から導入された裁判員制度を取り入れた本邦初のミステリで、裁判所からいつ呼び出されるかもしれない読者＝「あなた」の視点をとった二人称小説になっている。

しばしば時空を超えた異世界を描く作者だが、アクチュアルなテーマを作品に盛ることも多く、本作は後者だ。「審理」では、弁護士にして名探偵の森江春策が推理の限りを尽くし、絶体絶命の被告を冤罪から救うという古典的なパターンをとり、リアリティと本格らしいトリッキーな味わいを融合させている。ちなみに前記の「自白」は「弁護士・森江春策の事件」シリーズ第一弾としてテレビドラマ化されており、森江を演じたのは中村梅雀。

「願かけて」（泡坂妻夫）は、宝引の辰捕者帳『織姫かえる』の一編。このシリーズは『鬼女の鱗』を皮切りに足掛け二十一年間で六冊まとめられており、作者のキャリアで大きな比重を占めている。NHK金曜時代劇でシリーズドラマ化もされていて、小林薫が辰を演じた。

　江戸情緒たっぷりの時代小説で、人情話として楽しめるが、上質の本格ミステリにもなっている。本作は一本道での人間消失の謎を中心としたもの。その真相を読むと肩透かしを食らいかけるが、何故そんなことを、という理由を知ったところで〈奇妙な論理〉が立ち上がって本格ファンを喜ばせる。いかにもこの作者らしい筆法で、余人には真似られない。

「未来へ踏み出す足」（石持浅海）は、第六十回日本推理作家協会賞・短編部門候補作になっており、また本作を収録した『顔のない敵』は第七回本格ミステリ大賞候補作になった。意表を衝く斬新な設定の上でロジカルな本格を展開させるこの作者らしく、およそ本格ミステリではお目にかかることがない対人地雷がテーマだ。硬派の本格ミステリだが、今日的な社会派ミステリとして読むこともできるだろう。

　地雷除去用のマシンを開発していた男が奇怪な姿で殺されているのが見つかる。犯人は何故、接着剤で遺体の頭部を固めたのか？　特異な舞台設定、モチーフ、登場人物に加えて、この特異な遺体。すべての謎が解かれた時、強い信念を持つ〈探偵〉がとる行動もまた、ありきたりのものではない。

「想夫恋」（北村薫）は、ベッキーさんこと別宮みつ子を探偵役としたシリーズの第二作『玻璃の天』所収。同シリーズは三部作を構成しており、この「想夫恋」はちょうど折り返し点にあたる。日中戦争に突入する前夜を舞台に選び、スーパーウーマン的な女性運転手を探偵役とし、富裕階級の令嬢を視点人物として、作者が描こうとしたのは何か？　それはシリーズを通してお読みいただきたい。

本作にはとても魅力的な暗号が出てくるが、実はこの作者は思いがけないものをキーにした暗号を得意としていて、本格ミステリ作家クラブ十周年を記念して編まれたアンソロジー『ミステリ・オールスターズ』にも「続・二銭銅貨」という創意あふれる暗号ものを寄せている。暗号ミステリの名手としても評価されるべきだろう。

「マックス号事件」（大倉崇裕）は、シリーズ二冊目にあたる『福家警部補の再訪』に収められて巻頭を飾った。ドラマ「刑事コロンボ」シリーズをこよなく愛し、そのノベライズまで手掛けた作者だけあって、倒叙ミステリ（犯人の視点で進められるミステリ）の興趣に満ちたシリーズになっており、本家を彷彿とさせる。このシリーズが「コロンボ」を日本に初めて紹介したＮＨＫでドラマ化されたのも何かの縁か。福家警部補役は永作博美。

殺人現場は豪華客船の上。いわば大倉崇裕版『歌声の消えた海』である。犯人は懸命に証拠を隠蔽し、最善を尽くす。たまたま船に乗り合わせた福家警部補は、どこに着目して真相にたどり着くのか？　読者も知恵比べのつもりで考えていただきたい。

「忠臣蔵の密室」（田中啓文）はノンシリーズもので、ディクスン・カーの生誕百周年を記念して編まれた書き下ろしアンソロジー『密室と奇蹟』が初出だ。ＳＦ、ホラー、時代小説、伝奇小説から新作落語まで手掛けるマルチな作者だが、ミステリのデビュー作「落下する緑」が載ったのは、鮎川哲也監修の『本格推理』だった。本格ミステリもお手のものである。

ときは元禄十五年。吉良邸を急襲した赤穂四十七士は、雪で「閉じたる場」状況になった炭小屋で上野介が刺殺されているのを発見した。どうする、浪士たち？　この飛び切りの謎が鮮やかに解き明かされ、討ち入りの真相が暴かれたかと思ったら、最後に笑撃の後日談が……。唖然、呆然。にこにこと微笑みながら卓袱台をひっくり返す作者に畏敬の念さえ覚えてしまう。

「紳士ならざる者の心理学」（柄刀一）は、ＩＱ一九〇の天才・天地龍之介を主人公にしたシリーズの九冊目に収録され、この作品が表題作になっている。いくつものシリーズを併行して書いている作者だが、このシリーズが最も作品数が多い。龍之介には学習プレイランド設立という大きな目標があり、その夢をかなえるために奮闘中。

数学的・理学的・工学的な知識を応用したトリックは作者の得意とするところで、このシリーズでも頻出するのだが、本作では心理学がうまく用いられている。ここに描かれるゲーム機消失の謎は相当に手ごわく、作中で語られるとおり「日常レベルの『黒いトランク』」と言うべき難問だ。しかし、龍之介にかかれば魔法をかけたごとく解けてしまうのである。恐るべし、龍之介。

「心あたりのある者は」（米澤穂信）は、デビュー作『氷菓』から続く古典部シリーズの一編で、シリーズ四冊目にあたる『遠まわりする雛』に収録された。本作は、第六十回日本推理作家協会賞・短編部門候補作。神山高校を舞台に、古典部のメンバー四人がいわゆる日常の謎に挑む青春ミステリは、幅広い支持を集めている。

ハリイ・ケメルマンの「九マイルは遠すぎる」という傑作短編をご存じだろうか？　作中人物がふと耳にした言葉から推論のみによって思いがけない事実を掘り当てる、という安楽椅子探偵ものだ。本作はそれに挑戦した野心作で、何気ない校内放送をもとにした知的ゲームが繰り広げられる。部員らの丁々発止の応酬、推理の転がり具合が楽しく、ロジカルな本格好きにはこたえられないだろう。

次に評論の二編。

「本格ミステリの四つの場面」（福井健太）は、「ミステリーズ！」誌に連載された「本格ミステリ鑑賞術」のうちの一編。具体的な作例を挙げつつ、その名のとおり本格ミステリを鑑賞するツボを考察したものだ。同連載は二十二回続いて完結し、単行本化に向けた加筆改稿が行なわれているとか。本作はその第五章にあたる。作者は連載第一回目の序文で本格ミステリというジャンルの多様化を肯定しながら、本格ミステリの〝核〟が読者に見過ごされることに懸念を表明している。そんな想いから鑑賞法を示すに至ったという。

古典的作品から近年のテレビドラマまで多彩な作品を参照し、本格作品を構成する「場面」を四つに分けた上、それらの配分や位置関係によって本格の可能性が広がる、とした本作は、鑑賞術から創作術に踏み込んだ論考になっている。

「宿題を取りに行く」（巽昌章（たつみまさあき））は、一九七五年から七九年まで刊行された探偵小説専門誌「幻影城」の功績を再検証した同人誌『幻影城の時代』に寄せられた論考。この冊子は、あまりの評判でたちまち在庫がなくなり、後日、大幅に内容を増補した「完全版」が講談社から出版された。

わが〈幻影城の時代〉を綴（つづ）った想い出話や秘話のスクープではない。作者は回顧的な雑誌と見られがちな「幻影城」の印象を転倒させ、「若者や新人といった言葉に結び付く」と書きだし、探偵小説あるいは本格ミステリが内包する未熟さ、幼稚さについて再考を促す。清張以後を全面的に肯定する史観に対して、清張以前と新本格はどのように対するべきかを取り残された「宿題」とする指摘は刺激的だ。「宿題」は、まだそこにある。


以上、十一編。

書き手の作家性がにじみ出た作品が見事に揃った。よく言われることだが、アンソロジーは傑作集であると同時に、一種のショーケースでもある。本書をお読みになったことがきっかけとなり、「初めて読んだけれど、この作者に興味が湧いた」「このシリーズは面白そうだな。最初から読んでみたくなった」と思われたなら、作者や編者にとっても、あなたにとっても幸いだ。

そうなりますように。

# 今、ここにある悪夢

結城充考（ゆうきみつたか）『プラ・バロック』
（光文社文庫・11年3月20日）

『プラ・バロック』は、第十二回日本ミステリー文学大賞新人賞受賞作である。その際の選考委員は、石田衣良（いしだいら）、田中芳樹、若竹七海（わかたけななみ）の三氏と私、有栖川。そんな縁あって、文庫版の巻末にこの小文を寄せることになった。

新人賞の選考委員というのは、投稿者・主催者・読者の三者に対して大きな責任を負う。主催者への責任というのは、「とりあえず売れそうな作品」ではなく、「本当に有望な新人」を正しく選ぶことを指すわけだが、その任務が選考の場でプレッシャーになる。

想像してみていただきたい。選考に立ち会う主催者側の編集者はすべての候補作に目を通していて、かつ生原稿を読むプロなのだ。しっかり作品を読み込んだ上で、的確な評価を下さないと「違うだろ。駄目だな、この人は」と思われてしまう。場合によっては「見損なったよ。この人に原稿を依頼するの、もうやめようかな」……となるかどうかは知らないが、とにかく真剣勝負なのだ。

だから気合を入れて候補作と相対するのだけれど、どんな作品と出会えるかは運に左右される。コレという候補作が不在だった時には、いかんともしがたい。

新人賞には、主催者の意向によって受賞作なしを認めるものと、認めないものがある。どちらの立場にも理由があるわけだが、日本ミステリー文学大賞新人賞の方針は前者で、十一回目までに受賞作が出ないことが三回あった。誰もが喜べない結果で、私自身、第九回の選考でそれを経験していた。

それだけに、第十二回の選考で『プラ・バロック』に当たった時は、思わず笑みがこぼれた。「よし、今年は大丈夫だ。コレがある」と。作者の結城充考氏に「ありがとう」と言いたくなったほどだ。他の候補作に『プラ・バロック』を凌駕(りょうが)するものはなく、「コレを推せばいいんだ」と確信して選考会に臨めた。各委員の意見が割れて紛糾(ふんきゅう)する場合もあるわけだが、そうはなるまいと楽観していたとおりに、満場一致で受賞作が決定した。

選評のさわりをご紹介したい。「道具立ても、文体も、作中のムードも、すでに固有の輝きを放っている」(石田衣良)、「端整な文章、視覚的想像力を刺激してやまない場面設定、サスペンスあふれるストーリー展開、余韻に満ちたラストなど、いずれもハイレベルで、選考委員一同を感歎させた」(田中芳樹)、「候補作中ぶっちぎりの第一位」(若竹七海)。受賞作といっても、なかなかここまでの賛辞が揃うものではない。

達者な書き手なのだな、ということは、前記のコメントをお読みいただければ伝わるだろう。だが、新人賞において「お達者ですね」と思わせる作品は必ずしも歓迎されるとは限らず、「お達者ですね。でも、それだけですね」と思われたら、たちまち受賞の圏外に去る。選考委員も、主催者も、読者も、新人賞にこれまでなかった新しい作品と才能を期待しているからだ。「お達者なプロ」なら、すでに掃いて捨てるほどいるわけで、単なる欠員補充のために多大の時間とコストを掛けて探すことはない。

先の選評のとおり『プラ・バロック』には数々の美点があるが、新しさを感じさせてくれることが受賞を決定づけた。リアリズムに徹した作品ではなく、ヴァーチャルな世界を取り入れたがため、ときに非現実感をまといながらも、強烈な同時代性を味わわせてくれるミステリーである。

まず、埋め立て地の冷凍コンテナから十四体の死体が発見される冒頭のインパクトが尋常ではない。いずれも凍死体で、しかも整然と並んでいることから、示し合わせての集団自殺だと思われた。そうだとしてもショッキングだが、彼らの死にはウラがあった。

不可解な事件の謎を追うのは、神奈川県警の女性刑事クロハ。捜査本部内には様々な軋轢があり、同僚の男性刑事からいやがらせを受けながらも、彼女は真相に迫っていく。ヒロインは、この孤独でミステリアスな捜査官である。

やがてクロハが見出すのは、死を操る邪悪な存在だ。犯人は、サイバースペースに足跡を残していた。その恐るべき悪意に立ち向かう彼女に、敵は牙を剝く。

閉塞感から自殺に走る人々、ヴァーチャルな空間に出没するサイコな殺人鬼、孤高の女性刑事。なるほど、現代的な道具立てを取り揃えたミステリーなのだな、と思われるだろうが、それらはさほど新しくない。捜査本部内の泥臭い争いや、男社会で女性刑事がなめる苦労なども、ふと既視感を誘うかもしれない。

ならば何が新しいのかというと、これは読んでいただかなくては判らない。コレとアレを出したからこの小説は新しい、というものではないので。

短い言葉で乱暴に言ってしまうと、それはリアリティの有様ということになる。タイトルの『プラ・バロック』という無機的な造語、クロハをはじめとした登場人物たちの名前の片仮名による表記などから、この作品には最初から近未来の雰囲気が漂う。では、その未来とはいつ？

十年先でも五年先でもない。ややレトリカルに言うと、〈明日か明後日〉。そんな感触がある。埋め立て地の冷凍コンテナから十四体の死体が見つかり、テレビのワイドショーが沸き立つ。そして、事件の背後に死の司祭の存在が浮上する。――私たちは、そんな光景を明日にでも目撃するかもしれない。

この作品が世に出たのは二〇〇九年三月で、それから文庫化までですでに二年の歳月が流れている。しかし、前述の不吉な感触はいまだに失われておらず、二年たっても『プラ・バロック』の近未来は到来していない。〈明日や明後日〉のことではなかった、と見るのは正しくない。このような〈明日か明後日〉を持った時代が、〈今、現在〉であり、『プラ・バロック』は、独特の手法をもって〈今、現在〉を捉えたミステリーなのだ。

作者から聞いたところによると、この小説は当初、『ナノ・バロック』という仮題の近未来SFとして構想されていたという。しかし、昨今のテクノロジーの進歩は速く、「現実が進んで、近未来である必要がなくなってしまった」のだとか。作者の言葉によると、「(時代に) 追いつかれる危機感よりも、自分で先に先に取り込んで小説にしていったほうが楽しい」という姿勢である。そのあたりにも優れた時代感覚が表われている。

全編にわたって描かれるのは、降りしきる雨。べったりと暗い夜。

いずれも爽(さわ)やかさからは遠く、犯罪は陰鬱(いんうつ)で、ヒロインは幾度も傷つく。作品を象徴する風景は、埋め立て地の工場群。インダストリアルで冷たい。冷たいのみならず、ざらついた小説でもある。この物語の象徴的な音風景である雨音。それに振られたルビは、ノイズだ。

冷たくざらついてはいるが、悪意や絶望ばかりを誇張した虚無的な作品ではない。それどころか、〈今、現在〉の希望を、作者は真摯(しんし)に追求している。「コレがあるから大丈夫」という気休めを避けながら。手に汗握るクライマックスで描かれた希望を、じっくりと感じ取っていただきたい。

作者の結城充考氏についてご紹介しなくてはならない。

結城氏は、一九七〇年香川県生まれ。埼玉県で育ち、現在は東京在住。二〇〇四年に『奇蹟(きせき)の表現』で第十一回電撃小説大賞銀賞を受賞してデビューし、『プラ・バロック』

が受賞するまでにライトノベルの著書が三冊あった。候補作に接して新人離れした筆力と構成力を感じたが、それもそのはず。すでにプロ作家だった。

高校時代から時代小説やSFに傾倒し、自主映画の制作に関わった後、二十代後半から小説の執筆を始めた。影響を受けた表現者としては、ウィリアム・ギブスンや黒澤明らの名を挙げる。そんな情報を知ると、色々と合点がいく。『プラ・バロック』には、ギブスン風のサイバーパンクSFの味わいがあるし、斬新な視覚的イメージに富む。読み心地のよさと思い切りのいいストーリーテリングは、ライトノベル作家として培ったものかもしれない。

長編で新人賞を受賞した作家には、デビュー直後に試練が待っている。「短編は書けるのか？」と試されるのだ。結城氏は、デビューの二カ月後に「小説宝石」誌に「雨が降る頃」を発表。これもクロハを主人公にした作品で、ツイストの利かせ方が素晴らしかった。「短編もうまいなぁ」と感心していたら、これが第六十三回日本推理作家協会賞短編部門の候補作になる（同協会編の『2010　ザ・ベストミステリーズ　推理小説年鑑』に収録）。

惜しくも受賞は逃したが、新人の短編第一作がこの賞の候補作になるのは稀有で、それだけでも大変なことだ。実力派であることは立証されたといえるだろう。その後も、作者は切れのいい短編をコンスタントに書き続けている。

長編はというと、二〇一〇年八月に第二作『エコイック・メモリ』を発表。動画投稿サイトにアップロードされたおぞましい殺人の記録らしき映像に、クロハと私たちは再び〈明日か明後日〉の悪夢を見る。ひりひりするほど危険で、かつ黒檀（こくたん）のごとく光る甘美な悪夢だ。——本書を堪能（たんのう）した読者は、ぜひ続けてお読みいただきますように。

鋭い時代感覚でミステリーの地平を切り拓（ひら）く結城充考。その冒険は、まだ始まったばかりだ。これからどんなところに私たちを連れていってくれるのか、楽しみでならない。

## エラリー・クイーン登場

エラリー・クイーン『ローマ帽子の謎』中村有希訳
（創元推理文庫・11年8月31日）

わが国で本格ミステリの三大巨匠と称せられるのが（五十音順に）ディクスン・カー、エラリー・クイーン、アガサ・クリスティだ。さながら尾張の三英傑（信長・秀吉・家康）のごとしで、この選択はこの先もゆらぎそうにない。

各作家に熱心なファンがついているが、それぞれの作家の持ち味は異なり、密室ものを得意として〈不可能犯罪の巨匠〉と呼ばれるカーはそのトリックで読者を惹きつける。トリック派のカーに対して、〈ミステリの女王〉クリスティは誤導の冴えに定評があり、強いて言えばプロット派か。そして、〈アメリカの探偵小説そのもの〉（アントニー・バウチャー）と評されたこともあるクイーンは、読者に真っ向からフーダニット（犯人探し）の難題を突き付けるロジック派である。

『ローマ帽子の謎』は、そんな作家エラリー・クイーンの記念すべきデビュー作であると同時に、作者と同名の名探偵エラリー・クイーンの華麗なるデビュー作。ミステリファン必読の一冊と言えるだろう。フーダニットの最高峰を極めたクイーンらしさをよく見ることができる。

まずは、この作品が世に出るまでの経緯について。ミステリ好きだったフレデリック・ダネイとマンフレッド・B・リーの従兄弟同士（ともに一九〇五年生まれ）は、『ローマ帽子の謎』を共作して懸賞小説に応募をする。狙うは「マクルーア」誌が長編ミステリを募ったコンテストで、賞金は七千五百ドル。作家志望の二人は当時、広告関係の仕事に就いていた。

『ローマ帽子の謎』は見事に第一席となるのだが、作品が本になる前に版元が破産して、同誌の発行権は婦人読者に強い別の出版社に移ってしまう。そのためあろうことかコンテストの結果が変更になり、女性作家イザベル・B・マイヤーズのものに差し替わる。のちの巨匠は、スタート前に躓いてしまうのだ。

マイヤーズは二作だけで消えて幻の作家となったようだが、クイーンに勝ったコンペティターとしてマニアの間で名を残す。その作品『殺人者はまだ来ない――マラキ・トレント殺人事件』は、一九八三年になって山村美紗訳で光文社カッパ・ノベルスから出ている。

捨てる神あれば拾う神あり。悲運の『ローマ帽子の謎』は、フレデリック・A・ストークス社から上梓されることになり、クイーンのデビューがかなう。時まさに一九二九年、世界恐慌が起きたその年。二人で一つのペンネームを持ち、ミステリの歴史を変える作家はまだ若く、二十四歳だった。

『ローマ帽子の謎』には、当時ベストセラー作家だったヴァン・ダインの影響が顕著に見られる。ヴァン・ダインこそ長編本格ミステリの一つのスタイルを確立した作家で、若く野心的なダネイとリーが、成功のモデルにしたのはごく自然なことだ。

類似点はいくつもある。ヴァン・ダインの諸作の語り手（いたって影が薄い）は、作者と同名のヴァン・ダイン。クイーンは、この方式を進化させて、「ペンネームと探偵の名を同じにすれば、読者がいっぺんに覚えてくれる」という功利精神を発揮した。ペンネームが語り手や探偵の名と一致する、というスタイルはのちのミステリ作家に模倣される。

知的な気取りのある名探偵が主人公で、それを取り巻く捜査員や検死官、地方検事といった人物の配置もそっくりと言っていい。ただ、探偵役の父親を重要なパートナーに起用し、父子の情愛を盛り込んだ点は新機軸だ。

複雑な事件、錯綜する情報、それを束ねて分析し、シンフォニーの第四楽章のごとき迫力で解決編になだれ込むところも共通している。

現場の見取り図などの図版の挿入も、クイーンが先達に倣ったのだろう。そのおかげで、いまだに「図版が入っているとうれしくなる」という、パブロフの犬的反応を示す本格ミステリファンも多い。

最も顕著なサンプルは両者の代表作であるヴァン・ダインの『グリーン家殺人事件』

とクイーンの『Yの悲劇』で、舞台、モチーフ、プロットの類似は隠しようもない。それでいてまるで別の美質を持っているがゆえ、いずれもが名作なのだが。

ダネイは、ヴァン・ダインの成功に倣ったことを認めつつ、こう語っている。

「当時のわたしたちに訴えるものがあったからです。複雑で論理的かつ演繹(えんえき)的、しかも初めから終わりまで知性的な小説ですからね」(『エラリイ・クイーンの世界』フランシス・M・ネヴィンズJr.)

『ローマ帽子の謎』は好評を博し、クイーンは探偵エラリー・クイーンを主人公にした作品をシリーズ化する。第二作が『フランス白粉の謎』、第三作が『オランダ靴の謎』という具合に、いつもタイトルには地名を冠し、『〜の謎』で統一した（わが国では国名シリーズと呼ぶ）。これも、タイトルを『〜殺人事件』で揃えたヴァン・ダインと同じ趣向である。

他の作家と似たところばかり語ってもつまらない。ここから先は、クイーンがヴァン・ダインの単なる追随者ではなく、それどころか誰もたどり着けないほどの高みに達した点について書いていこう。

ヴァン・ダイン作品に登場する探偵ファイロ・ヴァンスは、心理的探偵法なるものを提唱した。これは、物的証拠に頼るのではなく、容疑者たちをじっくりと観察し、その心理を見抜くことで真相を捉(とら)えようとするものだ。実践として、『カナリヤ殺人事件』においてヴァンスは容疑者たちとポーカーに興じ、そのプレイスタイルから犯人像に合致する者を見つける。

ヴァン・ダインを手本としたクイーンは、この手法だけは採用しなかった。オリジナリティを尊重したためとも取れるが、「それは犯人を指摘する技法として曖昧すぎる」という判断を下したのではあるまいか。『カナリヤ殺人事件』は古風な本格ミステリとして現代でも楽しめるものの、「こんなことで犯人が判れば世話はない」という印象を残すし、ヴァン・ダイン自身も書き進めるうちにこの探偵法から離れていった。

クイーンが選んだ探偵法は、ヴァン・ダインの対極と言える。つまり、論理的思考を尽くして、唯一無二の解答に至るというものだった。そこには、不確かで移ろいやすい人間の心理＝感情が入り込む余地がない。そんなものは捨象して、人間にはプログラムされたコンピュータのごとく論理的＝合理的に動く側面があることを認め、そこから推理を巡らせるのである。

この方法は、本格ミステリ、とりわけ犯人探しを主眼とした作品を書く上で非常に有効だ。心理＝感情の問題を顧慮すれば、「Aを愛していたBがそんなふるまいに及ぶはずがない」という推論が成り立つだろう。しかし、どこにどんな秘密が伏在しているかもしれない本格ミステリの作品世界においては、「Aは実はBをひそかに憎んでいた」という事実が見えていないだけなのかもしれず、「愛していたがゆえに」や「憎んでいたゆえに」は探偵の推理に盤石の保証を与えない。

翻って、人間が論理的＝合理的にふるまう場面に焦点を合わせれば、推理は格段に強度を増す。犯人の心理＝感情を直接的には描けなくなるが、それでも間接的・事後的に描くことは難しいながら可能なのだ。

『ローマ帽子の謎』を例に取ると、この作品で読者に提示された謎は、「なぜ犯行現場から被害者の帽子がなくなっていたのか？」である。実にシンプルな問いだ。捜査が進むうちに、犯人にはそうしなければならなかった事情があったことが判ってくるが、謎は形を変えて残り続ける。そして、推理の果てには唯一無二の真相が待っている。

読者は、作者に向かって駄々をこねることができない。「帽子を持ち去ったのは、事件に何の関係もない人間だったのかもしれないではないか。『お、これはいいね』と拾っていったのかもしれない」「帽子に意味はなく、捜査を混乱させようとしただけかもしれない」といった駄々が考えられるが（こういう反論はミステリ読者の習性だ。そんな結末には何の面白みもないことを承知しながら文句を言う）、『ローマ帽子の謎』においては、非現実的なハプニングすら「不可能」である。エラリーの推理は、どこをどう押しても覆らないのだ。

明治時代の半ばに輸入されたDetective Storyは探偵小説と訳され、終戦後に推理小説と名を変えて、昨今はミステリ（ミステリー）と呼ばれることも多い。社会派推理小説の全盛期に重なるためか、推理小説という呼び名を好まない本格ファンがいるようだ。しかし、私は推理小説という呼称に最も愛着を感じる。一九五九年生まれという年回りのせいもありそうだが、本格ミステリの本質を最もよく言い表わしていると思うからだ。

クイーンのフーダニットこそ、推理小説の名にふさわしい。探偵が推理して、推理して、推理し尽くすのだから。クイーンの書いたタイプのミステリだけを推理小説と呼べば筋が通る、と言いたいほどだ。

クイーンは、犯人を指摘するのに充分なデータが出揃って解決編に入る前に、〈読者への挑戦状〉を挿入する、という趣向を発案した。ここまで推理の構築度が高くなれば、そんな一文を書き込みたくなるのも理解できる。

挑戦状を歓迎する本格ファンが大勢いる反面、「小説の途中で作者が顔を出すのは興ざめだ」という読者もいる。個人の嗜好(しこう)は如何(いかん)ともしがたいが、小説の幅をぎりぎりまで狭く捉えた場合のクレームだろう。

また、「挑戦状に応じて、いったん本を閉じて考えるのが誠実な態度」と考える方もいて、ミステリの書き手としては、ありがたいばかりだが、読者は作者よりも自由であってよい。ゲームに参加するつもりで作者の挑戦に応じるのもいいし、「何も推理せずに解決編に進んで、早くエラリーの答えを聞かせてもらおう」でもいいのだ。クイーンを敬愛するミステリ作家は多いが、「そりゃ推理なんてしませんよ。結末を読んで驚くのが一番楽しいんだから」という意見をよく耳にする。

『ローマ帽子の謎』では、劇場の客席で殺人事件が起きる。公共の場が犯行現場になった都市型犯罪だ。初期のクイーンは、こういうパターンを得意としていて、『フランス白粉の謎』ではデパート、『オランダ靴の謎』では病院で死体が発見される。これだと不特定多数の人間が容疑者となり、そのままではフーダニットとしては不都合だ。探偵は、容疑者を適当な人数に絞り込まなくてはならない。

エラリーは、死体発見後も犯人がローマ劇場から出ていないことを論証する。それでもまだ容疑者が多すぎるので、クイーン警視は喜色を見せない。読者にしても「そうでないと犯人探しにならないものな。初めから予想していた結論だ」という思いを抱くかもしれない。しかし、そんなプロセスがフーダニットには絶対に必要だ。

箱から鳩を出して見せるマジシャンは、最初に箱が空っぽであることを観客によく確認させなければならない。密室トリックを描くミステリ作家は、その部屋に人間の出入りが不可能だったであろうこと（抜け穴はありませんよ、錠に細工の跡はありませんよ云々）を丁寧に説明しなくてはならない。〈あらため〉という手順だ。これはクイーンの犯人探しでも重要で、クイーンは〈あらため〉にも推理を駆使する。それればかりか、「なるほど、犯人は外に逃げていないんだな。納得したよ」と油断していたら、その推理が結末になって犯人にトドメを刺したりする。〈あらため〉の技巧にこそ、クイーン流フーダニットの神髄があるように思う。

あなたがまだ本編をお読みではなく、せっかくだから（こんなによくできた問題はめったにない）作者の挑戦に応じてやろう、と意気込んでいらっしゃるとしたら――。登場人物リストにある全員を漏れなく疑っていただきたい。犯人は必ずその中にいる。さあ、これでもう誰が犯人でも意外ではなく、「えっ、その人が⁉」と驚くことはなくなった。それでも、あなたは解決編でびっくりさせられるだろう。「そんな推理ができるのか」と。フーダニットの醍醐味を堪能されたい。

発表から八十年以上がたち、風俗描写には古色が漂い（それが魅力に転じてもいる）、中村有希氏による新訳は、作品が新しくなりすぎないような工夫が施されている）、最後に明かされる動機も現代では納得しかねるところがある。それでも精緻な論理の面白さは微塵も損なわれておらず、本格ミステリの強さを確かめられるだろう。

クイーンは、このデビュー作で〈驚くべき結末〉ならぬ〈驚くべき推理〉を披露しているが、その技法にはこれでもまだ（！）甘いところがある。シリーズが進むほどに証拠品の提示の仕方がよりスマートになり、犯行の計画性が増し、連続殺人が多くなる。そのヒートアップぶりをぜひ追いかけていただきたい。

以下は余談めくが。

デビュー作だけあって、この作品には名探偵エラリーのプロフィールがくわしく描かれており、ファンにとってはうれしい。エラリーについてよく知っているつもりでいた方も、J・J・マックの序文を読んで、「エラリー・クイーンというのは仮名？　覆面作家ならぬ覆面探偵だったのか」と意外な設定を発見するかもしれない。

ただし論理の申し子、エラリー・クイーン（これは作者を指す）にしては、この序文はまったく理屈に合っていない。この名探偵の活躍を生涯にわたって書き続けるという計画や確信がなかったためか、やがて作者は、ほとんどの設定をなかったことにしてしまうのだ。エラリーが結婚し、父やジューナとともにイタリアに隠遁することはない。

そもそも『ローマ帽子の謎』という本の中だけでも記述には矛盾がある。押しの強いマックがエラリーを口説き落とし、この序文を書いたのが一九二九年三月一日。作中の事件が起きたのが一九二×年。最大でたった九年しかたっていない。これではクイーン父子を仮名にしようが、事件の詳細をぼかそうが、「あの事件のことじゃないか」と読者に知れてしまうのを避けられない。その他にも色々と引っかかるが、ご愛嬌ということか。

この作品で覆面作家としてデビューした三年後に『Xの悲劇』を発表する際、クイーンはバーナビー・ロスというペンネームを使う。そのどちらもが覆面作家だったのだから、ややこしい話だ（ちなみにダネイ、リーという名も本名ではない。かくもクイーンは複雑さと攪乱を愛している）。

覆面を脱いだ後、ロスの正体がクイーンであることは、クイーン名義の著書に伏線を張っておいた、とクイーンは得意げに語るのだが、それは本書一五ページで言及されているバーナビー・ロス殺人事件のことだ（この事件の名は、『オランダ靴の謎』にも出てくる）。伏線としてはやや弱いが、クイーンらしい悪戯と言える。

また、一四ページには、エラリー・クイーンという仮名について「読者が文字を並べ替えるなどして、本名の手がかりを探り出そうとしても徒労に終わる」とあって、微笑ましい。そんな粋狂なファンがいるとは思えない。いや、今ならたくさんいるか。クイーン先生、あなたがファンをそう躾けたせいで。

## 爆笑の落語ミステリ

鯨統一郎（くじらとういちろう）『幕末時そば伝』
（実業之日本社文庫・11年12月15日）

鯨・落語・ミステリ。うんとかけ離れたもので三題噺（ばなし）を作ろうとしたら……何のことはない、「これでございます」と本書『幕末時そば伝』を差し出せばすむではないか。鯨統一郎さんによる爆笑の落語ミステリだから（わざとらしい書き出しで、すみません）。

爆笑の落語ミステリ。

あなたがまだ本編をお読みでなかったとしたら——そう聞いてどんな小説を想像なさるだろうか？　素っ頓狂（とんきょう）な咄家（はなしか）が探偵役を務めるミステリ？　あるいは、落語の世界の愉快な住人たちが難事件に挑むユーモア時代ミステリ？　落語のネタをなぞったような連続殺人が起きるサスペンスもの？

どれでもない。二番目に挙げた「ユーモア時代ミステリ」がやや近いが、それが実に変わった形になっている。どういうことか——は後述するとして、その前に作者について語らせていただきたい。

鯨統一郎さんといえば、ミステリ界きってのアイディアマンだ。その作品の多彩さから、当代きってのトリックメーカーであることがあまり指摘されないほど。鯨さんが創出してきたトリックは質・量とも大変なものだが、アイディアマンとしての才は、ユニークで魅力的なキャラクター作りや舞台設定、毎回異なる趣向にも遺憾なく発揮される。また、このアイディアマンは恐ろしくサービス精神が豊かだ。読者は、その滑らかな文章をたどる時、安楽椅子に掛けて寛ぐ思いがするだろう。そして、常にユーモアを忘れず、人間を見つめる温かなまなざしで気持ちを明るくしてくれる。のみならず、モチーフになった歴史・文学など（民俗学から懐メロまで、その範囲広し）の知識はもちろんのこと、本筋に関係のない豆知識や情報もするりと頭に入るようになっている。

読む方はいたって楽だが、書く方にとってはやたら苦労が多いはずだ。デビュー作『邪馬台国はどこですか？』に始まる早乙女静香シリーズのように、歴史学の常識を覆す新説・奇説を次々に考えるためには、基本的な史料にあたるだけでも骨が折れる。この世のすべての小説を消滅させようとする文章魔王に師弟コンビが挑む『文章魔界道』には、おびただしい数のギャグ・駄洒落・回文が投げ込まれていて、唖然とした。どの作品もそんな具合で、「これは得意分野を題材にしてすらすらと書けただろうな」と思えるものは、一作もない。とにかく手間を惜しまないのだ。

読者をとことん寛がせ、面白がらせ、お土産まで渡す。それでいて自分の苦労は見せない（私がそれを感じてしまうのは同業者だからだろう）。これはもう、エンターテインメント作家の鑑と言うしかない。

そんな鯨さんが、今回選んだモチーフが落語。呆れるほど抽斗の多い作者だから、それ自体にはさほど意外性はない。落語とミステリは相性がよくて、現代作家によるシリーズだけでいくつもある。春桜亭円紫師匠が名探偵ぶりを発揮する北村薫さんの〈円紫さんと私シリーズ〉、大学の落語研究会の面々が活躍する大倉崇裕さんの〈オチケン！シリーズ〉、しっかりとした謎解きと芸道小説の妙味を見事にブレンドした愛川晶さんの〈神田紅梅亭寄席物帳シリーズ〉など。

また、ミステリ作家には落語好きが多い。両者の相性がいいのも道理で、ミステリと落語にはもともと少なからぬ共通点がある、と私は考えている。

成立の時期は、落語の方が早い。謎解きの面白さを含む物語は古来あるので、ミステリのルーツをたどれば『イソップ物語』やギリシャ悲劇まで行き着きかねないが、現在の形の祖型はエドガー・アラン・ポーが一八四一年（日本の天保年間）に発表した短編「モルグ街の殺人」というのが定説だ。落語はというと、これより百五、六十年ほど前に京、江戸、大坂で落語家の祖と呼ばれる人たちが現われる。

時期は一致していないが、ともに都市で生まれた。十九世紀の欧米の都市と、日本の三都では都市の性格を異にするが、都市的な感性をバックボーンとしている点は似ている。

それは牽強付会の気味があるとしても、いずれも豊かな常識なくては楽しめない、ということには異論が出ないだろう。不可解な謎が名探偵の推理で「なるほど！」という解決に着地するまでを描くミステリも、ナンセンスな設定・人物・ストーリーで「そんな馬鹿な！」と笑わせる落語も、大多数の受け手が共有する常識をベースにして初めて成立する。ミステリや落語を愛する人には、常識が備わっているのだ（非常識な言動をするミステリ作家や落語家、あるいはファンがいたとしても、それは「わざと」か「我慢できない」だけです）。

また、ミステリは謎解き＝解決で幕を閉じ、落語はサゲ（オチ）で終わる、という形式も類似している。ミステリを読んでいて、「まるで落語のサゲだな」と感じたことはないだろうか？　実例を挙げて書けないが、私はしばしば体験するし、自分で結末を書きながら「これでオチたな」と思うこともある。

逆に言うと、落語のサゲはミステリの結末に似ている。理論家の爆笑王だった桂枝雀師匠は、すべての落語のサゲを四つに分類してみせた。くわしくは『らくごDE枝雀』という著書をお読みいただきたいが、その四つとは、へん（ナンセンスが行き着くところまで行って終わる）、ドンデン（足をすくうようなドンデン返しで終わる）、合わせ（複数の要素が強引に合わさったところで終わる）、謎解き（劇中の謎の答えを観客に投げて終わる）。

本格ミステリ度の低い方から高い方へ並べると、へん（怪奇・猟奇色が強いもの）・

ドンデン（意外な結末が売りのサスペンス）・合わせ（論理性は弱いが伏線が面白い本格）・謎解き（理屈＝論理が決め手の本格）ということになるだろうか。そのものズバリ、「謎解き」が落語を終わらせる手段に数えられていることに注目したい。

落語と突き合わせてミステリを語ると色々な発見があるのだが、本稿は〈落語とミステリに関する一考察〉ではないので、急いで話を『幕末時そば伝』に戻そう。

本書の目次には「粗忽長屋」「千早振る」「長屋の花見」……「時そば」と、よく知られた親しみやすい古典落語のネタが並んでいる。それぞれのエピソードがまとまりのある物語で、順に読んでいくと大きな物語になるという連作長編だ。

よく知られていると書いたが、「古典落語はあまり知らないので……」という方もいらっしゃるだろう。昨今は、落語を自然に聴く機会が以前よりも減っているから。それでも大丈夫。鯨さんは「これぐらいは常識だよ」と読者を置き去りにしたりしないので、この小説を読んで落語の面白さを発見することもできる。

第一部は、ある小藩のお家騒動から始まるのだが、話のスケールは第二部、第三部と進むほどにアップしていく。なんと二世紀半にわたって太平が続いた江戸幕府が倒れるプロセスを私たちは目撃するのだ。日本史のうねりを描いた壮大な物語！　そして、幕府の命運を（何の自覚もなく）操っていたのは、誰あろう、落語でおなじみの粗忽長屋の住人たちであった――。

このギャップが、まず可笑しい。なんと痛快なホラ話だろうか。浮き世の憂さを忘れさせてくれる。

ホラ話が転がっていく面白さだけが眼目の小説ではない。特筆するべきは、読者が「物語がどういうふうにオチるか」を知りながら読み、知っているがゆえに笑ってしまう、という構造だ。

第一話の「異譚・粗忽長屋」を読んだところで、私は「おや？」と思った。最後の台詞が落語の「粗忽長屋」と同じで、そこに至る展開も落語をなぞっていたからだ。第二話の「異譚・千早振る」に出てくる和歌の珍解釈も落語のままで、最後の台詞もやはり同じ。もっとオリジナルをひねるのかと思っていただけに、意外だった。これでは途中からサゲの予想がついてしまう。というより、章題を見ただけでサゲがばれる。

それでいいのかしら、と思ってさらに読み進むうちに、この作品の楽しみ方が判ってきた。知っている結末に向けて、物語が暴走していくから可笑しいのだ。

知っている結末といえば、粗忽長屋の連中が繰り広げる騒動の顚末だけではなく、私たちは江戸幕府がいつどんな形で終焉を迎えるのかを知っている。ただ、その史実と落語のネタがどう絡むかだけを知らない。作者がどんなアクロバットで二つを繋ぐのか？そこにくすぐったいような快感と、ある種のサスペンスが生まれる。作者は、前述のサゲの四分類にあった〈合わせ〉の手法を用いるのだが、その強引さがすごい。

みんなが知っている結末に向けて物語をどう転がしていくか、という興味。これは、普通のミステリの逆だ。でありながら、ミステリ作家のテクニックを駆使することができる。「実に変わった形」と評したのは、そういうことだ。剝き出しの〈合わせ〉。アイディアマンの鯨さんならではの新機軸だろう。

ユーモア小説の感想を誰かと言い合う時、「どこで笑ったか？」を突き合わせると楽しい。私のお気に入りは、一九二ページの一〇行目。お茶を飲みながら読書を楽しんでいたら、ここできっと噴き出しただろう。これから読む方は、どうかご注意を。

# タイムマシンなんかいらない

太田忠司『まいなす』
（PHP文芸文庫・12年10月2日）

太田忠司さんの『まいなす』は、ヤングアダルト層を読者対象とした叢書〈理論社ミステリーYA！〉の一冊として発表されました。中高生を中心とする十代の読者に向けて書かれたものですが、二十代や中高年の読者も大いに楽しめる青春ミステリーです。PHP文芸文庫に収録され、より広範の読者の手に取ってもらえるようになったのは欣快の至りと言うしかありません。

まいなす――とは、この小説の主人公、飛魚中学二年生の那須舞の渾名です。那須舞をひっくり返して〈まいなす〉。友だちは悪気もなくそう呼ぶのだけれど、彼女は言われるたびに気分を害しています。嫌なのに、「やめて」と言えないことに自己嫌悪を感じてしまう。

舞はいたって生真面目で、「校則で決まっているから」と頑なにルールを守ります。そのことで友だちに怪訝がられると、「変で結構」と言ってむっとする。どこにでもいそうな等身大の女の子です。

これは私の想像ながら、舞の造形には作者自身のありし日の姿が投影されているのではないでしょうか。クラスメイトや母親らに向ける感情が、そう思わずにいられぬほどヴィヴィッドです。

太田さんは作風の幅が広い作家です。活動領域はミステリーからSF、ファンタジーにまで及び、ショートショートの名手でもあります。また、ミステリーを書く場合も、鮮やかな謎解きやトリックを盛った本格もの、軽妙でポップな作品、ビターな警察小説と多彩なのですが、何を書いても一貫しているのは真摯な想いが作品に込められていることです。「読んで面白ければいい」という割り切った態度（小説はそれでもかまわないのですが）は微塵も窺えません。現実への異議や違和感のアピールをすることはあっても、決して現実をなめたり、それから逃避したりしない。言葉本来の意味において真面目です。もしも舞が心しなやかな女性に成長して作家になったら（彼女は作中でそんなことを望んでいませんが）、太田さんのような小説を書くのではないでしょうか。

少女の悩みは、大人の目から見れば他愛のないものです。世の中には〈まいなす〉よりずっとひどい渾名がいくらでもあります。とはいえ、生まれるなり親から与えられ、自分の意思ではどうにもできない名前というものでいじられるのは理不尽な話です。「どうにもできないこと」は、この小説の大きなテーマにつながっていきます。

実は熊でも倒せる空手の達人だとか、コンピュータの天才でどんなサーバーにでも侵入できる、という裏の顔もない平凡な中学生の舞は、不思議な事件に遭遇します。クラスメイトに頼まれ、タイムトリップができるという言い伝えがある〈時渡りの祠〉へ行ってみたら、同じ中学の男子生徒が倒れていました。病院に運ばれた彼は、未来に行ってきたと言い、これから起きる凶事を二つ告げる。一つはその危険が確認されて（！）措置が講じられるのですが、もう一つの予言は大騒動を引き起こします。飛魚中学の女子生徒の誰かが殺される、というのですから。いつ、誰が殺されるのか？　誰が殺すのか？　なぜ殺すのか？　どれも不明。学校を、町を、不安がすっぽりと包む中、とうとうある女子生徒の血が流れ――。手練れの作者らしく、事件の様相は少しずつ変化して、なかなか読者に真相を摑ませません。「もしかしたら、あの人が……」という疑惑が湧いたりもします。

　合間に挿入される病床の与市伯父さんとのやりとりは温かい気持ちにさせてくれるものの、伯父さんはすっかり痩せてしまっていて、こちらも心配です。事件について舞から聞いた伯父さんは、何かを見抜いたようなのですが――。

　舞たちを翻弄するのは、一夜にして古城が消えてしまうとか、金庫のごとき堅牢な密室で他殺死体が見つかるという派手な謎ではありません。しかし、男子生徒の予言の的中は、凡百の密室殺人よりも不可解な謎でしょう。未来に行って帰ってくるなんて、絶対あり得ないことなのに。

　この小説の重要なモチーフは、〈時〉です。

私がタイムマシンのことを知ったのは、いつだったか……。おそらく小学校の低学年の頃でしょう。過去にも未来にも、自由自在に行き来できる便利な機械。「でも、まだないんだ。いつになったら発明されるのかなぁ」と無邪気に思ったことを覚えています。

理論上は、光より速い速度で移動すれば未来に行けるそうです（現在に帰ってくる方法はありませんが）。そんな物質は宇宙のどこにも存在しません。二〇一一年九月に「光速を超える素粒子が発見された」というニュースが流れましたが、ほどなく実験に誤りがあることが判明しました。タイムマシンは永遠のファンタジーなのです。

そんな夢想をしてしまうのは、人間の性とも言えます。人が最も避けたいものは何か？　まずは心身の〈痛み〉ですね。これには他者から受ける理不尽な扱い全般を含めるとして、それと並べて挙げられるのは、〈後悔〉ではないでしょうか。〈後悔〉も〈痛み〉の一種だと言えるかもしれませんが、人は〈後悔〉をしないために〈痛み〉を選択する場合もあります。

あの時にこうしておけばよかった、こうしなければよかった。時がもとに戻るのならやり直したい。そんな切なさ、やるせなさと無縁の人がいるとは思えません。〈後悔〉さえしなくてすむのなら、失敗や敗北なんていう結果は本当に些末なことです。絶対ゆるがないものとして立ちはだかる時間という名の壁。今日も明日も、大勢の人間がその前で涙します。私たちはそういう宿命を背負った生き物なのです。

この小説の中心となる謎は、犯人探しではなく、どうして未来が予言できるのか、ということ。そこに、さらに大きな謎を加えるのが与市伯父さんです。答えを聞くと脱力してしまいそうなドルフィンジョークを飛ばす伯父さんは、舞にこんな問いを投げかけます。

〈タイムマシンもタイムトリップも使わず、過去を変える方法とは何か〉

そんなことができたら、予言もできそうではありませんか。この答えは、事件が解決した後まで持ち越されます。本編をまだお読みでない方もいらっしゃるでしょうから、ここでは明かしません。一読、私は激しく心をゆさぶられました。強烈な〈真実〉を感じたからです。そう、そうなんだ。過去を変えるのに、タイムマシンなんかいらないと頷かずにいられませんでした。

私がまさにヤングアダルトだった頃、小説や映画や歌に込められた剥き出しのメッセージに対して、鼻白むことがしばしばありました。よくあるでしょう。「勇気を出せば」やら「明日があるから」やら「乗り越えられない困難はない」やら、むやみにポジティヴなメッセージが。たいてい嘘くさく感じられました。十代ですから、色々なことにうじうじと悩んでいる最中です。嘘くさい物語や歌に対して、「どうして抜け抜けと空疎な気休めが言えるんだ？　くだらない」と怒りすら覚えました。

だいたい「明日があるから」どうしたというのでしょう。今日より悪い明日など、いくらでもあります。ですから、プログレッシヴ・ロック・バンドのキング・クリムゾンが『エピタフ』で、〈明日が怖い。私は泣くだろう〉と歌い上げるのを聴いた時は、「そっちの恐怖の方が判るわ。言い切ってくれて清々しい」と感動したものです（おかしなもので、あそこまで高らかに絶望を歌われると、聴き終えた者の心に引き寄せられるのは希望しかありません）。
が、ほどなく理解しました。私が嘘くさいと感じた物語や歌にも二種類あって、一つは適当に嵌めこまれた凡庸なメッセージですが、もう一つは「そうであれば」という希いをこめた、いわば送り手が先に失意や絶望をくぐったメッセージなのだ、と。後者は〈真実〉と言えます。

本稿を書くにあたり、久しぶりに『まいなす』を読み返してみたら、太田さんはあとがきの中で引用も含めて〈真実〉という言葉を五回も使っているのに気づき、はっとしました。思わず本に向かって、「ちゃんと伝わっていますよ」と言いたくなったほどです。

物語や歌に、〈真実〉が必要だとは思いません。それが何か問うことも忘れて没入できる作品も好きです。また、〈真実〉はシリアス一辺倒という創作姿勢から立ち上がるとも限らず、凝った悪ふざけのような作品の中に忽然と出現することもあります。いずれにしても、めったに出会えるものではありません。だから私にとって『まいなす』は、大切な小説なのです。

前記のとおり、この作品は若い読者に向けて書かれていますが、中高年の読者の胸にも強く迫るはずです。大人たちの方が、より多く重い〈後悔〉を抱えているのですから。

〈真実〉を嚙みしめたら、過去を変えようではありませんか。簡単ではないでしょうが、もう絶対にできないことではありません。

最後に蛇足めきますが。この素晴らしい小説の中に、有栖川有栖の名が登場します。与市伯父さんが待ち焦がれていたのは、なんと私が十五年ぶりに書いたあるシリーズものの新刊です。「こんな小者の名前を出してもらって、照れくさいなぁ」と笑ってしまいましたが、読み終えた時、たまらない気分になりました。もったいない扱いだ、と。

私と太田さんは同い年で、デビューの時期も近い。同じ時間を生きている作家として、拙著を選んでくださったのかもしれません。とても光栄でした。

## 天晴れ、エンターテインメント鍋

田中啓文『鍋奉行犯科帳』
（集英社文庫・12年12月20日）

大坂の西町奉行所に赴任してきた大邉久右衛門は、型破りな性格で周囲を振り回す。倹約倹約と口やかましいくせに食べる物には目がない大食漢の美食家で、ついた渾名が大鍋食う衛門。次々に起きる不可解な事件や難題を解決するため、配下の若同心・村越勇太郎が大坂の町を駆ける。

世の中に数多ある小説の中には、「いったい作者はどこからこんな着想を得たのであろうか？」と首を傾げたくなるものがある。作家を稼業にしている私の目にも神秘的に映る作品が。

本書『鍋奉行犯科帳』については、なんの神秘もない。作者に向かって、力いっぱい言わせていただこう。

「田中さん。これ、まず題名を思いついたんでしょ」

想像するに、こんな具合だ。――（ある日、すき焼きなどを食しながら）考えてみたら鍋奉行というのは、えらい大層で面白い言葉やなぁ。ん、待てよ。料理にうるさいお奉行さんが出てくる時代小説っていうのはどうやろう。はは、いけるな。いけるやん。

「いやいや、そんなんと違うで」とは言わせない。

とても面白い書名だ。店頭で目にして、つい顔がほころんだ方がいるかもしれない。犯科帳と聞いてまず思い出すのは、江戸の火付盗賊改方、長谷川平蔵を主人公にした池波正太郎の人気シリーズ『鬼平犯科帳』だろう。〈鬼平〉と〈鍋奉行〉の落差に、私は聞くなり噴き出しそうになった。

田中啓文さんの小説には、『銀河帝国の弘法も筆の誤り』（アイザック・アシモフの『銀河帝国の興亡』のもじり）や『蹴りたい田中』（綿矢りさの『蹴りたい背中』のもじり）という前例もある。こういう書名はあまりにも愉快なので、なんだか出オチっぽい。

言わずもがなかもしれないが、出オチとは、おかしな恰好などで舞台に登場して笑いを取り、それでおしまいという芸のこと。イージーなので、玄人がこれをやったら終わりだな、と思う。

ＳＦ、ホラー、ミステリから爆笑のユーモア小説、創作落語まで楽々とこなす田中さんは玄人の中の玄人だから、出オチですませるはずもない。書名という〈出〉でどっと客席を沸かせた後で、練り込んだ物語をたっぷり読ませてくれる。

私は、こういうことをあまりやりたくない。自分でいきなりハードルを上げるようなものだから。だが、異能にして才気あふれる田中さんにとっては何でもないのだろう。

　さて、本書の読みどころはというと、四つある。この小説を書くにあたって田中さんは、時代小説（捕物帳）・大坂・ミステリ・ユーモア（落語の要素を多分に含む）の四つの抽斗から材料を取り出し、絶妙の包丁さばきで料理をしている。題名に掛けて言うなら、美味で滋養豊かなエンターテインメント鍋か。

　時代小説というと、京・大坂やその他の地方で展開する物語や、道中ものもたくさん書かれているけれど、やはり江戸が舞台になることが圧倒的に多い。江戸は東洋最大の都市として賑わっていたし、将軍のお膝元に武士が集中していたことによる必然だ。

　とはいえ、大阪人の私としては、「もうちょっと上方の話があってもええんやないか。特に大坂は、経済力で江戸を凌駕する経済都市やったし、古代には王城の地やった（そんなことはめったに意識されないが）記憶も秘めてて、物語の地下水脈が絶えることなく豊かに流れてるんやから」と思うことがよくある。「侍の影が薄い町人の町は、やっぱり時代小説に不向きなんかなぁ。いやいや、それにしても……」

　町の性格が違っていたのは仕方がないにせよ、大坂ものの時代小説が少ないのは、口幅ったいが書き手の努力や工夫がまだ足りていないのではあるまいか。もちろん、前記のような事情があるからハンデは負っている。さらに、繰り返し小説や映画・ドラマで描かれてきたおかげで私たち日本人は江戸の共通イメージを持っているのに対し、大坂は「こんな場所・人・モノがありまして」と説明するところから始めなくてはならないから、読者を摑むのに骨が折れる。

が、それは時代小説の舞台として未開発の部分が大坂にはたくさん残っている、ということでもある。手つかずの沃野が広がっているかもしれないのだから、作家たるもの鍬を担いで乗り出していくべきだろう。

　大坂ものの捕物帳としてまず浮かぶのは、有明夏夫の直木賞受賞作『大浪花諸人往来』だ。元目明しの赤岩源蔵が主人公で、シリーズ化し、『なにわの源蔵　事件帳』としてＮＨＫでドラマ化（初代・源蔵役は桂枝雀）もされた。舞台が明治初頭の大坂（大阪）というのが新鮮だった（それだけではなく、もちろん中身も充実していたのだが）。

　田中さんは大の有明夏夫ファンで、このシリーズが今では広く読まれていないことを嘆いている。確かに惜しい。せっかくの傑作を得ながら大坂ものの時代小説がブレイクしなかった原因の一つは、「もう有明さんが書いてしまったから」と避けられ、他の書き手による後続の作品があまり出なかったためだろう。

　自分が好きな作家や作品が過小に評価されるのは、場合によっては自分自身が認められないことに劣らず腹立たしいものだ。また、前述のとおり大坂ものの時代小説には魅力的な未知の可能性がある。そこで田中さんが腰を上げたわけだ。「ほな、僕が書こか」という具合に。

　大坂は町人の町で、武士は二百人ほどしかいなかった――と書いたのは、大阪が生んだ歴史小説の大家・司馬遼太郎だが、近年の研究によるとそれは事実ではなく、大坂にも結構な数の武士がいたらしい。くわしくは『武士の町　大坂』（藪田貫）などをお読みいただくとして、これは作家にとってありがたい発見だ。大坂を舞台にした時代小説が書きやすくなった。やっぱり侍が出てこない時代小説はもの足りない。

田中さんは、そのような新しい研究成果を本書に盛り込んでいる。大坂ものの時代小説が書きにくいのは、江戸に比べて史料が格段に少ないせいもあるのだが、田中さんはそんなハンデも跳ね返してしまう。この作者は、とにかく大坂・大阪に強いのだ。

読み始めるなり私は、「知らんことがいっぱい出てくる。どこで調べたんやろう？」と感心してしまった。ところが、田中さんに伺ったところによると、江戸時代の大坂については色々と調べても判らないことが多く、半分ぐらいは（諸々の制度についてだろう）想像で書いているとのこと。また、本当はこうだと判っていてもそれを小説に書こうとするとややこしくなるので、あえて改変した部分もあるそうだ。

「なんや、嘘も混じってるのか」と思うどころか、さらに感心した。〈嘘〉を語るためには、〈本当〉がどのあたりにあるかを知らなくてはならない。たとえば、当時の江戸と大坂では警察制度が大きく異なっていることを認識していなければ、大坂がどうだったのか「判らない」とも言えないのだ。「ややこしくなる」と思うのも、本当のことを知った上での判断だ。そんなことを踏まえて、堂々ときれいに嘘をついているのが素晴らしい（まあ、江戸が舞台の時代小説にしても、そういう小説として正しい嘘がいっぱい混じっているのだが）。

大坂ものの時代小説を書くのは苦労しますわな、という話をくどくど書いてしまったが、そんなことは読者にとって関係がないし、作者にしても「野暮になるから、あんまり言わんといて」かもしれない。

この作品は理屈抜きで面白い。大坂の町をうろうろする時代小説としての楽しさに満ち、要所要所で落語的味つけやギャグが繰り出され、しかも鮮やかな謎解きや意外な展開が用意されている。

『鬼平犯科帳』をミステリとして読むのは無理があるが、本書は本格ミステリにもなっている点がユニークだ。日本推理作家協会賞作家の田中さんとしては、そのへんはお手のものという感じ。

第一話「フグは食ひたし」には、これまで読んだことがない〈犯行の意外な動機〉が描かれていて、冒頭から「あっ」と驚かされた。

第二話「ウナギとりめせ」は犯人の隠し方が巧妙だ。第一話のフグに続いて、大坂的な料理をモチーフにうまく使い、鍋奉行という設定が活きている。

第三話「カツオと武士」は、辻斬りやら道場破りやら果たし合いやらが出てきて、とても賑やか。鍋奉行が食についての見識を披露する場面もいい。

第四話「絵に描いた餅」は、料理から離れて菓子をめぐる騒動で、京と大坂のバトルが勃発。ビデオの代わりに絵を手掛かりにする点など、これもきっちり時代ミステリに仕上がっている。

田中さんらしく、全編を包むのはほんわかとした落語的な空気だ。落語（特に上方落語）好きならば、医者の赤壁周庵や下寺町の菟念寺といった固有名詞に頬がぴくりと動くだろう。第四話の最後で鍋奉行が広げた扇に書かれたギャグに、桂春蝶の新作落語を思い出したりしたが、そんな引用に反応できずとも、寄席に行った気分になれるはず。

こんなにおいしいエンターティンメント鍋をご馳走になった私は、「天晴れ」と扇を広げたい。そこに書かれた文字は、「続きが読みたい」である。

# 謎を解く夢想のジッパー

古野まほろ『本格探偵小説　群衆リドル　Yの悲劇'93』（光文社文庫・13年8月20日）

あふれ出すアイディア、衒学的にしてポップで特異な文体、隠しようのない痛みと情熱。それらが古野まほろ作品の特徴だ。

懇意の編集者に薦められて、そのデビュー作を本になる前に読んだ時、冒頭でひどく戸惑ったのを覚えている。「投稿の際にやってはいけない」と考えられていることのオン・パレードだったからだ。しかし、強く心惹かれるものがあり、じきにのめり込んでいった。今では、とんでもないものを特権的に先に読めたのだな、と幸運に感謝している。

『群衆リドル』という作品について書く前に、まず作者・古野まほろをご紹介する。知っている限りのことを書きたい――のだが、これがそうもいかない。作者は、性別も年齢も不明（本人は十七歳の女子高生などと称している。ああ……）の覆面作家なのだ。私が勝手にベールをめくるわけにはいかない。

デビューの経緯のみを紹介し、その作家性に触れてから、本書の話に移りたい。と言いつつ、ひと言だけ先に述べてしまうと、『群衆リドル』はこの作者らしさに満ちた超絶技巧の本格ミステリであり、強固な構築性を持つと同時に、挑発的なまでの過剰さで本格の土台を揺さぶるアヴァンギャルドな絶品である。詳細は後ほど。

古野まほろは、二〇〇七年に『天帝のはしたなき果実』で第三十五回メフィスト賞（講談社）を受賞してデビューした。新本格ミステリのプロデューサーとも言うべき伝説の編集者、宇山日出臣（うやまひでおみ）氏の最後の賛辞を受けて世に出た作品だ。

舞台は、私たちが生きているのとは違った時空にある日本帝国。文化程度やテクノロジーに大差はないが、貴族や軍人がいて、どこか本格ミステリ的な懐かしさが漂う世界でもある。主人公は、そんな〈もう一つの日本〉の名門校、勁草館（けいそうかん）高校吹奏楽部員の古野まほろ（男性）。友人たちとともに、七不思議のある学園を襲う連続殺人の謎に挑む。

犯人探し、密室トリックといった王道のテーマを高水準でクリアしながら、あまりにも特異な文体（気取った韜晦（とうかい）と饒舌（じょうぜつ）な軽薄体と詩の同居）、サブカルチャーを含む過剰な衒学趣味、そして、ミステリとしての決着がついた後に立ち上がる幻想的展開ゆえに、戸惑う読者も続出した（らしい）。先鋭的で怪物めいた作品の宿命である。

この作品はシリーズ化し、『天帝のみぎわなる鳳翔（ほうしょう）』まで四作が書かれたところでいったん中断してしまう。その後、版元を幻冬舎にあらためて再開し、『天帝のあまかける墓姫』と『天帝のやどりなれ華館』と続いている（二〇一三年八月現在）。

天帝シリーズと世界観を同じくし、併行して書かれたのが『探偵小説のためのエチュード「水剋火」』に始まる五部作だ。四国の実予（モデルは松山）が舞台で、激しい妄想癖がある女子高生、水里あかねが語り手を、そのクラスメイトの美少女陰陽師、小諸るいかが探偵役を務める。

デビュー作のカバー袖で、著者は自作を探偵劇と呼んだ上、次のように規定している。①本格劇であること。②変格劇であること。③青春劇であること。④幻想劇であること。⑤空想科学劇であること。⑥読者への挑戦状其の他の古典的探偵劇に係る事項として内務省令を以て定むるものを含むものであること。

⑥の意味がよく判らない方はお気になさらずに。前記の六項目を私なりに要約すると、幻想小説やＳＦの要素を取り込んだ青春ミステリで、読者の挑戦状を作中に挿入できるほどロジカルな本格ものであること。

この規定のうち、最も優先されるのが本格ミステリであること、次が青春ミステリであることだと思われる。他の要素は、本格ミステリと青春ミステリを書き抜く上で引き寄せたり引き寄せられたりするものだろう。

この二つのシリーズの他にも、本書に始まるイエ先輩シリーズや、今後どう展開するのかまだ判らない作品が複数あり、いずれも前述の自己規定に則っている。

「本格ミステリに幻想小説やＳＦの要素まで取り込むということは、換言すれば何でもありではないか」と思われるかもしれないが、そうではない。あくまでも作者は本格ミステリを志向しているのだ。

物理法則がこの世界のすべてを支配して、人知の及ばぬ謎の答えも必ず存在する、と私たちは考えている。答えが見つけられないのは、謎を解くための材料が見つかっていないからで、その材料さえ揃えばあらゆる謎は（心がどこから生まれるのかも）論理的に解明されるはず、という希望に似た確信。

しかし、本格ミステリのように鮮やかな〈最終的謎解き〉を目撃する日が現実にくるとは思えぬほど、見掛け上の世界はいつも混沌と不条理にあふれている。そんな中で生きているからこそ、私たちは擬似的な〈最終的謎解き〉に魅せられ、本格ミステリを読むのかもしれない。

だとしたら、本格ミステリ内で人工的な混沌と不条理（難事件）が論理的に解明された瞬間、世界はさらに混沌と不条理を深めて逃げようとするのではないか。まほろ作品にはそんな手触りがある。

その物語に立ち会うのは、憂いと熱で物狂おしい季節＝青春を生きる主人公たち。彼らこそ、謎解きによって世界が揺らぎ、そして逃げる現場の目撃者にふさわしい、と作者は考えているかのようだ。

本格ミステリというのは、アイディアを練って組み合わせ、特有の小うるさい規範に従えば、何の思想もなく書けてしまう。それゆえ非文学的な戯作と評されがちだが、本当のところ、アイディアとその組み立てに徹した純度の高い作品は稀だし、そもそも小説の形にする過程で作者は〈小説を書いてしまう〉のを避けられない。であるから非常に逆説的なことに、規範に縛られているはずなのに、本格ミステリを書けば作者が〈どんな小説家であるか〉がよく見えてしまうのだ。

古野まほろの作品は、ロジカルな本格ミステリとして高い達成を示しながら、いつも青春小説の形をとる。両者の相性は悪くないとはいえ、この二つが結びつく必然性は作者の内部にしかない。

それは何か？　古野まほろが大きな影響を受けたと公言している青春ミステリ『月光ゲーム』の作者である私には思うところがあるが、口にしたとたんに意味を失って虚しくなるものなので、ここでは明かさない。明かせないから小説に書くのが小説家という存在である、としか言えない。この怪物的作家は、恐ろしいことに〈有栖川エコール（派）の後継者〉〈有栖川有栖の一番弟子〉を自任しているのだが、私から受け継げる何があったのか、言葉にしたら消えそうだから、本人に質せないでいる。

ようやく『群衆リドル』の話になるのだが、この作品も前記の六項目の要件をすべて満たしている。ここで扱われるモチーフは、〈本格ミステリそのもの〉。本格ミステリのあらゆるモチーフと言い換えてもいい。

ちなみに『群衆リドル』の副題〈Yの悲劇'93〉は、『月光ゲーム』の副題〈Yの悲劇'88〉に対応しており、悲劇の舞台はどちらも矢吹山なる架空の山である。ご丁寧にも作者は、「このようなタイトルにしてもいいか？」と私に尋ねてきたが、こちらとしては光栄に思うばかりだった。

作品内の世界はやはり日本帝国。語り手の渡辺夕佳は天帝シリーズでお馴染みの勁草館高校の出身ではあるけれど、この作品で初めて古野まほろミステリを読む方にも何ら支障はない。

志望校に落ちて浪人中の夕佳は、帝国政府が新たに建てた迎賓館・夢路邸の開館を祝う宴への招待状を受け取った。「恋人みたいな関係」で、天才的ピアニストのイエ先輩こと八重洲家康とともに雪の夢路邸に赴く夕佳。彼女らの他に七人の客が集まるが、彼らに届いた招待状の文面はどれも違っていることが判明する。誰が何の目的で彼女らを夢路邸に招いたのか？

まことに古典的な導入で、アガサ・クリスティーの『そして誰もいなくなった』を思い出さずにはいられない。その連想のとおり、外界と夢路邸を結ぶ釣り橋が人為的に落とされ、不可解な連続殺人劇の幕が上がる。

次々に繰り出される本格ミステリのモチーフを列挙してみると、クローズド・サークル（外界との行き来ができない閉鎖的空間）、密室殺人とアリバイ工作、マザー・グースの歌をなぞった見立て殺人（童謡殺人）、暗号＝ダイイング・メッセージ、足跡のない殺人、ミッシング・リンク（被害者たちの間の隠された関係）、読者への挑戦状（複数回）などなど。殺人が起きる度に、犯行現場とダイイング・メッセージの図が挿入される。夢路邸という〈館〉で本格ミステリの饗宴が開かれるわけだ。

これだけのモチーフを盛り込んだ本格ミステリに前例があるのかどうか……にわかに思いつかない。いくら新シリーズの第一作とはいえ欲ばりすぎでは、と思いかけたが、〈本格ミステリそのもの〉がテーマならば妥当とも言える。本格ファンならこの作品を横目に見ながら素通りできようか。

全編に心地よいスピード感があり、解決編は怒濤(どとう)の勢いで突っ走る。すべての謎に解答をちぎっては投げちぎっては役げ。あまりにも大胆な真相に驚愕(きょうがく)したり、あまりにも繊細な伏線に感嘆したり、忙しいこと夥(おびただ)しい。

『群衆リドル』の巻頭にはエディット・ピアフが歌った『群衆― La foule ―』の歌詞が掲げられており、作中でもある群衆が描かれるのだが、さながらリドル(謎)が群れ集う様を指してこのタイトルがつけられたかのようだ。

ロジカルな推理を駆使することで完成するパズルは、美しい一幅の絵画というよりは、一種グロテスクな風景だ。理によって構築された非理こそ本格ミステリの正体である、と言わんばかりに。

読者を吹き飛ばす熱風のごとき推理。その中に、あるささやかなものを手掛かりにした折り目正しい推理が混じっている。それに触れた時、私は頰に一陣の涼風を感じた。ああ、やはり謎を解く夢想のジッパーは存在するのだ、こんなささやかで見つけにくい姿をしているから、なおのこと愛(いと)おしいのだ――と読者(あなた)にも感動してほしい。

# 書いていただき光栄です

皆川博子（みながわひろこ）『開かせていただき光栄です―DILATED TO MEET YOU―』（ハヤカワ文庫ＪＡ・13年9月15日）

この本の解説をお引き受けした後、皆川博子さんと某所でお目にかかる機会があった。その際、皆川さんは花のように微笑みながらこうおっしゃった。

「あれも本格ミステリだと思うんです」

思わずよろけそうになった。

「あれも」「思うんです」どころか、『開かせていただき光栄です』は、第十二回本格ミステリ大賞受賞作である。本格ミステリ作家クラブの会員の投票によって決まる〈前年に発表された最も優れた本格ミステリに贈られる賞〉を獲得しているのだ（城平京（しろだいらきょう）『虚構推理　鋼人七瀬』と同時受賞）。「あれも」も「思うんです」もあったものではない。

そういえば皆川さんは、同賞の受賞の言葉で「不可解な謎が提示され、それをきれいに解く本格ミステリは、読むのは大好きなのですが、書くのは難しいです。自分では思

楽屋話から書いてしまうのだが――

いつかないから、読むのが楽しいのだと思います」とお書きになっていた。恐ろしいことだ。皆川さんにこんなことを言われては、本格ミステリを書けなくなる。

確かに『開かせていただき光栄です』は、本格ミステリであることだけを目的に書かれたものではないし、本格ミステリにさして興味がない読者も夢中にさせる面白さに満ちている。それだけ中身が豊かなのだ。

この小説に対する私のイメージは、よく熟しながら同時に瑞々（みずみず）しい果実である。読者のお好みで林檎（りんご）でもオレンジでも自由に思い浮かべていただけばよい。いつまでも手に取って眺めていたいほど、あるいは写生したくなるほどの美しさを持ち、食べてみれば味の深さに感動する。そんな見事な作品だ。

ジャンルがどうのこうの、という話は措（お）いておこう。日本ミステリー文学大賞を受賞した後、「ジャーロ」誌（二〇一三年春号）に掲載された皆川博子特集のインタビューによると、かつて皆川さんご自身が「あなたの書く物はレッテルが貼りにくくて困る」と編集者に言われることに対して、「ジャンルが先にあって、それにあてはめて小説を書くのではなく、作品がまずあって、それからジャンルができてくるんじゃないでしょうか」と胸の内で反論なさっていたそうだし。

舞台は十八世紀末のロンドン。外科医のダニエル・バートンが弟子たちとひそかに解剖を始めかけたところへ犯罪捜査犯人逮捕係（ボウ・ストリート・ランナーズ）の捜査員らが踏み込んでくる。屍体（したい）を暖炉の裏に隠してやりすごせたと安堵（あんど）していたら、お次は盲目の治安判事ジョン・フィールディングがお出まし。墓から掘り出してきたさる令嬢の屍体を見つけられたと思いきや、なんとそれは四肢を切断された少年と顔を潰（つぶ）された男のものに替わっていた。
――と、開巻するなり退屈な日常は彼方（かなた）へ消し飛び、スリルと謎が読む者の心を捉（とら）えてしまう。もう後は、物語の世界に浸ってひたすらページをめくるだけだ。「十八世紀のロンドンなんて言われても予備知識がまるでないよ。シャーロック・ホームズが活躍する百年も前じゃないか。解剖の話？　当時の医学の水準も見当がつかない」という読者も、作者が手を引いて案内してくれるから、異郷で繰り広げられるミステリアスな冒険を堪能（たんのう）できるだろう。

ダニエル・バートンにはモデルがあり、その評伝『解剖医ジョン・ハンターの数奇な生涯』を作者は参考文献に挙げている。本作には虚実が巧みに織り交ぜてあるのだが、いかにも小説的な造形のジョン・フィールディングは実在の人物だ。この人は、やはり治安判事で犯罪捜査の改革に尽力したヘンリー・フィールディング（『トム・ジョーンズ』の作者でもある）の異母弟。ブルース・アレグザンダーの『グッドホープ邸の殺人』などの時代ミステリで堂々と探偵役を務めている。ミステリファンなら、ボウ・ストリートという地名にも反応してしまうかもしれない。密室トリックを描いた古典的名作『ビッグ・ボウの殺人』の舞台になった街だ。

どうして屍体はすり替わったのか？　出現したのは誰の屍体なのか？　少年の手脚が切断されているのは何故か？

容姿端麗な一番弟子エドワードや素描画の天才ナイジェルら個性的な弟子たちによってすぐに明かされる秘密もあれば、仮説しか出せない謎もある。エドワードとナイジェルは、少年に見覚えがあると言う。それは詩人として身を立てようとロンドンに出てきたネイサンであり、二人はコーヒーハウスで彼と知り合っていたのだ、と。ネイサンの死には、彼が携えていた中世の稀覯本らしきものが関係しているらしい。

怪しげな人物が次々に浮上し、フィールディング判事を手伝う姪のアンが、その助手のアボットが、ボウ・ストリート・ランナーズが事件を追う中、密室状況であらたな殺人まで発生し、混迷は深まっていく。エドやナイジェルたちは、ダニエル先生の解剖室や標本がどうなるのか気が気ではない。やっと真相が見えてきたかと思えば、事態は二転三転。最後の最後まで読者は翻弄される。

本稿を書くにあたって再読したのだが、初読の際よりもさらに楽しめた。凝りに凝った舞台装置、大道具小道具の数々。魅力的な登場人物たち。グロテスク、妖美、諧謔、青春、冒険、謎解きの絶妙のブレンド。気持ちのいい緩急。知的でふくらみのある（そしてお茶目な）ユーモア。錯綜するプロットをきれいにまとめる手際の冴え。感服するよりない。

そして、「こんなにヘヴィーな本格ミステリだったのか」と今さらのように気づいた。西洋講談を書いていたらたまたま本格ミステリっぽくなった、という場合もあるかもしれないが、この緻密な作品についてはそんなわけはない。〈面白い小説〉を書くために、作者が会得している本格ミステリの技法をフルに活用した結果だ。再読することで、アンフェアにならないよう叙述にも細心の注意が払われているのも確認できた。

前記のインタビューや二〇〇八年に同志社大学で行なわれた講演の中で、皆川さんは自らの豊富な読書体験を紹介し、その中でクリスチアナ・ブランドについて「こんな面白いものはないと思って、読み耽りました」（「CHAMELEON」第24号）と語っている。犯人かと思った人物が何度も入れ替わる本書の趣向は『自宅にて急逝』や『ジェゼベルの死』を彷彿させる。あの二転三転はブランド仕込みなのではないか。やりたくてもなかなかできない難易度の高い技だ。

終盤の三節を残すばかりになったところで法廷ものになった時は「えっ、今から何をするの？」と驚いた。まさか幕が下りる直前に、あんな機知に富んだ大ネタが用意されていたとは。メインディッシュがすんだと満足しているところへ、もうひと皿のご馳走が供されたかのよう。この時代この舞台でしか成立しない物語だったことが判り、作者がどこまでも周到だったことを思い知らされ、溜め息とともに本を閉じた。

極上のエンターテインメントであることは一読すればお判りいただけるだろう、そして、作者の筆はどこまでも闊達でのびやかだ。膨大な資料を消化し、プロットを練り込むのには大変な労苦を要したはずなのに、窮屈さをまるで感じさせない。「私はこういう小説が大好き。だから、自分が読みたいと思うものを楽しみながら書いた」という思いが伝わってくる。

作中にアベ・プレヴォーの『マノン・レスコー』がちらりと登場し、「ああ、この時代の小説だったのか」と気づかせてくれるが、これは作者が〈皆川博子になるための136冊〉に挙げた一冊でもある。作者は、読者のため（涼しい顔で）彫心鏤骨しつつ、隅から隅までお気に入りのものを集めているのだ。楽しんでお書きになったに違いない、と想像する所以である。

そんな皆川さんであっても、最初から思うがまま小説を書いてこられたわけではない。若い頃は、なかなか自分の希望どおりのものを書かせてもらえない状況もあったらしい。だからといって編集者のリクエストにあっさり迎合したりせず、自身の美意識に沿った作品を書くことで力量を示し続けてきたからこそ、多くの熱烈なファンを獲得し、幾多の文学賞を受け、豊饒な作品群が生まれたのだ。作家のあるべき姿を示されて、襟を正したくなる。

近年は、『総統の子ら』『薔薇密室』『聖餐城』などヨーロッパを舞台にした長編が多くなっているが、それはドイツ語からの翻訳を模した幻想的なミステリ『死の泉』が高く評価されたため、思う存分に筆を揮えるようになったのだとか。御年八十歳を超えてのご健筆ぶりには瞠目してしまう。しかもそれらが、大ベテランの枯淡の域や往年の傑作の語り直しではなく、常に新境地であるところが素晴らしい。

私を含めた多くの作家が、そんな皆川さんに憧れを抱いている。いつか自分もああなりたい、という目標であるとともに、作家はいつまでも挑戦し続けることができるのだ、という希望の旗として。

最後に、本格ミステリを愛する者の一人として（代表者ぶって僭越ながら）、皆川さんに心からのお礼を申し述べたい。麗しの皆川ワールドの中に、本格ミステリが含まれていることをとても喜んでいます。

そして、こんな素敵な本格ミステリを書いていただき光栄です。

# 少女は青春に閉ざされる

彩坂美月(あやさかみつき)『少女は夏に閉ざされる』
（幻冬舎文庫・13年10月10日）

本書『少女は夏に閉ざされる』は、これからのミステリを担う一人として期待される作家・彩坂美月のデビュー作『未成年儀式』（二〇〇九年）を全面的に改稿した上、『少女は夏に閉ざされる』と改題したものである。

私はこの作品と縁があったため、編集部に求められて単行本『未成年儀式』の帯に推薦を寄せた。原稿の二重売りで楽をするつもりはないが、ここに再掲させていただきたい。

〈九人の少女を包む学校が不思議で残酷な世界に迷い込むのだが、この物語はSFではない。現実がそのまま異次元と化すのだ。／そこで彼女らは、初めての光景を目撃し、初めての声と音を聞き、初めての痛みを感じ、昨日まで知らなかったものを知る。／恐怖に満ちた冒険と謎解きは、悲痛で甘美な〈儀式〉となり、心を溶かす。／新しい青春小説の司祭に――瞠目(どうもく)して拍手〉

「九人の少女」は、改稿版では二人削られて「七人」になった。「学校」は、正しくは「学生寮」（間違っとる……）。いささか唐突に「儀式」という言葉が出てくるのは、旧題に引っ掛けようとしたため。「新しい青春小説」という箇所は、それを包含した「新しいミステリ」と書き直すべきかもしれない。

先に「この作品と縁があった」と書いたが、まずその説明を。『未成年儀式』は、第七回富士見ヤングミステリー大賞（二〇〇六年）に投じられ、受賞は逃したものの、最も高く評価されて準入選（それも受賞ではある）となったのがきっかけで、世に出た。私は、同賞の選考委員の一人だったので、この作品の原形から知っているのだ。

初読の印象は鮮烈だった。閉ざされた空間で次々に少女たちに降りかかる生命の危機。容赦ない筋運びと筆致で、たちまち引き込まれた。ピンチの釣瓶（つるべ）打ちの間に挿入されるエピソードは青春の痛みを的確に表現していて、『白い家』のイメージなど淡い幻想が美しい。ノスタルジックな味わいもあり、面白さは候補作中で随一だ。

謎解きの興味もたくさん盛られているが、その捌（さば）き方も堂に入っている。選考を終えてから、作者がワセダミステリクラブの出身というプロフィールを聞き、さもありなん、と納得したものだ。

ぬけぬけと……と言いたくなる設定で書き抜く大胆さと少女たちの内面を細やかに描く繊細さ。作者は、その二つを兼ね備えていた。「作家になる人だな」と確信せずにいられなかった。

それにも拘らず準入選（入選作・佳作等はなし）に留まったのは粗削りで不備があったせいだが、そんな欠点さえ新人として好ましいものに感じられた。他の選考委員（井上雅彦・竹河聖の両氏）と合議の結果、準入選に決まったのだが――。作者と作品にとって、よい判断だったと思う。

新人賞の受賞作を選ぶ際には、ある種パラドックスが生じる。かなりの出来であっても、「ここを書き直せば傑作になるかもしれない」「設定を変えれば見違えるほどよくなる」といった作品は受賞作にできないのだ。それはそうだろう。ある作品だけアドバイスを受けて大幅な改稿が許され、他の候補作にはその機会が与えられない、というのは不公平である。選考会から受賞作の発売までの時間はごく限られているから、その間にできる程度の加筆・訂正で（傑作にはならずとも）完成させられる作品が受賞することになるわけだ。

この作品はまだまだよくなる、という判断から『未成年儀式』は準入選作となり、担当編集者とたっぷり時間を掛けた改稿の末、選考会から丸二年近くたって本になった。「瞠目して拍手」したい見事な小説となって。

ただ、予期せぬこともあった。二年近くの間に、『未成年儀式』がエントリーした賞が役目を終えてなくなり、受賞作を出していた富士見ミステリー文庫というレーベルも消滅してしまうのだ。

そのため、この作品は富士見書房からソフトカバーの単行本で出版された。ライトノベルのパッケージから自由になった結果、カバーデザインは一見してラノベ風ではなくなったし、イラストも入らなかった。そのせいか、ラノベファンから注目されて読者が広がっていく、という展開にならず、ラノベ以外の読者の目にも届きにくくなってしまう。この点において、『未成年儀式』は幸運とは言えなかったのかもしれないが、小説には内容と離れたところで様々な運命がある、と言うしかない。

　作品の外側の話が長くなってしまった。そろそろ『少女は夏に閉ざされる』の中身について語らなくては。

　どんな物語なのか、これから読む方もいらっしゃるだろうから興味を削(そ)がないようにごくかいつまんで紹介すると――舞台は、町から離れた山の中腹に建つ光陵学院高等部の女子寮。夏休みが始まり、小説家志望の渡辺七瀬(わたなべななせ)ら三人の少女だけが残っている。その寮には、「いないはずの人物が現れる」という怪談めいた噂が囁(ささや)かれていた。多くの寮生が去った午後、大地震が発生して、外界との連絡が不通になる。そこに、殺人鬼に追われて二人の少女が逃げ込んできた。地滑りによる建物倒壊の危険と、ナイフを手にした殺人鬼の恐怖から、彼女らは逃れることができるのか？

　パニック、サスペンス、ホラー、ミステリ。エンターテインメントの要素をぎゅうぎゅうに詰め込みながら、それぞれの秘密、悩み、迷いを抱えた少女たちの内なるドラマが展開する。

　この設定だけを聞けば、「ちょっとやりすぎ」と思われるかもしれない。「ハラハラ、ドキドキのサバイバル小説らしいが、大地震と殺人鬼が同時に襲ってくるというのは不自然ではないか？　どっちか一つで充分だろう」と。私も最初は引っ掛かったのだが、読み進むうちに理解し、リアリティのモードを切り換えた。

作者だって不自然さを意識していないはずがない。一生に一度あるかないか（まず、ないと言える）災厄が二つ同時に襲いかかってくる。これはもう、「この物語は虚構です宣言」と見ていい。それも痛烈な、通告にも似たメッセージである。

反射的に連想したのは、筒井康隆のメタフィクション『虚人たち』だった。この非常に実験的な作品では、主人公の妻と娘がほぼ同時に（別の犯人によって、何の関連もなく）誘拐されてしまう。およそあり得ない、というより絶対にないと言ってもいいシチュエーションだ。そんな設定にした理由を作者は「現実の模倣ではない虚構、また、現実にあっさりと真似られてしまうことのない、虚構の独自性を主張」できるからだとしている（『着想の技術』所収「『虚人たち』について」）。

しかし、筒井康隆が「今までの小説にない面白さ」（前掲書）を求めたのに対して、彩坂美月が本書でそのような設定を採用したのはまったく別の動機からだろう。これ見よがしの虚構を描いたのは実験のためではなく、青春そのものの虚構性を描こうとした必然なのではないか。ごく平たく言えば、デフォルメであり、誇張だ。

私にとっては遠い彼方（かなた）になってしまったが、十代の頃の過敏さを思い出すことはそう難しくない。友人の些細（ささい）な言葉に何故（なぜ）あんなに傷ついたのか？　逆に大喜びしたのか？

世の中の理不尽さに何故あんなに腹が立ったのか？　何故あんなに簡単に夢を見られたのか？

情緒不安定と言えばそれまでだが、風に吹かれてもひりひりする、という有様で、根拠のない危機（自分の将来を含む）の予感にいつも警戒し、「世界は……」などと抽象的なことを頭で捏ね回しながら、自分自身が生きている日常の世界は井戸の底のように狭かった。精神的には、ほとんど虚構を生きていた気がする。

「そういう傾向はあるが、少し大袈裟ではないか？」「はて、そうだったかしら？」と思う向きもあるかもしれない。だから作者は駄目押しとして、七瀬を読書好きの作家志望という空想に耽りがちな少女にしたのだろう。

舞台が、大人たちのいない（それどころか、同世代の人間しかいない）閉ざされた空間で終始するのもまた必然と言える。井戸の底のように狭い世界が可視化されているのだ。

単行本の帯に寄せた拙文にある「現実がそのまま異次元と化す」というのは、未成年の日々の体験としては、そう珍しくない。この小説は、それを一つの悪夢として描いている。はたして彼女らは救われるのか？　悪夢が終わる時、少女たちはどこへ帰っていくのか？　幕が下りた後の余情は深い。

デビュー作に手を入れるのは厄介な作業だ。不満があってもあえて手を入れない作家もいるが、彩坂さんはタイトルまで変えてやり遂げた。すべてがよりクリアに磨かれたのは確かだ。書き直された部分のそれぞれにどんな想いがこもっているのか、私には窺(うかが)い知れない。九人の少女を七人にしたのも、ただ読みやすくするためではないだろう。

勝手な想像を述べると、当初は「七人では淋(さび)しすぎる。あまりに心細い」と思ったのかもしれない。余談めくが、私はデビュー作（大学生らがキャンプ場で連続殺人に巻き込まれる）で十七人の学生を出し、いまだに「登場人物が多すぎる」と文句を言われている。未熟さを責められても仕方がないが、何故もっと人数を絞り込まなかったのかというと、実はそれぐらいの人数がいないと淋しかったのだ。

改稿にあたって、東北で生まれ育った人間として東日本大震災のことを強く意識せずにいられなかったと彩坂さんから伺った。悪夢が現実になる場面を目撃したことで、作品が変わっていったのだ。少女たちが前に進もうとする意志がより力強いものに感じられた理由を知り、はっとした。

これからどんな小説を書いていきたいかを尋ねると、ホラーやミステリを中心とした「面白いエンターテインメント小説」という答えが返ってきた。夢中になって読めて、読後に「ちょっといいもの」を現実に持って帰れる小説が目標なのだとか。潔く明快で、頼もしい。

デビュー三作目の『夏の王国で目覚めない』（本書に名のみ登場した謎の作家・三島(みしま)加深(かふか)をめぐるミステリ）は、早々に本格ミステリ大賞の候補作になった。彩坂さんがどんな高みまで駆け上がるか、楽しみでならない。

## 樽よ、永遠なれ

F・W・クロフツ『樽』霜島義明訳
（創元推理文庫・13年11月22日）

『樽』は、戦前から読み継がれてきた傑作で、名作との評価が定着したミステリの古典である。傑作・名作・古典と釣瓶打ちしてしまった。わが国におけるミステリの評定に多大な影響を及ぼした江戸川乱歩は、本作を〈古典ベスト10〉の九位としている。そのせいもあってか、英米よりも日本での人気がつとに高かった。

「これを読まずしてミステリは語れない」と言われるほどの地位を獲得していたのだが、いつ頃からか（平成に入ったあたりだろうか）あまり読まれなくなっていく。一九八五年に発表された〈東西ミステリーベスト100〉（「週刊文春」が企画した大規模なアンケート）では堂々七位であったのが、二〇一二年に発表された新しいベスト100では、三十三位まで後退している。二十七年の間に出た新しい作品に割り込まれるのは仕方がないにせよ、評価が凋落傾向にあるのは明らかだ。

ミステリファン必読の書だった『樽』は時代遅れになり、古典好きにのみ愛されるマニアックな作品になってしまったのか？——断じてそうではない。

本書を手に取られた方の中には、古典的名作と言われているから目を通しておこうか、という方もいれば、新訳されたのを機に再読してみよう、という方もいらっしゃるだろう。いずれの読者にも、『樽』は楽しい時間を提供してくれるはずだ。この度、四十年ぶり（！）にじっくりと再読した筆者は、かなり興奮しながらこの小文を綴っている。

本題に入る前に、本作についての基礎的な情報を。

『樽』は、〈足の探偵〉を代表するフレンチ警部の生みの親で、ミステリにリアリズムを持ち込んだイギリスの作家フリーマン・ウィルス・クロフツのデビュー作である（ただし、『樽』にはフレンチは登場しない）。発表されたのは一九二〇年。本格ミステリの黄金時代（一九二〇〜三〇年代）の幕開けを飾る作家の一人で、同じ年に『スタイルズの怪事件』でアガサ・クリスティがデビューしている。

付言しておくと、クロフツは狭義の本格ミステリの枠内に収まりきらない作家で、冒険小説やスパイ小説もこなし、社会派ミステリ的な要素を作中に投じることもあったため、デビューが早すぎて損をした、と評する向きもある。

鉄道技師だったクロフツが、大病の療養後に書き上げたのが『樽』だった。凝りに凝った濃厚な作品に仕上がったのは、たっぷり時間があったせいだろうか。シャーロック・ホームズのような天才型の探偵を起用せず、地に足がついた警察官たちの捜査を描いたリアリズム志向は、鉄道技師の職業人意識からきているようでもある。

そんな作者のデビュー作であるから、描かれる事件そのものもいきなり鬼面人を驚かす奇想天外なものではない。とはいえ、パリからロンドンに着いて波止場で降ろされていた樽が落下して破損し、金貨と人間の手が覗く、という発端は非常に魅力的かつ刺激的で、幕が上がるなり読者をミステリの世界に引き込む。犯人が死体を処分するため、樽詰めにしてどこかに運ぼうとしていたのだとしたら、何の不思議もない。ところが、これが「何のために?」という謎になり、さらに「どうやって?」という謎へと変わっていくのである。

やがて、パリとロンドンの間を行き来していた第二の樽の存在が明らかになり、捜査線上に浮かんだ容疑者は鉄壁のアリバイに守られていた。その人物が犯人だとしたら、第一の樽に死体を詰めることが不可能なのだ。この〈謎の形〉は独創的で、あたかも謎それ自体が樽に姿を変えて捜査員たちを翻弄するかのような〈小説の形〉の巧みさにも溜め息が出る。

『樽』について、巷間(と言ってもミステリファンの間でだが)言われてきたことがある。①スローテンポで鈍重。②精神を集中して読まなくては理解できないほど複雑なアリバイトリックが出てくる。③作中に大きなミスがある。——これらの真偽のほどを確かめてみよう。

まず、①について。これは根強い風説で、私自身も初めて読んだ時はそう感じた記憶がある。だから、ミステリファンに『樽』を薦める際には、「テンポが遅くて渋い作品だけれど、作品に同調して読むと面白さが判る」などというエクスキューズを添えていたほどだ。ところが、再読してそんな印象は完全に払拭された。

確かに、冒頭は物語の進行が遅い。波止場で見つかった樽は、警察が調べる前に不審人物によって持ち去られてしまい、樽の追跡が始まる。その捜査の過程が綿密に描かれるためにねちっこい小説に感じられるが、ホームズ譚めいた味わいと捜査小説の旨味が同時に楽しめて面白い。〈謎めいた樽の軌跡を追う物語〉の冒頭に、まずその樽を警察が捕まえようと追跡するパートが置かれているわけで、この作品の構築性の高さに感服する。

警察が樽に追いついてからは次第にテンポが加速していき、鈍重どころかむしろスピーディーに物語は進む。『樽』は読みにくい」というのは誤解で、頭の部分が少し重いだけなのだ。むしろ読みやすい小説ではないか、とさえ思う。その理由は三つある。まず、だんだんテンポが速くなること（たとえば三四六ページで私立探偵ラ・トゥーシュがアリバイ確認のためベルギーに赴くが、行って帰るまでたったの六行）。そして、主たる登場人物が少ないこと（探偵役が途中でバトンタッチされるため捜査陣は多いが、事件の関係者は限られている）。さらに、会話が多いこと。描写がこってり濃厚で長大な現代ミステリを読みなれている方はもちろんのこと、そうでない読者でも読むのに難渋することはないだろう。

とはいえ、前記の②の問題がある。英仏海峡を挟んで二つの樽が行ったり来たりする、というトリックの複雑さ。気晴らしにミステリを読むのだから、あまり込み入ったトリックはかなわない、という方に対しては、「こういうミステリも、たまには歯応えがあっていいものですよ」と推奨しつつ、実は怯むほど複雑なトリックでもないことを強調したい。メモを取りながら読む必要はなく、頭が混乱しそうになってきたら、二一五〜二一六ページに（栞でも挟んでおいて）立ち返ればいいのだ。そこにまとめられている事項さえ理解していれば、苦労せず話に付いていくことができる。

　すべてが解明された時、あなたは驚かずにいられない。複雑に見えた現象が、実はとてもシンプルであったことに。そして、犯人がそんなトリックを弄した必然性すらあったことに（ここがすごい）。本格ミステリにリアリズムを持ち込んだクロフツならではの離れ業である。

　残るは③だ。名作『樽』にはミスがある（眼科医だった探偵小説研究家の古沢仁氏が指摘したとされる）と言われてきたが、それが具体的に何を指しているのか、私はこれまで知ろうとしてこなかった。再読にあたって〈伝説のミス〉を見つけようとしたが、やはり見つけられない。もどかしいので、ミステリ界の知恵袋である当代きっての研究家・戸川安宣氏にお尋ねしたところ、氏から興味深いコピーが送られてきた。それを読めば「ああ、こんなところに……」という指摘があり、しかもそのミスの発見者は古沢氏ではなく、意外な人物だった。

　さて、ここで読者に挑戦。この小説の中でクロフツが犯したミスとは何か？

注意深い人であれば、特別な知識がなくても判る類のものだ。鵜の目鷹の目でそれを探しながら読むのも一興だろう。答えは、※印の後に記す。その部分は『樽』をお読みになった方に向けて書くので、作品鑑賞のため真相にも言及することをお許しいただきたい。二番目の※印以降は、本編を未読の方の目に触れても差し障りがないよう配慮する。

戸川氏から送られてきたのは、「ヒッチコック・マガジン」一九六二年八月号に掲載された、「F・W・クロフツの点と線　名作〝樽〟をめぐって」という座談会のコピーだった。参加者は、横溝正史・鮎川哲也・中島河太郎・田中潤司という豪華な顔ぶれで、『樽』のミスについても話題に上る。それに気づいていたのは二人。「田中さん説明して下さい」と振りながら、「つまりですね」と最後に語るのは鮎川哲也。

（犯人とトリックの根幹をばらします。いいですね？）

※

妻を殺害してしまったボワラックは、パリのデュピエール商会から買った彫像が入っていた樽（これをAとする）に死体を詰めた後、ロンドンのフェリクス名義で同商会に類似の彫像を発注し、それが入った樽（これをBとする）をロンドンに渡って受け取ると、空にしてから店に返却。その後、樽Aをフェリクスに向けて発送した――というのが樽の動きのすべてだ。

問題となるのは、樽についていた瑕。本書一五八〜一五九ページにかけて、死体が入っていた樽Aを前にし、樽Bを発送した作業員たちは側面の破損個所を指さして、自分たちが送り出したものに間違いないと言い切る。これは決定的におかしな証言で、トリックが成立しなくなる。単にクロフツが混乱して間違えたのか？　あるいは、樽Bの瑕に気づいたボワラックが樽Aにそっくり同じ瑕をつけておいた、という設定を書き洩らしたのだろうか？　いずれにしても重大なミスである。

古沢氏が「探偵作家クラブ会報」などで指摘していたのは、もっぱら翻訳の際の日付の取り違えなどであったとのこと。ずばりと『樽』のミスを解説してくれたのが、かつて〈日本のクロフツ〉とも呼ばれた鮎川哲也だったことに驚いた。そういえば鮎川は、『樽』私見」というエッセイで、最初に『樽』を読んだ時は「こんな退屈で無味乾燥な推理小説はない」と辟易したのに、後日ページをめくっているうちに「文中にミスのあることを発見した」のがきっかけで、粗探しするごとく読み返すうちに、「この小説の途方もない面白さに開眼」したと書いていた。この感動が『樽』の姉妹編にも見える名作『黒いトランク』の執筆につながっていく。

ミスの話はこのへんにしよう。

『樽』といえば、犯人がやたら複雑なトリックを弄するミステリと思われがちだが、複雑なのは捜査（＝読書）する側から見た時のこと。読み終えて犯人の側から事件の全貌を振り返れば、「ああするしかなかった」とまで書くと言いすぎになるにせよ、かなり必然性の高い偽装工作であることが判る。ミステリの醍醐味と言いたい構図だ。

本書を読む前、あなたは「奸智に長けた悪魔的な犯人が、非現実的なまでに凝ったトリックを計画するミステリ」と思っていたのでは？　ところが真相はまるで違い、なんと犯人は突発的に妻を殺し、事後に大急ぎで死体を処分すると同時に憎い男に濡れ衣を着せるためにトリックを考案するのだ。彼の頭に飛来した詭計は、捜査側からは複雑に見えるが、原理としてはシンプルである。まず、デュピエール商会にフェリクスを騙って彫像を注文し、それから徐々に細かな偽装（ベルギー行きのアリバイなど）を考えていったはずで、その過程を想像するのもスリリングだ。

『樽』と、鮎川の『黒いトランク』を読み比べると、謎の類似に反して真相が好対照をなしているのが興味深い。鮎川自身は、『樽』ではなく横溝正史の『蝶々殺人事件』（死体が入ったコントラバスのケースが東京―大阪間を移動する）に関する随筆に触発されたと言うが、『黒いトランク』はどう見ても『樽』に挑んだ作品だろう。同作では、二つの黒いトランクXとZが東京と九州の間でアクロバティックな移動をする。

『樽』の犯行が突発的だったのに対して、『黒いトランク』は計画殺人。それも、被害者への強烈な殺意を結晶させたかのごとき超絶技巧のトリック（犯人側から見ても複雑極まりないのだが、それでいて不思議なことにほんの一言で原理が説明できる）で、『樽』とは別種の衝撃がある。さらに、『樽』でクロフツが犯したミスを逆手にとって利用し、メイントリックを補強する偽装工作（ベルギー行きのアリバイ工作は常識的で弱い）や、トリックが割れていく伏線にも創意を凝らしている。

ミステリは、先行する名作があらたな名作の種となるのが常とはいえ――『樽』と『黒いトランク』、古今東西のミステリを見渡して、これほど美しいペアを私は他に知らない。『樽』を楽しめた方には、ぜひ読み比べていただきたい。

※

〈何か〉に詰められた死体が、どこかに送り届けられる。そして、〈何か〉がたどった経路を追ううちに謎が深まる。そんな『樽』のスタイルに追随したミステリは、海外ではクリストファー・ブッシュの『のどを切られた死体』（一九三二年）ぐらいしかにわかに思い浮かばないが、『樽』を不動の名作の座に据えた日本では工夫を凝らした作品がぽつりぽつりと書かれてきた。

長編では前記の横溝正史『蝶々殺人事件』（四七年連載終了）や鮎川哲也『黒いトランク』（五六年）の他に、蒼井雄『瀬戸内海の惨劇』（三七年連載終了）、松本清張『死の発送』（八二年）、藤桂子『疑惑の墓標』（八七年）など。短編では宮原龍雄「三つの樽」（四九年）、愛川純太郎「木箱」（五一年）など。後世、いくつもの名編を生んだという点においても『樽』は偉大な作品だろう。

〈何か〉は、大きな行李だったり木箱だったりと様々だが、どれも容器だから実用品だ。宝石でも神器でもなく、単なる実用品が謎の塊となり、魔術的な性格を帯びて逃げ続け、読むものを幻惑する。手品のようなトリックの面白さにも増して、そんな現象自体がミステリ好きの心を揺さぶるのではないか。『樽』が教えてくれた〈謎の形〉である。

痕跡をたどられてなるものか、解かれるものかと逃げる〈何か〉。世にも現実的な実用品でありながら魔術的な存在となった〈何か〉が、私にはミステリの〈謎そのもの〉の暗喩に思えてくる。

〈何か〉よ、樽よ。

探偵に捕まえられても繰り返しその手をすり抜け、怪しく逃げ回り、私たちを翻弄してほしい。永遠に追いかけ続けたいから。

# 奥泉光のスタイリッシュなユーモアミステリ

奥泉光（おくいずみひかる）『黄色い水着の謎　桑潟幸一准教授のスタイリッシュな生活2』
（文春文庫・15年4月10日）

ダメダメな准教授、クワコーこと桑潟幸一（くわがたこういち）を主人公にしたシリーズ第三作だが、本書から読み始めてもまったく支障はない。

『黄色い水着の謎』というタイトルから、ガストン・ルルー（『オペラ座の怪人』の作者でもあるフランス人作家）の『黄色い部屋の謎』という名作ミステリを連想した方もいらっしゃるだろう。本作もミステリなのだが、不可解な密室殺人を扱った『黄色い部屋』とまったく趣を異にするユーモアミステリである。ユーモアやらミステリやらと聞いてもことさら心惹（ひ）かれない、という方であっても、小説好きならば大いに楽しめること請け合いだ。

この小文に目を通しているあなたは、もう本編をお読みになっただろうか？　これから読む？　ネタバラシはしないのでどちらでもよいが、これだけは言っておく（喧嘩（けんか）を売っているみたいなフレーズですが）。本書は、再読再々読に堪える小説である。楽しい気分になりたかったら、何度でもページを開くといい。「一回読んだら展開も結末も知ってしまうしなぁ」「面白いギャグも繰り返し笑うのは無理」と思うなかれ。文章が構築した佇まいや在り様の可笑しさは消えないから、ノープロブレム。私は、再読しながら何度も笑った。

さて、本題に入る。

クワコーが読者の前に初めてお目見えした作品は、本格ミステリ・マスターズという叢書の一冊『モーダルな事象　桑潟幸一助教授のスタイリッシュな生活』という諧謔に富みながらもなかなか難解な長編で、この作中でクワコーは大阪府下の敷島学園麗華女子短期大学（レータン）という残念な短大で日本近代文学を講じていた。第二作『桑潟幸一准教授のスタイリッシュな生活』からは、千葉県下のたらちね国際大学という、レータンと甲乙ならぬ丙丁つけがたい残念な大学に籍を移すのだが——ユーモアミステリとしてのスタイルが確立したのは第二作からなので、本作が実質シリーズ第二作と見ることもできる。

たらちね大の文芸部の面々や周囲の教授たちに振り回され、へんてこな事件に巻き込まれるクワコー。その真相解明に文芸部員たちが探偵団と化して挑み、キャンパス内の段ボールハウスに住むホームレス女子大生・ジンジンこと神野仁美が快刀乱麻を断つように謎を解く。ドタバタ喜劇のおかしさでミステリの興趣をくるんだ形になっているが、その味わいは独特なものだ。

ユーモアミステリというと、ミステリ史上に残るほど売れまくった東川篤哉の『謎解きはディナーのあとで』シリーズ（執事の影山（かげやま）が事件の話を聞いただけで謎を解くガチガチの本格ミステリでもある）の印象が昨今は強いかもしれないが、様々なタイプがある。本作が単行本として上梓（じょうし）される前に、私は「オール讀物」誌上で奥泉さんと「ユーモアミステリ・ベストテン」という対談をした。クワコーシリーズについても話が弾み、奥泉さんから興味深い発言がたくさん飛び出したので、その対談を引用しながら書き進めたい。

いきなり核心を突く発言を。――「笑いって一種のアイロニーなんですね。対象からちょっと距離を置いて、少しだけ高いところ、斜め上ぐらいの位置から眺める視点を設定すると、そこにアイロニーが生じて、笑いが生まれるわけです」。その際に「対象を包み込むような愛情と、肯定するという態度」が大事で、ただ嘲笑（ちょうしょう）するのは「ユーモアとは言えないでしょう」。

奥泉さんのユーモアに対する基本的な思想・姿勢はこれで言い尽くされている感もある。本書に登場するのは、クワコーを筆頭に文芸部の女の子たちも、名探偵役をはたすジンジンも、教授・大学関係者たちもみんな「それではダメだろう」というところを晒（さら）す人間ばかりだ。作者は彼らを少し斜め上から眺めて、「ダメだわ」と描くのだが、その根底に愛情と肯定が感じられる。平たく言えば、「まあ、人間なんて別の形でみんなダメだけれどな。人間だからな」に逢着（ほうちゃく）する大らかさ。

そんな愛情と肯定が最も端的に、美しく表現されているのは表題作のラストシーンだ。その一文を読んだ瞬間、私は手にした紙面から思いがけないほど明るく健康的な光が放たれたような気がした。

いつの頃からか「上から目線」という俗語をよく耳にするようになったが、あれは卑しいばかりで、無知の発露か劣等感の裏返しなのが哀しい。奥泉さんが措定する「少し斜め上から」のまなざしは、他者を笑った後、すかさず自分自身に転じられるものだ。自分を笑うまでが遠足、いやユーモアである。

対談中、表題のとおり私たちは、お気に入りのユーモアミステリ・ベストテンを選出して互いに披露した。ご参考までに、ここに再掲してみる。

奥泉選＝『ブラウン神父の童心』（G・K・チェスタトン）、『金曜日ラビは寝坊した』（ハリイ・ケメルマン）、『ジーヴズの事件簿』（P・G・ウッドハウス）、『死者との対話』（レジナルド・ヒル）、『黒後家蜘蛛の会』シリーズ（アイザック・アシモフ）
有栖川選＝『亜愛一郎の狼狽（ろうばい）』（泡坂妻夫）、『メルトン先生の犯罪学演習』（ヘンリ・セシル）、『百万ドルをとり返せ！』（ジェフリー・アーチャー）、『スイート・ホーム殺人事件』（クレイグ・ライス）、『大誘拐』（天藤真）

ミステリ要素を欠くので挙げなかったが、両者が愛読するユーモア小説はジェローム・K・ジェロームの『ボートの三人男』。それぞれについてご紹介する紙幅はないので、ご興味のある方は書店で手に取ってみていただきたい（品切れの本があったらご容赦を）。

私は「ユーモアというものの基本は自由にあると思っているんです」「（ユーモアとは）人の心が自由であるときに生まれてくる非常に生き生きしたもの」と考え、それは「権力のような大きなものと闘う力」になり、「自由と、知性と、この二つがユーモアには必要なんじゃないか」と語った。自由と知性がユーモアの成分と言い換えてもよい。後者を持たないから人間以外の動物は冗談を交わして笑わないのだ。

また、前記のベストテン選びにあたって――ユーモア小説は（特に昨今の日本において）キャラクターが面白い、テンポやリズムが面白い、ノリが面白い、ということで人気を博することが多いように思うが、それはそれでいいとして、「緻密に構築された笑い」は少ないので、「作者が知恵を絞って、ずいぶん凝ったこととして笑わせてくれたなあという作品」を選んだことを明かした。「自由」と「構築」。この二つは、クワコーシリーズの根幹に関わってくる。

このシリーズの読みどころは、冴えないクワコーと、奥泉さんの言葉を引けば「決して裕福ではないし、成績優秀でもないし、社会的には恵まれていない人たちかもしれない」女子大生たちを通して描かれる現代のリアルな諸相だろう。魔術的なまでに変幻自在でしなやかでアイロニー満点の文章（ここ、知性）が、それを斜め上から面白おかしく語る。

さらにミステリの楽しさまでついてくる贅沢さなのだが……ミステリである必然性はあるのか？　毎回、謎解きをしなくてもユーモラスなキャンパス小説として立派に成立しそうだ。

この点について奥泉さんは、「何の枠組みもないところからキャンパス小説を自由に書けといわれたら、これ、難しい」ので、「ミステリという枠組みをきちんと踏襲」して、「それを背骨」にした、と語った。ミステリというのは、事件─捜査・推理─解決という形式が決まっていて、巧みな伏線を読者から要求されるし、超自然現象は出せないなど、制約の多い窮屈なスタイルで、構築的だ。自由の発現であるユーモアを描くために、あえて不自由さを取り込むことで「むしろ自由になれる」と奥泉さんは読み切ったのである。

そしてできあがったのが、愉快なキャラクターが、心地よいテンポとリズムで躍動し、ノリがよくて、構築的なユーモアミステリだ。構築性が高くなると、キャラクターたちのノリもよくなる。ミステリ作家が「今度の作品には、ユーモアをたっぷり入れよう」と構想するのとは反対方向からのアプローチでこのシリーズは書かれ、他に類を見ないユニークな小説になったのだ。

付言しておくと、「期末テストの怪」の〈車中の捜査会議〉で、文芸部の面々が「妄想捜査」というテレビ番組を話題にし、「あまりにバカだと、それってウケるー」と盛り上がっているが、これは実在した番組である。二〇一二年一月から三月まで放映され、原作は奥泉光・著『桑潟幸一准教授のスタイリッシュな生活』……って、要するに完全な自己言及なのだ（クワコー役・佐藤隆太、神野仁美役・桜庭ななみ）。つくづくアイロニックである。ドラマは原作の語りのおかしさを表現できないので、キャラクター、テンポ・リズム、ノリで勝負していた。

対談の終盤で奥泉さんは、文芸部の女の子たちの「一種の自由な空気みたいなものを掬い取るのに、ユーモアというのは非常に有効な方法」であり、私のユーモア観を敷衍・反転させて「ユーモアは自由へと通じる通路である」との名言で締め括られた。クワコーシリーズの魅力は、まさにそこにある。

スタイリッシュということについて。

シリーズ第一作の副題と第二作のタイトルにスタイリッシュという言葉が含まれている。およそ桑潟幸一ほど非スタイリッシュな奴はいないので、アイロニーと言うしかない。

だが、そもそもスタイリッシュとはどういうことなのか？　恰好いいというだけの意味で遣われがちだが、少し掘り下げてみよう。

『虚構まみれ』所収のエッセイ「スタイルについて」にこんなことが書いてある。思うまま自由に小説を書こうとして、奥泉さんは必要なことが二つあることに気づく。一つは「表現手段の技術的修得」。ピアニストになりたければピアノがちゃんと弾けなくてはならないのは当然の理。二つ目は「ひとつのスタイルに通暁し、それを支配すること」である。ベートーヴェンのソナタを演奏するか、ジャズを演奏するかで修得すべきスタイルは違ってくるわけで、小説の創作においても「目指されるスタイルに応じて言葉の技術の質は決定されるはず」だと意識するに至った。

自分ならではの独創的なスタイルも「他のスタイルとの連続性なしに生まれるとは思えず、すでにあるスタイルの枠のなかで『自由』な表現が求められたときに枠そのものを変質させる形で実現するものに違いない」と考えた奥泉さんは、少しずつ違ったスタイルを採用して技術を磨きながら次々に傑作をものしていく。早くからその中にミステリも含まれていた。

クワコーシリーズに引き寄せて書くと、奥泉さんはミステリというスタイルの枠内で自由を得ることで、枠そのものを変質させている。まず明々白々なことを指摘するならば——桑潟幸一ってこのミステリ作品において何なの？　名探偵役が神野仁美であることは論を俟たない。作中人物たちはジンジンをそのように扱っているし、現に彼女が謎を解く。主人公であるクワコーは、そのアシスタント（シャーロック・ホームズものにおけるワトスン役）なのかというと、完全にそれ未満の存在である。被害者になることが多いものの、それがお約束の役割と固定されているわけでもない。とても曖昧なポジションにいながら、ちゃっかり主人公の座に着いて、タイトルに名を冠されるキャラクター。こういう人、空前（絶後とは言い切れないが）です。ミステリ作家の常識からは生まれない。どの話もクワコーを焦点として語られるから、ミステリとしての面白さがよく出ている、という意味で主人公の資格は充分にあり、興味深いキャラクターと言うしかない。

事件の真相にも独特のテイストがある。「ミステリって殺伐としているから嫌い」「殺人事件の話は怖い。人が死なない〈日常の謎〉なら読むんだけどな。謎が解けると、人間の温かさが判るようなのは好き」という読者は少なくない。他方、「愛憎の果ての殺人、限りない欲望が招いた殺人を描くことで、極限の心理や人間存在の暗い真実が見えてくるのだ」と考える読者もいるだろう。クワコーシリーズは、いずれでもない。

最後に暴かれるのは、いじらしいまでの人間の小ささである。誇張されているようで、実にリアルな情けなさ。それは、公金横領や許されざる不倫などの秘密が露呈することを恐れ、ついには殺人に走ってしまう犯人を描いた一連の松本清張作品と比肩していいほどにリアルだ。そのリアルさがまた可笑しい。

「謎が解けてみたら、人間って本当はみんな優しくてよい人。語り手と探偵は特によい人って結末、もういいっすよ。ミステリの形で丸め込まれると、かえって疲れる」――というひねくれた読者でも、クワコーシリーズには共感できるのではないだろうか。よい人でなくても、情けなくても、人間だから色々あるわけで、ドンマイ。

そんなスタイルを編み出したこのシリーズは、まさにスタイリッシュである。

『桑潟幸一准教授のスタイリッシュな生活』に収められたのは春の物語、『黄色い水着の謎』は夏の物語だった。筆者が仄聞(そくぶん)したところによると、奥泉さんはこれから秋、冬の物語を書くおつもりがあるらしい。またクワコーやジンジンたちに会えるのだな、と思うだけで、心の中にほんのりと暖かな陽が射すようだ。

# 青春と鉄道旅と謎と

柴田よしき『鉄道旅ミステリ1　夢より短い旅の果て』（角川文庫・15年9月25日）

柴田よしきさんと同じく、私も鉄道に揺られて旅するのが大好きだ。日本全国の地方私鉄や地下鉄も含めて全線に乗ったという人を身近に知っていたりするが、自分にはそこまでの熱意はなく、でもJR全線はいつか乗りつぶしてみたいなぁ、と思っている程度の〈乗り鉄〉である。

某日。出版社のあるパーティに出席するため大阪から東京に赴き、会場で柴田さんにお目にかかった時のこと。雑談の中で、私は自然に翌日の予定を話した。

「今夜は東京に泊まって、明日は久留里線に乗ってきます」

房総半島の内房線・木更津駅を起点にして、上総亀山駅に至る三十二・二キロの路線だ。首都圏にあって非電化・単線の盲腸線で、全区間を乗り通すと所要時間はおよそ一時間。大阪からだと遠いので、東京に泊まる機会を利用して乗りつぶすことにしたのだ。

昼前に東京を出発し、久留里線に乗って帰ってきたら夕方五時前。それから新幹線で大阪に戻るというコースは、鉄道に興味がない人にすれば「なんたる時間とお金の無駄」だろうが、当然のこと同好の士である柴田さんは「馬鹿みたいな帰り方ね」などと言わない。にこにこしながら聞いてくれて、「久留里線はいいよぉ。途中の小湊鐵道（こみなとてつどう）やいすみ鉄道には乗らないの？」と訊（き）かれ、「いや、そこまでは……」と頭を掻（か）いた。

　翌日はあいにくの雨だったが、鉄道に乗りっぱなしだから苦にならない。計画どおりに久留里線の乗りつぶしを楽しみながら、柴田さんの「いいよぉ」を思い出して、おかしくなった。

　久留里線はディーゼルカーがのどかに走るだけで、深い渓谷や秀麗な名峰が車窓に展開する線区でないことは地図を見れば判る。それなのに、私はあの「いいよぉ」のせいで、もしかしたらすごい景色が拝めるのだろうか、と期待していたのだ。そんなものは、ありません。

　なかったが、昨今はとても珍しくなったタブレット（単線区間で列車が衝突しないように駅で受け渡しされる通行証）のやりとりをした痕跡（こんせき）があったし、日本のどこにでもあるような田園風景の美しさをしっかり味わえた。それを指して「いいよぉ」と言った柴田さんは本当に鉄道の旅がお好きなのだな、と今さらのように感心したのである。——久留里線、いい線でした。

　ささやかで個人的なエピソードの紹介から始めてしまったが、柴田さんの鉄道愛は本書『夢より短い旅の果て』を読む前から知っていたし、共感も覚えていた。この小説には、鉄道の旅の楽しさ・楽しみ方が隅々まで丁寧に書かれていて、とても気持ちがいい。同好の士だから言うのではなく、もし私が鉄道に格段の興味を持っていなかったとしても、一読すれば鉄道の旅の素晴らしさに目覚めたかもしれない。

単行本の帯には〈鉄道紀行ミステリー〉とも〈鉄道ロマン〉とも謳われていたが、ひと言で表現しきれない小説だ。ミステリだと思って読めば味わい深いミステリだし、何の予断もなく読んでから「ミステリでもあるな」と思う人がいてもおかしくない。ジャンル分けなど些末なことで、確かに言えるのはこの作品が青春と鉄道旅と謎を巡る物語だということ。

二〇〇九年の春。ヒロインの四十九院香澄はある目的を持って広島から上京し、鉄道好きでもないのに西神奈川大学の鉄道旅同好会への入会を希望した。名称から推測されるとおり、そのサークルは鉄道での〈旅〉を愛するサークルで、香澄は正会員になるためwebサイト向けの記事を書くという課題を与えられてしまう。「学校からそんなに遠くなくて路線が短い」という理由で横浜高速鉄道こどもの国線を選んだものの、たった三駅しかないから短すぎてレポートのまとめようがない、と困っていたら——。始発駅と終着駅を何度も行ったり来たりするだけで改札口から出ようとしない乗客を見掛け、その謎めいた行動の裏に隠されたドラマを知る。

この短くも印象的な旅を皮切りに、香澄は八つの路線へ旅に出る。彼女が読者を導くのは、北陸新幹線開業を前に廃止されようとする夜行の急行能登や、若い彼女にとって思いがけない歴史につながる北陸鉄道浅野川線、鉄道ファンにはつとに絶景で知られる氷見線、終着駅に「レトロで不思議」な空間を持つJR日光線、日本最南端にして最西端の鉄道・沖縄都市モノレールゆいレール、そしてJR常磐線など。

冒頭のこどもの国線のエピソードの香澄は真相を推理で見抜いたわけではなく、当事者に尋ねて事情を知った。〈謎を解く物語〉ではなく〈謎が解ける物語〉だったが、急行能登の旅ではぐっとミステリっぽくなる。越後湯沢駅の手前からすでに列車に乗っていたはずの女が、未明に停車する直江津駅から乗り込んだふうを装って車掌から急行券を買うのを目撃するのだ。しかも、服装が変わっている。何やらミステリでお馴染みの〈時刻表を利用したアリバイ工作をこそこそと実行中の犯人〉のようなのだが、謎解きは終盤まで持ち越しになる。

謎といえば、香澄が西神奈川大学の鉄道旅同好会へ入会しようとした理由が冒頭では語られていなかったのだが、これは彼女が旅を重ねるうちに明らかになっていく。本編をこれから読む方のためにぼかして書くと、彼女はある謎を追って鉄道旅同好会に飛び込んだのだ。さらに、香澄は旅先で不可解な出来事に出くわし、(すぐに解けるものも含めて)大小様々な謎が折り重なって物語は進む。正面きってミステリという貌はしていないものの、この小説は謎がエンジンになっているのである。

行く先々で謎がまとわりついてくるのだが、旅の空の下で香澄の視界は次第に広がっていく。鉄道旅を満喫するために入会したわけではなかったのに、少しずつその面白さに目覚め、鉄道への愛しさと旅する喜びが彼女の中で育つからだ。幼い頃から抱いていた「自分は歩いても走ってもいないのに、自分のからだは遠くの町に運ばれて行く。それは、理屈ではなく、とても不思議なことに思われた」という素朴な感想が、たどり着いた土地の歴史に触れたことを契機に、「鉄道での旅は、考える時間がすごくたくさん持てるんだよね。いろんなことを考えながら、自分のからだが否応無しに遠くへと運ばれて行く」という先輩の言葉に共感し、氷見線の絶景を目のあたりにして「ここに、今この景色の中に、この国のすべてがある。／山。海。緑。四季。そして、鉄道」という至高体験的な感動に至る。

　そして、相互乗り入れによって東武特急スペーシアがＪＲ線路から東武線路に進入しただけで「楽しい魔法のようだ」と高揚するまでになるのだから（そこまでいくと、どっぷり鉄ちゃんです）、さながら乗り鉄の成長物語だ。文章の一つ一つを噛み締めながら、「ああ、判る。自分もこうだった」と頷かずにいられなかった。乗り鉄としてだけではなく、一人の女性の成長の物語でもある。

　先に引用した「この国のすべて」という言葉はいささか大袈裟に響くかもしれないが、津々浦々を鉄道で旅していると、「これが日本なのだ」という感慨に襲われる瞬間がよくある。国土の規模や多様さを実感し、都市や町や村の佇まいからその盛衰と現状を垣間見て、歴史に想いを馳せ、乗り合わせた人々の会話やふるまいから地方色に親しむ。いくら鄙びていても鉄道が通っていれば利便性が高い場所で、日本の一部しか見られないのだが、山奥の終着駅で線路が果てた先を推して知ることは可能だ（行ってみたくなったら駅前からバスに乗ればよい。すごいところまで連れて行ってくれるぞ）。

鉄道で旅する喜びを覚えて以来、私はあらゆる土地に興味が持てるようになった。柴田さんの筆は、読者をそんな境地へと誘う。さらには、ローカル線で「美しいもの、懐かしいもの」と出会って喜ぶだけではなく、「そこに未来があるのかどうか」と考え、「ふと、言いようのない寂しさを感じる時がある」現実まで率直に書いてしまうのだ。周到にして誠実な筆運びである。

ちょっと堅苦しいことを書いてしまったかもしれないが、そんなことはさて措いてもこの作品は紀行小説としてとても楽しい。作中の白眉は、章題に「長い、長い、長い」とついた飯田線の旅ではあるまいか。私も一度だけ全区間を普通列車で乗り通したことがあるのだけれど、飯田線は本当に体感距離が長い。所要時間はやたら長いが退屈ではなく（睡眠不足のために、私はちょっとだけ居眠りしてしまったが）、多くの秘境駅や天竜川の眺めなど見どころが豊富で、旅心を満腹にしてくれる線でもある。作中では沿線案内を交えた車中の会話と風景描写が融け合って、自分も列車に揺られている気分になった。

紙上の鉄道旅だけではなく、氷見や那覇で商店街・港や市場を見て回る場面、訪ねた町の描写や各地でおいしいものを食べる場面もいきいきしている。鉄道や駅に関する豆知識も要所ごとに埋め込まれていて、旅心を刺激されずにはいられない。

鉄道旅のため沖縄にまで飛んだ香澄は、物語の最後にJR常磐線の車中で〈急行能登で目撃した謎〉の意外な真相を知るのだが、鉄道旅同好会に入った目的は果たせない。彼女の旅は終わらず、シリーズ第二作に続く。〈旅の果て〉は先にあり、まだこの物語を楽しむことができるのだな、と余韻に浸りかけたら――。

最後の最後に驚きが待っていた。それは、事実を淡々と記した短い〈追記〉と〈あとがき〉。そこで読者は、小説が思いもかけない形で現実と衝突したことを伝えられる。作品からはみ出した部分ながら、終点で線路が果てる盲腸線がいくつも登場するこの小説の内容とリンクしており、はっとした。それは作者が用意した仕掛けではないが、運命的にすら思えてしまう。

柴田さんはそんな予期せぬ事態を乗り越えてシリーズ第二作『愛より優しい旅の空』を書き上げた。その完成を喜びつつ、こう結ばせていただこう。

『夢より短い旅の果て』は、甘くて苦くて切ない上質の青春小説であり、旅情に満ちた紀行小説であり、洒落(しゃれ)たミステリでもあり、さらに――。

この小説の中に、この国のすべてがある。

山。海。緑。四季。そして、鉄道。

# クリスティーの囁き

三沢陽一『致死量未満の殺人』（ハヤカワ文庫JA・15年9月25日）

アガサ・クリスティーが耳許で囁くのを聴いたことがある。

場所は東京。二〇一三年七月九日の夕刻だった。

支離滅裂なことを言うな、と叱られそうなので急いでご説明すると、それは第三回アガサ・クリスティー賞の選考会でのことで、私は北上次郎さん、鴻巣友季子さん、小塚麻衣子さん（「ミステリマガジン」編集長・当時）のお三方とともに選考委員として末席に連なっていた。

それぞれに持ち味の異なる最終候補作の五編について審査し、なんとか二編に絞ったのだけれど、一長一短あって甲乙つけがたい。選考委員にとって最も苦しい状況となり、結果の報せを待っている候補者の胸中を想像すると胃のあたりが重くなった。

ミステリの女王が囁いたのは、そんな時だ。三沢陽一さんの作品のコピーをめくっていた私に、彼女は慈母のごとき優しい声で言った。

「（流暢な日本語で）まっすぐなミステリで楽しいわ。これになさい」

　悩みすぎて幻聴を耳にしたのではなく、豁然と思ったのだ。この作品は最もアガサ・クリスティー賞にふさわしい、と。それで心は固まったのだが、私がただちに選考会の流れを変える鋭い発言をしたわけではない。さらに討議に時間をかけた末に三沢作品への授賞が決まったのである。最終候補作の段階でのタイトルは『コンダクターを撃て』だったが、刊行に際して『致死量未満の殺人』に改題された。

　その『致死量未満の殺人』の文庫解説なのだから、選考会で絶賛されてぶっちぎりで受賞しました、と書けば景気がいいのに、よけいなことを書いている、と思われるかもしれない。しかし、これは親本の巻末に掲載された選評にも書いたことだし、鴻巣さんはそこで「実は最初の総合点は僅差ながら受賞作が最も低かったのです」と明かしていて、おまけにその事実を私は贈賞式の講評で述べた。私が作者の三沢さんなら、「滑り込みで受賞したみたいに言わないで」と思ったかもしれないが——。

　小説というのは面白い。講評を終え、ほっとして壇上から下りた私は、パーティにいらしていた何人もの方に「興味深いお話でした」「受賞作が読みたくなりました」と声を掛けられた。満場一致の即決で選ばれたのではなく、候補作についてあれこれ論じているうちに評価が上がり、ついにはトップに立ってゴールインした、という経緯がかえって「読んでみたい」と読書欲をそそったらしい。ある編集者の方は、「そういうことって、新人賞でありますね。あるんですよ」ときっぱりおっしゃった。

抽象的な表現になって判りにくいかもしれないが、小説だけでなく人間にだって当て嵌まる現象だろう。新人賞の選考会というのは、デビュー後もずっと活躍してくれる新しい才能を探すのが目的だから、第一印象だけで受賞作を選ぶのではなく、前から横から斜めから近くから遠くから候補作と向き合って判定を下さなくてはならない。だから時間をかけて選ばれた作品は、えてして強いのだ（もちろん、第一印象が素晴らしく、よくよく見たらなお素晴らしい、という人や作品もあるけれど）。

『致死量未満の殺人』は、毒殺トリックを核にした作品だ。そのモチーフに絡めて言うならば、作品自体はじわじわと効いてくる遅効性のクスリである。やがてそれは全身に行き渡って、読む者の心をしっかりと摑んでしまう。毒殺はクリスティー作品によく登場するが、だから「クリスティー賞にふさわしい」と安易に考えたわけではない。

「弥生を殺したのは俺だよ」

こんな台詞で幕が上がるから、犯人を読者に明かして物語が進む倒叙ミステリかと思いきや、〈俺〉が語る十五年前の事件の顚末はいかにも古典的な本格ミステリとなる。雪に閉ざされた山荘に集まった大学のゼミ仲間五人。みんなが同じものを飲んで食べて過ごしていたのに、女子学生の一人・弥生が服毒死する。その場にいた四人の男女は、彼女に対してそれぞれ形の違う憎悪を抱いていた。警察がたどり着くのを待てずに四人は犯人を推理し合う。〈何故に？〉は謎ではなかったが、いくらディスカッションをしても〈誰が？〉と〈どうやって？〉は解けなかった——。

さながらクリスティーの名作「ねずみとり」を思わせる舞台設定だ。毒殺についても前述のとおりで、さらに過去の事件を掘り起こす、という趣向もクリスティーっぽい。外界から孤立した殺人現場（クローズド・サークル）、毒殺トリック、未解決に終わった過去の事件の推理。本格ミステリでは御馴染(おなじ)みのモチーフばかりだが、これらを三ついっぺんに扱うのは困難を伴う。①描けるスペースも登場人物も狭く限定されているし、②誰がいつどうやって何に毒物を投じたのかを細かく検討しなくてはならないし、③探偵役は関係者から話を聞くより捜査の仕様がないから、地味で窮屈になりがちなのだ。①は犯人探しの本格ものには都合がいいとしても、②と③を同時にやってしまうのはきつい。

それでも作者はその困難に果敢に挑んで食い下がった。ただチャレンジしただけでなく、意外な方法で成功させてしまうのだから大したものである。毒物がいつどこでどうやって被害者の口に入ったのかをつぶさに検証するパートは込み入っているが、じっくりお読みいただきたい。舞台のミステリ劇を鑑賞する面白さが味わえるし、混乱しそうになったら演劇と違って便利なことに前のページを読み返せる。

しかし、〈誰が？〉〈どうやって？〉を命題とする古典的なスタイルに則(のっと)ったミステリのようなのに、読者は序章の冒頭で「俺だよ」という時効成立直前の告白を聞いている。それを真犯人の自供と素直に受け取り、〈どうやって？〉だけが解くべき謎になるのかというと……これがそう単純な話ではないところが面白い。

二段構え、三段構えの仕掛けが施してあるので、内容について多弁を弄するのは控えよう。うっかり口を滑らせてしまってはこれから本編を読もうとしている方にも作者にも申し訳ない。

思いついた大業のトリック一発で勝負したのではなく、いくつものトリック・アイディアを巧みに組み合わせて書かれた作品であることは読めばお判りいただけるだろう。クリスティーだけでなく古今東西の本格ミステリを読み込み、そのテクニックを学んだ人なのだな、と思いながら作者のプロフィールを聞いたら東北大学ミステリ研究会に所属していたとのこと。さもありなん。

一九八〇年生まれの作者は、クリスティーら本格ミステリ黄金期の作品ばかりを読み漁っていたはずもない。「ミステリマガジン」二〇一四年一月号に載った受賞の記念対談で三沢さんからお話を伺ったところによると、やはり高校時代から日本の新本格ミステリもお読みだった。ただ、新本格も好きではあるけれど、もっと古い作品に「どうしてもさかのぼりたくなる」のだとか。そして、ご自身の作品に「新古典派」というキャッチフレーズをつけてみせてくれた。これには共感するところ大だった。

私は一九五九年生まれで、時代遅れと見られがちだった本格ミステリを再興させた新本格の第一世代と呼ばれることもある。これは私に限らないことだと思うのだが、新本格派の作家は自分たちの本格を愛読してもらうことに感謝はすれど、「これからも新本格だけをたくさん読んでください」という意識が希薄で、「私たちが夢中になり、お手本としている本格ミステリの古典的名作も楽しんでもらいたい」と希望した。さかのぼると本格の楽しさが広がりますよ、というアピールなのだが、読者にすれば「そこまで手が回らないよ」ということも多いだろうし、「新本格の方が面白い」と言う声も聞いた。後者はまことにありがたいのだが予想しなかった事態で、本格ミステリの系譜に自分たちが断層を作ることになろうとは、と戸惑いもした。

これは当然のことで、人間に与えられた時間は有限だから仕方がない。そのうち読み手ばかりではなく、書き手にも「新本格で本格ミステリの面白さを知った。古い名作は読み切れていない」という人が現われ、五十数年も生きると状況はがらりと変わるのだ、と実感せずにいられなかった。

しかし、新しい読み手書き手に様々な人がいて、とうとう三沢さんのように新古典派を標榜(ひょうぼう)する作家が出てきた。前記の対談の中で、私はそれを「レボリューション」と評している。革命と訳されるrevolutionの語源は、「後ろへ回転すること・巻き戻し」だと聞き齧(かじ)ったことがある。まだ見ぬ新しいものを先取りするのではなく、色々あってこうなったという現状をひっくり返して、本来の姿へ立ち返ることこそを革命と捉(とら)えると、新古典派は歓迎すべきものだ。

本格ミステリとは、私にとって常に古くて常に新しいものである。孔子(こうし)の言う温故知新でもない。それは、故(ふる)きを温めることで新しきと出会ってしまうものなのだ。三沢さんが新古典派を確立する助けとなるのなら、私は一命を擲(なげう)ってもよい。

――などと思うはずもないのに、三沢さんに殺されてしまった。実在の作家や評論家が実名で登場する受賞第一作『アガサ・クリスティー賞殺人事件』（このテーマは早川書房の編集部から課されたもの）の中で、被害者となってしまったのである。どういうことか、と気になった方は同書をお読みください。遊び心に満ちているだけでなく、次々に繰り出されるアイディアから作者の多芸ぶりが確かめられる。

三沢さんはデビューから二年と経たないうちにポップな青春ミステリの第三作『不機嫌なスピッツの公式』（富士見L文庫）、連城三紀彦氏ばりの情念ミステリの第四作『華を殺す』（KADOKAWA）と快調に世に送り、早川書房で刊行予定のお酒にまつわる連作短編もやがてまとまるだろう。これも対談で伺っていたが、三沢さんは本格ミステリだけを専門としているのではなく、エンターテインメントの広い範囲で筆を振るえる書き手なのだ。

これから書いてみたいものとして「密室や誘拐、街を巻き込むパニックもの」などがあるそうだが、「それを本格の形でやりつつも、ちょっと新しいものをとりこんでいこうかなと思っている」という。どんな作品になるのか楽しみだ。

たった今、私の耳許で再びクリスティーが囁いた気がする。

「ほら、私の言うとおりにしてよかったでしょう」

# 巨きな船が出る

下村敦史『闇に香る嘘』
（講談社文庫・16年8月10日）

推理小説に興味がない人の間でも、江戸川乱歩賞の名はよく知られているが、それがどういうものか正確に認識していない人も少なからずいる。乱歩賞はその年度に発表された最高の推理小説が受賞するのではなく、日本推理作家協会（推協）が主催するコンテストで一等になった作品に授与される新人賞だ。「それぐらい知っているよ」と言われそうだが、案外、誤解されているんですよ。「新人なのに乱歩賞を取ったなんて、すごいね」という具合に。

創設されたのは一九五四年。推協の前身である日本探偵作家クラブの会長だった江戸川乱歩が、自らの還暦祝賀会の席上でクラブに百万円を寄付すると発表し、それを基金として探偵小説奨励のための賞として制定された。当初は「その年度の探偵小説の諸分野において顕著なる業績を示した人に、過去の実績をも考慮して贈賞する」ものだったが、第三回から長編推理小説を公募して優秀作を選ぶという現在の形になった。

記念すべき第三回乱歩賞を受賞した仁木悦子（にきえつこ）の『猫は知っていた』。同作がベストセラーとなって推理小説読者を広げることに貢献したことに始まり、今日に至るまで驚異的な高確率で有力作家を輩出してきた。わが国の推理小説のメインストリームの一翼を担ってきた新人賞である。

大乱歩の還暦に起源を持つ賞が、推理作家になるための最高の登竜門として誇らしい歴史を重ねて〈還暦〉を迎えたのが二〇一四年。そんな切りのいい年に栄冠を勝ち取ったのが下村敦史さんの『闇に香る嘘』である。よい巡り合わせになったもので、同作は天国の乱歩先生も（点字を使った趣向も含めて）さだめしご満悦なさるだろう、という素晴らしさだった。

第六十回乱歩賞の選考委員の末席に連なっていた縁で私がこの小文を書くことになったのだが、一読して「ああ、よい作品がきた。これが本になる前に読めたのはラッキーだ」と思ったのを覚えている。選考会に臨む前から、「今年はこれだ」と考えていたし、実際に異論も出ずに満場一致で授賞が決まった。

他の委員が寄せた言葉を選評などからピックアップすると、こんな感じ。

「ソフト不況は出版界にもおよび新人作家冬の時代だが、この力量なら心配はいらない」（石田衣良）、「たった一行のくだりで殆（ほと）んどの謎や違和感は解消してしまう。（中略）その部分だけを取り上げるなら、いわゆる本格ミステリとして評価される作品でもあるだろう」（京極夏彦（きょうごくなつひこ））、「主人公が盲目であることから生じる疑念や誤解がよく描けている」（桐野夏生）、「自信をもって世に出せるものを送り出せた」（今野敏）。

席上で私が「この作品の評価はAです。候補作を比べた相対評価ではなく、絶対評価でAですよ」と、いつにないことを口走ったら、〈絶対評価でA〉のフレーズが本の帯に使われた。

これだけ褒められて受賞する作品はそうあるものではない。作者がはっきりと再考を求められたのはタイトルぐらいである（応募された時のタイトルは『無縁の常闇に嘘は香る』）。

乱歩賞レースの勝者になっただけでなく、『闇に香る嘘』は発売早々から大きな反響を得て版を重ね、年末には『このミステリーがすごい！』で第三位、『週刊文春ミステリーベスト10』で第二位と上位にランクインを果たす。新人のデビューとしては堂々たる結果だ。乱歩賞の難関を突破したとしても、なかなかこうはいかない。

それだけではない。受賞第一作として「小説現代」誌二〇一四年九月号に発表した短編「死は朝、羽ばたく」も抜群の切れ味で、第六十八回日本推理作家協会賞・短編部門の候補に早々と選ばれている。現在、同賞はデビュー作を外すことになっているので、これ以上早く候補になることは不可能。

下村さんにはまだ他にも仰天のレジェンドがあるのだが、それは後述するとして作品の中身に話を移そう。

物語の主人公は、六十九歳の村上和久。四十一歳で全盲となり、やがて妻と離婚。性格の狷介さから一人娘との間にも確執があった。和久が抱えている問題はそれだけではない。小学生の孫娘が腎臓病で移植手術を必要としているのだが、彼の腎臓は提供するのに不適合と判り、岩手県で老いた母親と暮らす兄に相談を持ちかけると適合検査を受けることさえ拒絶される。

兄弟は幼少期に満州で一度生き別れになっており、兄が中国残留孤児として帰国したのは和久が失明した後だった。検査を頑なに拒む兄に接し、和久の中でかねてよりの疑念がふくらんでいく。母親は息子だと認めたが、自分はわが目で確かめてもいない。この男は本当に兄なのか？　兄を騙る偽者ではないのか？

自分が本当の兄だと名乗る男からの電話や、差出人不明の暗号めいた点字の手紙が盲目の主人公をますます混乱させ、彼の身辺に怪しげな影が揺蕩う……。

連続密室殺人に天才的な名探偵が挑んだり、凶悪なテロリスト集団をスマートな捜査官が追いつめたりという派手さはない。兄の正体と、主人公のまわりで何が起きているのか、というのが謎だ。ただし、終戦時の中国大陸で起きた悲劇が根底にあるだけに謎は長く尾を引いており、全盲で徒手空拳の主人公にとって真相究明はあまりに手強い。作者が用意した謎は、非常に魅力的である。

その人物は本物か偽者か、という謎を扱ったミステリには洋の東西を問わず傑作が多い。すぐに思い当たるのは、タイタニック号の海難事故を絡めたディクスン・カーの『曲がった蝶番』、准男爵家の跡取りを巡る謎を描いたロバート・ゴダードの『闇に浮かぶ絵』、戦争で顔に傷を負った総領息子の復員が連続殺人の発端となる横溝正史の『犬神家の一族』など。二人の男が「自分が本物だ」と名乗り出てくるパトリシア・モイーズの長編『サイモンは誰か？』や巽昌章の短編「埋もれた悪意」という逸品もある。

ミステリ以外でも題材になりやすく、江戸時代中期に実際にあった〈天一坊事件〉は講談の『大岡政談天一坊』として人気を博した。それにちなんで、私はこのタイプのミステリを〈天一坊もの〉と呼んでいる。

『闇に香る嘘』の、天一坊ものとしての達成は見事である。意外性があってドラマチックで、伏線もきちんと張ってあるからフェアだ。読者は、目から分厚い鱗がはらりと落ちる瞬間の快感を味わえるに違いない。疑惑の人は本物か偽者か、イエスかノーかの二つしかないシンプルな命題なのに、読者を驚かせてしまうのは大変なことだが、きれいに理屈を通してそれをやってしまうのが優れたミステリ作家の真骨頂。

村上和久を全盲に設定したことからくるサスペンスともどかしさも特筆に値する。主人公に大きなハンディキャップを与えたからといって物語が自動的に面白くなるわけはなく、それどころか登場人物の行動が制限され、何を描写するにも不自由だ。ここでも作者は手腕の冴えを見せつけてくれる。

読み進むうちに私は、盲目の按摩を語り手にした谷崎潤一郎の『盲目物語』を思い出した。作家にとっての不利を逆に利用したその作品を読んでいる時にも感じたのだが、そもそも活字を追うだけで主人公の顔も見ることができない小説読者というのは、みんながなのである。小説とはそういうものであるから、全盲の人物の〈視点〉を取った場合、読者と登場人物の間にいつもは存在しない回路が開ける。文字どおり手探りの捜査を描くにあたって、その感覚が絶妙の効果を挙げていることを指摘しておきたい。よけいなことを書いて真相に近づきすぎてしまい、読者の興を削がないようにこれ以上は内容に立ち入らないでおこう。以下は作者の下村さんについて。

『闇に香る嘘』をもって、作家として申し分のないスタートを切った下村さんだが、そこに至るまでの道は平坦ではなかった。乱歩賞に狙いを定めて投稿を続けるも、落選につぐ落選。九年目にしてやっと目標を摑んだそうだが、その間に四回も最終候補に残っている。あと少し、あと少しを繰り返しているうちに手が届いた、ということだが、当人はどれほど苦しかったことか。なまじ最終候補まで進めていただけに、「どんなにがんばっても上手な素人」と言われるに等しい結果の連続は精神的にきつかったであろう。

乱歩賞だけではなく、その前には他の新人賞に何度も作品を投じているが、一次予選を通過できなかったという。不屈のチャレンジャーだったのだ。

それを乗り越えての受賞は、作者をとことん鍛えたはずだ。作者は落選に腐るどころか精進を重ねた。「小説現代」誌上で対談した折に聞いたところによると、下村さんは常により困難な方にチャレンジをしてきている。楽をして書いてはいけないからという理由で行ったこともない外国を舞台にし、選評で映像的な描写を評価されると得意なことを封印して視覚障害者を主人公に据える、という具合に。

そんな挑戦的かつ禁欲的な姿勢が、この輝かしい成果につながった。惜しみない拍手を送りたい。苦労の甲斐あって、作者は充分に熟してから最高のデビューを飾れた。乱歩賞を受賞した後、下村さんは『叛徒』『生還者』（第六十九回日本推理作家協会賞・長編及び連作短編集部門候補作）『真実の檻』と作風を広げながらコンスタントに秀作を発表し、着実に地歩を固めていった。しかし、まだまだ旅は始まったばかりだ。

『闇に香る嘘』の受賞が決まった時、私は巨きな船が悠然と港を出て行くシーンを脳裏に描いていた。そして、この下村敦史丸は大勢の客を乗せてはるか遠くまで長い旅をするだろうな、と思った。

どうかいつまでも、よい旅を。

# ショートショートの新たな時代へ

江坂遊(えさかゆう)　ショートショート・セレクションII『無用の店』
（光文社文庫・16年9月20日）

ショートショートの復権を希望している。もちろん今も熱心なファンはいるが、もっとポピュラーになって欲しい。

この形式の文芸に、最も思い入れがあるのは一九六〇年前後に生まれた人たちではないだろうか。——と、一九五九年生まれの私は思う。

中学生になり、児童書から文庫本へと進んだ読書好きの多くが星新一(ほししんいち)のショートショート集を手に取り、夢中になった。『きまぐれロボット』『ボッコちゃん』『エヌ氏の遊園地』等々。星新一は、漫画は好きだけれど文字だけの本は苦手という少年少女にもアピールした。小説を読む喜びを教えてくれる作家だったのだ。

その頃は小説誌ならずともショートショートがよく掲載されていて、まずはそのページから読む、という人も多かったし、星新一の新作・新刊を待つ楽しみもあった。

星新一の存在が大きすぎたせいもあるのだろうが、ショートショート人気はやがて退潮していき、星の後継者がたくさんデビューして賑わう、という状況は訪れなかった。だからなおのこと、自分の十代の頃を回想して懐かしむのだろうが——それだけでもない。

十分から十五分ぐらいで朗読することもできるショートショートという形式そのものが、原初的な懐かしさを内包しているのではないか。

私たち人間は、言葉という道具を得てほどなく〈物語〉の面白さを知っただろう。本当になかったことを前提とした〈物語〉は作者自身によって語られ、ごく短かったはずだ。聞き手の興味と集中力が持続するのは、せいぜい数分だったかもしれない。短めのショートショートぐらいである。

そんな遠くへ時間を遡行せずとも、私たちには幼い日に大人からお話を聞いた体験がある。「眠たくなったら、いつでも寝なさい」と言われながら聞いた〈お伽話〉の数々。愉快なお話、スリリングだったり不思議だったりするお話、小学生ともなれば、お話のうまい大人や年長者にわざわざ怖い話をせがんだりもした（無理やり聞かされることもあったが）。

幼い日に楽しんだお話というのは、何回かに分けて、何日もかけて味わうものではなく、「待って。ちょっとトイレに行ってくる」ということもない時間内に聞いてしまえる長さだった。ショートショートのように。

〈物語〉の祖型の特徴だった〈短さ〉に拘るがゆえに、ショートショートは親しみやすく、前記の世代以外にもどこか懐かしく感じられるのではないだろうか。

読むだけではなく、書いても楽しい。中高生の頃、私のまわりには作家志望でもなんでもないのに、純粋な遊びとしてショートショートを書く友人が何人かいた。授業中に「ほい」と前の席からレポート用紙に走り書きした作品が回ってきて、それにお返しの一編を書いて返すこともあったほどである（勉強しろよ）。

もちろん、何十編、何百編と書くことはアマチュアには無理だが、二つや三つなら小説好きの高校生にでも書けるものだ。内容はホラーでもファンタジーでもSFでもナンセンスでも（エロティックなものやシリアスなものだってあり）自由だし、他の小説と違って短くていいから最後まで書き切れる点がいい。創作を試みた作家志望者は、えてして途中で挫折してしまうものだが、短くてよいのならちゃんと完結させられる。未完の小説というのは失敗作未満だから、書き手を成長させない。現在活躍中の作家の中には、ショートショートが書けたことで自信を持ち、創作の道に進めた人もいるに違いない。

ショートショートは読書好き・小説好きを作るだけではなく、書き手も育てる苗床でもある。だからこそ、ショートショートの時代よ再び、と思うのだ。

星新一作品は、現在も大勢の読者を獲得しているが、それはそれとして、やはり現役作家のものが読まれなくてはシーンが活性化しないし、新しい書き手も呼び込めない。「星新一の次に何を読めばいいのだろう？」と迷ってしまう若い読者もいるだろう。

そこで、江坂遊だ。

ショートショートの巨人・星新一に見出(みいだ)され、直々に教えを享(う)け、後継者となったこの作家は、ショートショートしか書かないという姿勢を貫いている。

私は第一作品集『仕掛け花火』で感服して以来の江坂ファンで、星新一とはまた趣を異にした作品世界がとても好きだ。『有栖川有栖の鉄道ミステリ・ライブラリー』というアンソロジーに、鉄道が出てくる三編を採らせていただいたこともある。

巨人のただ一人の弟子は、師匠とは違ったアプローチを取って、ショートショートの楽しさを伝えるとともに、その可能性を広げ続けている。

どの分野においても、一つのジャンルを築き上げたような大きな存在のクリエイターやパフォーマーは、規範を作ろうとするようだ。個性を前面に押し出して尖(とが)ることをセーヴし、「このようにすればよい。そこにあなたの個性で別の味を出せ」というふうに後進に道を示すのだ。

戦後、壊滅の危機にあった上方落語を再建した桂米朝(かつらべいちょう)は、失われかけていた数々の落語を発掘・復元・補作するとともに、「このように演じればよい」という上方落語の形を残した。「あとはアレンジするなり、デフォルメするなり、めいめいが好きにせえ」ということだ。だから米朝落語は恐ろしく端正で、それがためにいかようにも工夫を凝(こ)らして崩せる。

星新一作品も似たところがあり、創作の参考にしようと思って読めば、ひたすら美しい規範に見える。固有名詞や時代色を排し、舞台がどことも知れない無国籍性を持つことから、いつの時代のどこの国の書き手にとってもお手本にしやすいだろう。もちろん、それは作者が意図した結果で、晩年になっても旧作に手を入れ、「暖簾に腕押しといった慣用句は死語になりそうだから書き換える」といった作業を続けていたと知った時は、われこそが不朽の規範と自覚・自負した作家の強い想いに圧倒されそうだった。

後継者の江坂さんは、当然にも師匠の意を汲み、自分ならではの作品世界を構築している。登場人物たちにはそのキャラクターを印象的にする名前が与えられ、実在する地名や国名もどんどん出す。ショートショート・セレクションI『花火』所収の「地下鉄御堂筋線」など、その典型例だ。ただの「地下鉄」というタイトルでもよさそうなのに。

時代を感じさせる表現や描写も効果的に使う。本書に収録された「二十三時四十四分」の中にポケットベルが出てくるのには「えっ?」となった。今回の文庫化にあたって書き直す機会があったのに、二〇〇七年でサービスが終了したポケベルを作中に残すなんて、星新一なら考えられない(そもそも最初からポケベルを出さないだろうが)。時代色が出れば味となり、それも効果のうちだ、という狙いが窺える。

パロディ風の作品が散見するのも特徴だ。本書の中からピックアップすると、横山光輝の人気漫画をモチーフにした「缶詰28号」、チャールズ・ディケンズの名編「信号手」を思わせる「臨時列車」、(内容はまったく違うが)サキの代表作と同じタイトルの「開いた窓」など。こういう趣向は、規範たらんとした星作品にはほとんど見られない。

オチの付け方も奔放で変幻自在。意表を衝いたところへすとんと落とす場合もあれば、判りやすく落とすのを拒否するごとくイメージの脱臼で締めることもあり、また最高にキマった文章で読者をシビれさせて結ぶこともあり、実に多様で多彩。

　星新一には没ネタを紹介しながら創作の裏側を語った『できそこない博物館』という著作があるが、江坂さんは『小さな物語の作り方』で自らの創作法を惜しげもなく披露している。次代の書き手にショートショートの極意を伝えようとする使命感や情熱を感じさせる好著だ。それを受け止める人が、たくさん現われることを望む。

　七〇年代にショートショートの面白さを知った読み手は、「星新一の次」を探した。小松左京も筒井康隆も眉村卓も充実したショートショート集を出していたからまずそれを読み、ＳＦとミステリを股にかけて活躍したフレドリック・ブラウンの『未来世界から来た男』を見つけて大喜びし、それを中継点にしてヘンリー・スレッサーなどの洒落た短編ミステリに進む者もいれば、レイ・ブラッドベリらの豊饒な短編ＳＦやファンタジーへと向かう者もいた。ロアルド・ダールやリチャード・マシスンらが並んだ早川書房の叢書『異色作家短篇集』へ、というコースも。ショートショートのおかげで、どれだけの楽しさがばら蒔かれたことか。

　ショートショートの全盛期を支えた雑誌という媒体は、ＩＴ化の波をくらって苦境にあるが、そのかわりに電子媒体が誕生した。スクロール一回程度で読み切ってしまえるショートショートにとって、そこは沃野かもしれない。今後、どのような展開があるか楽しみでもある。

また、何十編もの作品を集めなければ本にまとまらないショートショートばかり書いて商業作家として立つのは至難だが、表現ツールの進化によって同人誌という文化が確立したことも「ショートショートが書きたい」という人には有利に働くだろう。「趣味でちょっとショートショート書いて、本にしています」。素晴らしいではないか。

江坂さんの著書が、新しいショートショート時代の出発点となり、また中継点となれば、と希(こいねが)っている。

# ユニークすぎる鉄道ミステリ漫画の傑作

佐々木倫子　綾辻行人『月館の殺人　下』
（小学館文庫・17年1月18日）

原作・綾辻行人、漫画・佐々木倫子。

何とも豪華なコラボである。斯界のトップランナー二人がタッグを組むだけでも期待が高まるのに、中身が〈鉄道ミステリ〉ときたら、ミステリと鉄道が好きで、鉄道ミステリが大好物の私は、そわそわして腰が浮きそうになった。

あ、お断わりしておきますけれど、私はテツではありませんからね。鉄道に揺られてあちらこちらを旅するのが趣味というだけのミステリ作家です。列車についての工学的な知識はないし、駅構内でも沿線でも写真を撮らないし、模型を作ったりもしない。

乗りテツなのではないか？　いや、違うと思うけれどなぁ。JRだけでも、まだ乗ったことがない路線があるので。

綾辻さんと親しくしているからこの解説を仰せつかったのだが、彼によると佐々木さんも鉄道に特にくわしいわけでもなく、彼自身は「あとがき」を書くたびに自分がテツではないと繰り返している。

　この間も電話で話していたら、鉄道に限らず乗り物で移動するのは疲れるから好きではないようで、「どこでもドアがあれば一番いい」と言っていた。

　出た、どこでもドア派。世間にはけっこう多くて、乗り物で移動する時間を楽しむどころか苦痛と感じる人々。グループ旅行をしたら、電車の中で暇つぶしにトランプをしながら、「ねえ、まだ着かないの？　あとどれぐらい？」と訊くタイプ（到着時刻を事前に幹事から聞いても覚えていない）である。

　景色を楽しまないのはもったいない、と思ってしまうのだが、こればかりは性分なので仕方がない。車窓の見方にはコツがあって、地図を用意したり沿線の地理・歴史を予習したりしておくと、ぐっと面白さが――あ、私はテツではありませんからね。

『月館の殺人』は、「ＩＫＫＩ」誌での連載が終わり、単行本にまとまったところで大きな期待とともに一気に読み、上巻のラストでひっくり返った。あなたがすでに本編をお読みになっていたら、あのサプライズを共有してくださっているだろう（すぐに意味が判らず、「え……？」となった方もいそうだが）。

　さらに謎が深まり、混迷とサスペンスが増していく下巻。その果てに待っている見事な謎解きと意外な結末。頭から尻尾まで鉄道ミステリの面白さが詰まっていて、つくづく感服した。が――。

　これは相当に異色の鉄道ミステリである。時刻表の盲点を巧みに突いてアリバイ工作をするのではないし、メカとしての列車やその運行システムをトリックに利用してもいない。日本では鉄道ミステリが高度に発達していて、質も量も世界トップレベルなのだが、こんな鉄道ミステリはこれまでに例がない。

そのユニークさについて、これから本編を読む方の興味をそがないように注意しながら（がんばります）書いてみよう。

沖縄で生まれ育った主人公の雁ヶ谷空海（かりがやそらみ）は、母の死からまもなく、祖父の遺産相続の件で北海道に行くことになり、祖父がいる月館行きの〈幻夜（げんや）〉号に乗り込む。オリエント急行の車両を転用した豪華寝台特急である。乗り合わせたのは、駅に着く前に出くわした青年・日置（ひおき）を含めて七人。全員が重度のテツ。折しも首都圏で発生していた連続殺人事件が車中の話題となるうちに、その被害者がいずれも有名なテツだということが見えてくる。そして、夜を貫いて駆ける〈幻夜〉号で奇怪な出来事が――。

という感じで物語は進み、お待ちかねの殺人劇へと移っていく。

主人公、被害者となる人物、容疑者たちが集まってくるシーンから始め、それぞれのキャラクターを描いてから事件発生、という手順は本格ミステリでは常套（じょうとう）なのだが、下手をすると事件が起きるまでに読む方がダレてしまう。それを防ぐため、主役・脇役のキャラクターに魅力を付与したり、読者の興味を惹（ひ）く話題をふりまいたり、不穏なムードを演出したり、と色々な工夫が要る。それらが単なる場つなぎではなく、最後の謎解きにつながる伏線がそれと判らない形で張ってあるのが理想だ。

この作品の場合、どうか？　高いレベルで達成されていることは明らかだ。これぐらいはよかろうと思って書くと、空海が生まれ育ったのが沖縄で、事件の舞台となるのが北海道というところからして重要な意味を持っている。

昔からミステリには、非日常的な雰囲気を盛り上げるため、あるいは気取った装飾として、ペダンチズム（衒学趣味）なるものが付き物だ。平たく言うと浮世離れした知識のひけらかし。本作においては、言うまでもなくテツ談義がそれに当たる。

作中には〈幻夜〉号をはじめとして、様々な鉄道に関係するアイテムが登場するが、それも見所だ。佐々木さんの画力によって、どれもこれも生き生きと描かれているから判りやすくて面白い。〈幻夜〉号以外の列車や、鉄道がある風景もしかり。そういうのは小説に書いても効果が出にくいから、さすがに漫画は強いな、と思った。

小説に書いても——と言えば。綾辻さんの書く小説の大きな特徴は、小説で書いた時にミステリとしてのアイディアが最大の効果を発揮することだ。小説以外の媒体に移したら成り立たない、というトリックも多い。「小説の形でミステリを発表するのだから」というこだわりがすごいのだ。

彼と私は、何度か共同で作品を作っている。朝日放送制作の犯人当てドラマ『安楽椅子探偵』シリーズの原案を一緒に書いているのだ。その際には「テレビドラマの形でミステリを発表するのだから」という彼のこだわりが発動し、映像でなければできないトリック、表現できない手掛かりを二人して盛り込む。その結果、できあがるのは小説に書けないミステリだ。
そんな綾辻さんが漫画の原作を担当するとなると、「漫画の形でミステリを発表するのだから」にならないはずがない。私は、そこにも注目していた。

こうきましたか。

「映像でしか表現できないもの」と「漫画でしか表現できないもの」は同じではなかった。いくつかのコマが意味するものに気がつかず、私は完全にだまされてしまった。あんなにぬけぬけと描かれていたのに。具体的に何かは、もちろんここでは書けません。

ドラマ・映画も、漫画も、視覚に訴える媒体だから、うまくやれば『月館の殺人』のアイディアはドラマ・映画にも流用できそうだが、やはり駄目だ。それをやったら「漫画ならでは」の特性が削られてしまう。そもそも映像と漫画の違いは……という話をしたら危ないから、やめる。

鉄道ミステリ漫画というお題は、編集部から投げかけられたものだという。佐々木さんは画風で自分らしさを表現することもできるが、原作者は事情が異なる。既存の鉄道ミステリの摸倣をしたら自分らしさが損なわれかねないところ、綾辻さんは踏ん張った。「漫画にした時も効果が最大になるアイディア」を投入したことだけではない。彼の代表作は『十角館の殺人』に始まる館シリーズ。鉄道ミステリを書くことになっても、トレードマークである〈館〉をタイトルに冠してきた。また、『Another』シリーズの作者でもある彼は、本格ミステリ作家であると同時にホラー作家なので、その要素もちゃんと入れたのは〈らしさ〉へのこだわりだろう。

文庫化されることで、これまでよりさらに多くの読者に楽しんでもらえるのは喜ぶべきことだが――「面白かった。こういうの、もっと読みたい」と言われても、ユニークすぎて他にはありませんからね。

# 乱歩と非東京

江戸川乱歩『明智小五郎事件簿Ⅹ「少年探偵団」「黒蜥蜴」』
（集英社文庫・17年2月25日）

本書に収録された『黒蜥蜴』には乱歩作品では珍しく大阪が登場するので、まず乱歩と大阪について書くが、これは話の枕のようなもので本題ではない。

乱歩は三重県・名張の生まれ。三重は関西と東海の二つの文化圏に分かれており、名張は関西圏である。乱歩の祖父は東海圏に属する津の藤堂藩士だったが、父親は大阪の関西大学を出ている。名張にいたのは物心がつかないうちで、その後は三重・亀山を経て名古屋へ移り、少年・青年期を過ごした。

早稲田大学に進むため上京し、卒業後は転職と転居を繰り返す。居をかまえたのは東京、造船所に勤めた三重・鳥羽、父親が引っ越した先の大阪・守口。乱歩は名古屋・東京・大阪の三大都市を知る作家である。

大阪時代は、すでに妻子がいたが両親の家に寄寓し、そこで書き上げた『二銭銅貨』（一九二三年）で作家デビューを果たす。関東大震災のあった年だが、乱歩は大阪にいたため受難を免れたわけだ。

　大阪時代に書き上げた作品は十九編に及び、その中には明智小五郎（あけちこごろう）がお目見えした『D坂の殺人事件』を始め、『心理試験』『赤い部屋』『屋根裏の散歩者』『人間椅子』といった初期の傑作（いかにも乱歩らしく、これを除いたらその書誌が淋（さび）しくなりそうな作品）がいくつも含まれている。

　デビューした翌々年、乱歩は名古屋と東京へ旅をして、作家や出版社を訪ねた。かねて敬愛していた宇野浩二（うのこうじ）が仕事場にしていた本郷（ほんごう）の菊富士ホテルを訪問した時のこと。アポなしだった乱歩は、来意をメモした紙を出してホテルの番頭に取り次ぎを頼んだ。そこに書かれた自己紹介は「大阪からちょっと来た者、江戸川乱歩」だった。一九二六年に東京に移るまでの乱歩は、大阪の作家だったとも言える。

　乱歩と大阪はまったく縁がないと思っていた方もいらっしゃるだろう。無理もない。大阪人の私も、十代の頃は乱歩を夢中で読みながらそんなことは知らなかった。『黒蜥蜴』を例外として大阪が重要な舞台になることはなかったし、帝都・東京の物語が目白押しだから、乱歩と東京の強い結びつきばかりを感じていた。

　しかし、乱歩が生粋の江戸っ子でないことは早くから承知していた。名張出身であることを知っただけでなく、乱歩が書いた随筆を読んでいて察したのだ。

　――この作家は名張の生まれだ。何歳から東京で住むようになったのか知らないが、もしかしたら大学に進んだあたりからではないか？　子供の頃から東京にいたのなら、幼少期に隅田川の花火を見ただの、祖父や父に連れられて歌舞伎に行っただのという想い出話を綴りそうなものなのに、まったく出てこない。

また、引っ越し魔にして記録魔だった乱歩が残した転居の足跡を記した図を眺めているうちに、その移動範囲の狭さにも引っ掛かった。母校の早稲田大学に近い高田馬場から終の栖となった池袋にかけての一帯に集中している。単にこの界隈が便利で住み心地がよかっただけとも考えられるが、私のメンタリティからすると、同じ都市内で引っ越しを繰り返すのなら「今度はあっちに行ってみよう。こっちの方面にも一度住んでみたいな」と発想しそうなものだ。馴染みができたエリア以外に興味を向けない乱歩の転居の仕方は、上京者の特性のように思える。

さらに、乱歩研究家としても有名な戸川安宣氏（東京育ち）と話していて、「乱歩作品で描かれる東京は、多分にイメージ。少年探偵団シリーズによく出てくるお屋敷町も、いかにもお屋敷町風に書いているだけ」と伺って、納得した。乱歩の作品には往時の東京をよく記録した描写（たとえば浅草十二階こと凌雲閣）もあるにせよ、上京者がふわっと捉えた東京なのだ。だから、江戸っ子だった谷崎潤一郎のようには精緻に東京を書けない。

『押絵と旅する男』（二九年）の凌雲閣や、多くの作品に登場する浅草が丁寧に描かれているのは、そのスポットやエリアに心惹かれたから。『陰獣』（二八年）の錯覚トリックの一つも、土地不案内な人間らしい発案だろう。乱歩という作家は、東京に限らず現実の土地や風景を描くことにあまり熱心ではない（描いても雰囲気だけ）。そういうものに興味が向かないタイプの作家だったようだ。

そこで初めて気がついた。私たちは（少なくとも私は）、ミステリの鼻祖エドガー・アラン・ポーをもじった江戸川乱歩という遊戯的な筆名に幻惑されていたのだな、と。その名前に江戸の二文字が入っていることに語呂合わせ以上の意味はなく、ポーのファーストネームがヨドガーだったら淀川乱歩になっていた可能性もあるではないか。

たまたま江戸を含んだ筆名になったのだとして、都市文学である探偵小説を志向した乱歩はそれを奇貨としたのかもしれない。これは東京を描くのにちょうどいい、と。

乱歩が作中で描いたのは、現実を好みのままに変容させた乱歩ワールドの東京で、『明智小五郎事件簿Ⅳ　猟奇の果』解説の「東京という探偵小説」で恩田陸氏が書いたとおり一種の〈記号〉である。東京をベースにした都市の混合物であり、その中に勝手知ったる名古屋と大阪も投げ込んだのであろう。だから、せっかく土地勘があったのに名古屋や大阪をわざわざ描く必要がなくなった、とも言える。

『黒蜥蜴』では大阪の新世界にある通天閣が出てきて、下から上へとなめ上げるような描写で高さを強調しているものの、周辺の賑わいの情景は浅草と大して変わらず、浅草界隈の描写と入れ替えても支障はなさそうだ。

新世界が描けていないとか浅草が描けていないという話ではない。乱歩は、現実の新世界や浅草ではなく、乱歩ワールドの〈それ的な空間〉を書いているのだ。

とはいえ、帝都ならぬ大大阪をわざわざ舞台にした理由にも目配りが為されており、当時の通天閣の展望台が下界を見渡せると同時に四方から眺められたことを黒蜥蜴が利用したのは「なるほど実にうまい思いつき」であり、大阪が舞台ならではの趣向と言える。

〈それ的な空間〉とは、どういう場所なのか？　華麗に説明してくれる文章があるので引用してみよう。

「暗黒な洞窟を裏面に控えつつ、表へ廻ると常に明るい歓ばしい顔つきをして、好奇な大胆な眼を輝かし、夜な夜な毒々しい化粧を誇っている」「善も悪も、美も醜も、笑いも涙も、すべての物を溶解して、ますます巧眩な光を放ち、炳絢な色を湛えている偉大な公園の、海のような壮観」

「極めて殷富な市街の一廓」にある公園を舞台にした谷崎潤一郎の夢幻的な短編『魔術師』（一七年）の冒頭近くにある文章だ。そこは、「どうかすると、それは日本の東京のようにも思われますが、ある時はまた南洋や南米の殖民地であったような、或は支那か印度辺の船着場であったような気もするのです」とさんざん韜晦した上で、「浅草の六区に似ている」という。

世界のどこにあってもおかしくないが、独特の空間にある公園に張られたテントの中で、奇跡を超えた魔術が演じられる。そこは現実の味気なさや無粋さに飽き足らない者を手招きし、妖しい世界に誘う場所であり、乱歩が愛した言葉を借りて表するなら、

「夜の夢」が「まこと」になるところだ。

『魔術師』は、浅草を舞台にしても書き切れたように思えるが、悪魔主義的・耽美的と評された初期の谷崎は、あえて無国籍の小説に仕上げた。夢見ることの普遍性をそこに込めたのだろう。

谷崎に傾倒していた乱歩は逆の手法を取った。東京を「夜の夢」の都に仮構し、押し広げ、そこで縦横無尽に物語の筆を揮ったのだから好対照である。チェスタトン風の逆説を弄するならば、あまりに正反対なので両者は同じことをしている、というところか。岡本綺堂の『半七捕物帳』や池波正太郎の『鬼平犯科帳』を読みながら江戸の古地図を参照すれば、作家の記憶や取材の跡をトレースできるだろうが、乱歩作品で同じことが可能だとは思えない。もちろん、それなりの面白みはあるだろうし、舞台となった〈聖地〉を散策すれば楽しめるとしても、突き詰めればリアルな東京の不在であることが見えてくるだろう。

ヴァーチャルな東京というのでもない。そこは、あたかも怪人二十面相のごとく東京に変装した、あるいは擬態した、どこにあるとも知れない都市なのだから。

乱歩を現実の東京から引き剝がすことで、この作家の想像力の太々しさがより理解できるし、探偵小説の都としての東京のポテンシャルも感じることができる気がする。

ポーがエドガーと命名されたのは、江戸川乱歩が筆名に仕掛けたトリック（東京を描いているように見せかけて、その真を描かない）を成立させるためだったのではないか、と妄想したくなるほどだ。

私は、仕事や遊びで百回といわず訪れているのに、東京という都市が実在するのがふと不思議に思えることすらある。

えっ、あなたも東京に行ったことがある？　あなたは通勤している？　通学している？　そこに住んでいるって？

なんで現実世界の地図に東京が載っているのだ？　あれは、ある作家の夢想が生んだ都市、乱歩ワールドなのに。

# 最上質のホームズ・パスティーシュ

北原尚彦『ホームズ連盟の事件簿』
（祥伝社文庫・17年3月20日）

私事から書き始めて恐縮だが、私は十一歳の時にシャーロック・ホームズの物語に夢中になり、戯れにミステリの習作未満のものを書き上げた。するとこの創作が思った以上に楽しかったので、無邪気というか、おっちょこちょいというか、そのまま「よし、将来はミステリ作家になる」と志した。

そう聞いて「へえ、十一歳でねぇ」と驚く方もいるが、さほど珍しいことでもない。同業者と話していたら、似たような告白がぞろぞろ出てくる。

そんな私にすれば、「大学を卒業後、しばらくして小説を書いてみようか、と思って新人賞に応募した」という経験談に実感が湧かない。十代で小説に入れ込むあまり、ついつい真似をしたのが作家を志望するきっかけ、というのがごく自然に思えてしまう。

私が書くのが主にミステリだからかもしれない。ミステリやSFなどは、ファンから作家へ、という流れが洋の東西を問わずに昔からある。心酔した作家のぎこちない模倣に始まって、だんだんと自分の色が付いていく、という経過をたどり、独自の作風の確立に向かう。

わが第一作の主人公は「警察に難事件の捜査協力を仰がれる私立探偵」で、あるビルの二階に事務所を構えていた。「私立探偵」も「二階」も、ホームズものに倣ってのこと。十一歳でヴィクトリア朝のロンドンが描けるはずもないから舞台は現代の日本で、どことも知れぬ架空の街（自分が住んでいる街すら書き切れない）の物語にするしかなかった。

大学生ともなれば、資料を横に置いてがんばったらホームズのパロディぐらいは書けたであろうが、その頃になると自分の作風を求めるのに必死。そもそもパロディやパスティーシュというのは、たくさんのアイディアと高度なテクニックを要するのに、新人作家に期待されるオリジナリティーをアピールしにくいから、それをもってデビューするのは困難で、割に合わないこと夥しい。

が――。

損得勘定をせず、最上質のパスティーシュで自分の作家的地位を確立した人がいるのだから驚くしかない。本書の作者、北原尚彦さんだ。こんな人、空前でしょう。

北原さんは、人後に落ちぬシャーロッキアン（そして、やたら古本に強いミステリマニア）としてつとに有名で、色々な雑誌やアンソロジーでその作品を読むたびに、「これだけのものが書けるとは、シャーロッキアンの極みだな」と感心していた。しかし、雑誌をまめにチェックする習慣がない私がその本当のすごさに気づいたのは、北原パスティーシュが次々と単行本にまとめられてからだった。

これまでに北原さんが著したホームズもののパスティーシュ集は四冊。あとがきと重複するが、次のとおり。

①『ジョン、全裸連盟へ行く』ハヤカワ文庫JA（二〇一四年九月）
②『ホームズ連盟の事件簿』祥伝社（二〇一四年十月）＝本書
③『シャーロック・ホームズの蒐集』東京創元社（二〇一四年十一月）＝ホームズを主人公とした純粋な贋作
④『ホームズ連盟の冒険』祥伝社（二〇一六年二月）＝本書の続編

二〇一四年の九月から十一月まで三カ月連続で本が出ているのは「何年もかけて書いてきた作品を短編集にまとめるにあたり、たまたま刊行が重なった」と私は勘違いしていたのだが、収録作品が実際に書かれた時期を知ってひっくり返った。初出一覧をここに掲げると紙幅を取り過ぎるので詳細は省くとして、それぞれの初出クレジットから数えると北原さんは二〇一四年だけで十編を発表している。BBCが制作した現代ドラマ『SHERLOCK／シャーロック』のパスティーシュ（いわばパスティーシュのパスティーシュ）と、ホームズ・シリーズのバイ・プレイヤーたちに焦点を当てたパスティーシュを、二つの雑誌に交互に書き、それぞれ隔月連載をしていたことを迂闊にも見逃していた。いやぁ、あの時期、「雑誌の目次でやけに北原さんのお名前を見掛けるなぁ」と思ってはいたのだけれど。

離れ業、血と汗と努力の結晶——というだけのものではない。重要なのは、この時期の北原さんが「毎月ホームズの物語を書いていた」ということだ。

世界中で聖書よりもよく読まれているとさえ言われる名作中の名作、ホームズ・シリーズは、作者アーサー・コナン・ドイルが彫心鏤骨、魂を燃焼させて書き上げた力作というわけではない。「ストランド・マガジン」誌に短編を書いたらやけに評判がいいので、「もっともっと」と編集部がせがむのに応じ、「じゃあ、書くよ」と連載したものだ。「赤毛連盟」やら「まだらの紐」やら名編が目白押しで、最高の上にも最高の第一短編集『シャーロック・ホームズの冒険』の収録作品初出を見れば、きれいに同誌の一八九一年七月号から翌年六月号になっている。いくらでもアイディアが湧いてきたのだろう。ドイルは一八九二年十二月号から翌年十二月号にかけても毎月作品を発表した。

北原さんがやったことは、期間はいささか短いが（そのかわり隔月で趣向を変えている）これらの時期のドイルの追体験である。原作（ファンの間では正典と呼ばれる）の隅から隅までなめ尽くし、行間まで掘り返した鬼のようなシャーロッキアンでも、こんな真似をした人は他にいない。さながらミステリ界の千日回峰行。金の鹿打ち帽でも進呈して栄誉を称えたいほどだ。

もちろん、中身がどうということもなければ賞賛には値しないわけで、凝りに凝った北原パスティーシュはミステリとしての面白さにおいても文句のつけようがない。

あとがきで一編ずつ作者が興味深いコメントを付しているので、屋上屋を架すのも憚られる。私がお気に入りの箇所に短く触れて、読者の皆さんと余韻を共有したい。ホームズが死んだと思い込んでいる傷心のワトスン博士やハドスン夫人の姿は、かの名探偵がやがて生還すると知りながら読んでもつらい。書きながら北原さんも悲しい気分になっていたのでは、などと想像する。「読書好きな泥棒」の最後のシーンに現われたのは、言うまでもなく彼。そこで作者の口許に優しい笑みが浮かんだのではないだろうか。

正典ではホームズの引き立て役に甘んじているレストレード警部が、「シャーロック・ホームズはこういう時、どうやっていたか」と考えながら捜査にあたるシーンは愉快だ。ホームズとの勝負はあのような形になったが、最後にキャリック巡査にもらった言葉は、警部の胸に沁みたことだろう。作者が警部に向けた愛を感じる。

「バスカヴィル秘話」は、『バスカヴィル家の犬』の見事なアナザーストーリーでありながら、同時に切れ味抜群の犯人当てになっている。凄腕のプロの仕事と言うしかない。「不正規隊長の回想」で主人公に抜擢されたのは、ベイカー・ストリート・イレギュラーズのウィギンズ少年。その手があったか。同時代の文豪ディケンズの小説を思わせる味わいもありながら、ミステリとしても手堅い仕上がりだ。

掉尾に置かれたのは、なんと「ボヘミアの醜聞」の前日譚。ここだけの話、私はアイリーン・アドラーに何の興味もなく、「ボヘミアの醜聞」もどうということのない作品だと思っていた。が、その物語の前にこんなドラマがあったのだとしたら、見方はがらりと一変する。すごいよ、アイリーン。そして、北原さん、すごい。これからはこの作品を準正典として、映画やドラマを観ながら「女っ気の要員として無理に出てこなくていいよ、アイリーン」などと毒づかないようにします。

パスティーシュに情熱を傾けた北原さんは、ドイルのコピーだけを目指して自分の作家性を捨てたわけではない。師に倣うことでミステリを習い、その面白さのエッセンスを摑み取っている。「自分らしさが最優先」「俺の個性を見て見て、お願い」とは正反対のアプローチで、ここまでの境地に達したのだ。稀有な作家と呼ぶしかない。

おそらく全編にわたって、「シャーロッキアンなら判りますよね？」というネタがちりばめられているのだろう。たとえば、「女豹と毒蛇」にアガサというメイドが出てくるけれど、あれは正典の「犯人は二人」（別題「恐喝王ミルヴァートン」等）に登場し、ホームズが偽装結婚をするメイドに違いない。

電子書籍を持ち出して作中の固有名詞を片っ端から検索したところで、ネタ元が突き止められるとは限らない。「ケンジントン診療所の怪」で言及される「奇怪な事件」は、私がにらむところではイギリスの某作家が書いたホームズ・パスティーシュ集に所収の一編としても作品化されている。いわゆる〝語られざる事件〟（正典の中で事件の存在だけ触れられたもの）が元のようだ。北原さんは正典そのものだけではなく、既にパロディ・パスティーシュとして書かれている〝語られざる事件〟もネタ元にしているらしい。他のパスティーシュ作家へのアンサーであり、親愛の念の表明なのだろう。

浅学（せんがく）の私にそれらを丁寧（ていねい）に拾い上げて解説する能力はないし、できたとしても野暮（やぼ）なことは慎（つつし）むべきだ。読者めいめいのお楽しみということで。

では皆さん、ホームズの兄・マイクロフトや宿敵・モリアーティ教授が活躍する本書の続編『ホームズ連盟の冒険』でまたお会いしましょう（私はそちらには顔を出しませんけれど）。

# 続編にして集大成にして新境地

スティーヴン・キング『ドクター・スリープ 下』白石朗（しらいしろう）訳
（文春文庫・18年1月10日）

〈キャリーが怒ると石の雨が降る〉

このコピーが、私にとってスティーヴン・キング史の幕開けである。

主人公はサイコキネシスの能力を持つ少女。彼女が母親の虐待とクラスメイトのいじめに耐えた末に、恐ろしい破壊を引き起こす『キャリー』（キングのデビュー作）が日本で出版されたのは一九七五年で、私は高校一年生だった。ある日の朝刊で前記のコピーを掲げた広告を目にし、「これだけではどんな物語なのかさっぱり判らないが、きっと面白い」と確信し、単行本を手に取ったら――読む前に見た新聞広告まで忘れられない一冊となった。

第三作の『シャイニング』も、大学生の懐には痛いハードカバーの上下本を買って読んだ。帯にはスタンリー・キューブリック監督による〈映画化〉が謳（うた）われていて、「この作家のすごさは日本ではまだ広まっていないけれど、アメリカではもう周知のことなのか」とうれしく思ったものだ。当時はモダンホラーどころかホラーという言葉も日本では一般的ではなく、私は恐怖小説とかオカルト小説と認識していた。

　その後、キングがたちまち〈ホラーの帝王〉の座に駆け上がっていき、世界的な人気作家として旺盛（おうせい）な執筆活動を現在に至るまで続けているのは読者もよくご存じのとおり。十代の私がデビューを目撃して「これは大物になるね」と感じ（上から目線）、それがかくも鮮やかに現実のものとなったのはキングとエアロスミスぐらいで、自分は伝説の始まりから立ち会っている同時代のファンだ、という意識を抱いている。

作品の質・量とも怪物的で、映像化されて大ヒットした作品がたくさんあるキングの代表作はというと、ファンの間でも意見が分かれるところだろうが、投票をしたら前述の『シャイニング』がベスト3にランクインするのは堅い。本書『ドクター・スリープ』は、その続編である。

　前作を受けての物語ながら、いきなりこの作品から読んでも楽しめるし、主人公ダニーの過去に何があったかについては作中で何度も言及されているが、『シャイニング』について簡単にご紹介しておこう。

　外界から孤立し、冬季は閉鎖されるオーバールックホテルに小説家志望のジャックとその妻ウェンディ、息子のダニー（五歳）がやってくる。ジャックは、春まで広壮な豪華ホテルの管理人を務めながら創作に打ち込むつもりだった。ところが執筆は捗（はかど）らず、彼の苛立（いらだ）ちは募るばかり。超能力〈かがやき〉を持ったダニーは、ホテルに不穏なものを感知して怯える。ここでは、かつて世にも無惨な事件が起きていたのだ。ジャックはホテルに巣くう禍々しい力に取り込まれていき、錯乱して妻子に襲いかかる――。ジャックは

「読んでいないが映画で観た」とおっしゃる方にお断わりしておくと、当然ながら映画には改変が施されており、しかもそれに原作者キングはいたく立腹していた（いや、まだ怒っているらしい）。あまりに不満だったので、自身が脚本を書いてドラマにリメイクしているほどだ。

ジャックの内面、ホテルの在り様、ダニーの超能力などの描き方が原因だが、ラストにも大きな違いがあるので、未読の方にはご一読をお勧めしたい。力ずくで物語を結ぶキングにしては珍しく（？）伏線が周到で、「そりゃ、そうなるわな」という爽快なカタルシスが味わえる。

『シャイニング』は、もはやモダンホラーの古典的名作だ。キングがキューブリック監督の仕事を強く否定したのも、小説が会心の出来であったからこそであろう。続編を書こうと考えた経緯については、〈作者のノート〉に詳しい。続編執筆はキング自身にとっても思いがけない事態だったらしく、ファンとしては驚くばかりだった。

驚きながら「あれの続編をどう書くのか？　無理はしないでもらいたい」と案じたりもしたが、そんな心配は〈ホラーの帝王〉に無用であった。決着がついたと思ったらついていませんでした、などと前作の余韻を損なったりはせず、作中の時間は大きく飛ぶ。

ダニーは中年になっている。他人にない〈かがやき〉は彼を幸福にはせず、むしろ生

きる上で重荷となった。ホラーやSFに登場する超能力者にはお馴染みの哀しい定めだ。しかも、父をあれほど苦しめたアルコール中毒に彼も悩まされ、オーバールックホテルでの恐怖の記憶が甦ることもある。

つらい運命を背負ったダニーが、ホスピス職員となって死にゆく人たちに寄り添っていることは、自他にとってせめてもの救いと言える。タイトルの〈ドクター・スリープ〉とは、そんな彼についた職場での渾名だ。

あまりにも孤独なダニーだったが、ある時、自分と同様の能力を持つ少女アブラの存在を知る。遠く離れた町で暮らしていても、二人の能力は距離を超えて感応し合えたのだ。しかし、それは新たな恐怖の幕開けでもあった。距離を超える能力は、子供の〈かがやき〉=〈命気〉を生きる糧とする〈真結族〉にも伝わり、アブラは命を狙われることになってしまう。

少女の居場所を懸命に探る残忍な魔性の者たち。その危機を正しく理解できる人間はダニーしかいない。じりじりと迫りくる〈真結族〉とダニーの闘いが始まった。

〈ホラーの帝王〉は怖いものを日夜探して、「よし、これでいこう」と決めたら、とことん練り上げて私たち読者に突きつけてくるのだが、今回の恐ろしさは〈隠れんぼ〉や〈鬼ごっこ〉に通じる。物語が進むうちにダニーたちと〈真結族〉の攻防戦の様相を呈していくところが前作『シャイニング』とは趣が異なり、怖いと同時に、とてもスリリングなのだ。

まだ本編をお読みになっていない方のために、これ以上はストーリーについて言及しない。

私は、冒険小説的な興味を多分に含んでいるような印象を受けた。予想外ではあったが、ホラー小説としての恐ろしさは充分だし、抜群に面白い。デッサンの緻密な日常描写も、考え抜かれた手順で恐怖を積み上げていく剛腕もいつもどおりで、キング節が満喫できる。

何しろ、あの『シャイニング』の続編だ。作者としても力が入らないわけがない。下手をすれば、前作が獲得した評価まで引き下げてしまいかねないのだから、『ドクター・スリープ』の執筆自体が巨匠の果敢な挑戦であり、冒険でもあったはず。キングのファンならば、『呪われた町』や『グリーン・マイル』といった先行作品のエコーをあちらこちらで聞くことができるだろうし、不可能を可能にする職人業とも言える作劇術は（まったくタイプは違う小説だが）『ミザリー』のある部分にも通じる。自身の集大成にかかったか、という観さえあるのも当然で、この作品の執筆時にキングの作家歴は四十年に達しようとしていた。

これ以上はストーリーについて言及しない、と書いたけれど、もう少しだけ踏み込む。

後半に入っていくにつれ、「なるほど、今回はこういう怖さか。こういう敵か」という私の認識から物語は次第にズレていき、〈真結族〉が不死身の怪物ではないことが見えてくる。これもキングのうまさだ。恐るべき敵というのは手強く描けばいいというものでもなく、フィクションであるのをいいことに作者が調子に乗って強くしすぎると、説得力のある決着がつけにくくなる。「いったい、どうなるのだろう？」と思っていたら、最後に「どうにかなりました」あるいは「どうにもなりませんでした」となりかねないから。

それだけではなく、実は〈真結族〉の弱さこそ、キングが書きたかったことの核心の一つにも思える。

キング作品に限らず、ホラー小説には死の影がつきまとうものだとはいえ、『ドクター・スリープ』ではそれがことに濃厚である。作者の内面が影響しているのか、死そのものが物語のテーマだ。

パワーの塊のごときキングは一九四七年生まれ。七十歳となり、作品の力強さはまるで衰えていないものの、日々の中で死を意識する機会は増えているだろう。彼の場合、五十一歳でひどい交通事故に遭い、九死に一生を得ているだけに、なおのこと。書いているものがホラー小説というエンターテインメントだとしても、死に対する想いが作品に反映されない方がおかしい。

キングが『ペット・セマタリー』を発表したのは、三十六歳の時。交通事故で死んだ幼い息子を生き返らせようとする父親の物語で、あまりにも不吉であるため、しばらく妻が出版に反対していたという。当時のキングにとって、最大の恐怖は可愛いわが子を不慮の事故で亡くすことだったのだろう。だから、そんな小説を書いてしまった……。

ならば、加齢による心身の衰えを感じ始めたら、その先にある不安と恐怖を小説にしないわけがない。

これからもキングは読者を圧倒するほどパワフルな作品をしばらく書き続けるだろうが、彼の上にも老いは確実に訪れ、作品に変化をもたらすに違いない。「老いて衰えるのが怖い」というだけの浅薄なものではなく、人間の生が有限であることの苦さをにじませた滋味ある小説（それは飛び切り怖いホラー小説でもあるかもしれない）で独自の境地を拓くのではないか。青春小説の瑞々しい名作『スタンド・バイ・ミー』の作者でもあるキングだからこそ、そんな期待をかけたい。

冒頭で書いたとおりキングの小説をデビュー当時から愛読してきた私のファン歴は四十余年になる（ちなみに彼と私はちょうどひと回り違い。キングは亥年生まれです）。ずっと伴走してきた「同時代のファン」であればこその望みであり、予感でもある。ただし、アメリカ流の侘び寂びといった枯淡をホラー小説に持ち込んでほしいわけではなく、キングらしく厚切りステーキみたいにボリューミーでパワーがみなぎった作品で感嘆させてもらいたいものだ。新境地は、この『ドクター・スリープ』からもう始まっているのかもしれない。

## 期待に応(こた)え、予想を裏切る

アンソニー・ホロヴィッツ『モリアーティ』駒月雅子(こまつきまさこ)訳
(角川文庫・18年4月25日)

『モリアーティ』。

大胆で、迫力のあるタイトルだ。

BBC制作のドラマ『SHERLOCK／シャーロック』の大ヒットもあって、それがシャーロック・ホームズの宿敵の名前であることが今では広く知られるようになった。もちろん、ホームズの熱心なファンにとっては以前から常識であったが。

映画『ヤング・シャーロック　ピラミッドの謎』(一九八五年公開／バリー・レヴィンソン監督)では、エンドロール後にある男がホテルにチェックインする場面になり、彼はモリアーティと署名する。その意味が判らず「これは誰?」と首を傾げる観客が続出したのも、遠い過去の話になったようだ。

本作は、コナン・ドイル財団が初めて公認したホームズ譚(たん)の続編『シャーロック・ホームズ　絹の家』に続く第二弾。作者は同じくアンソニー・ホロヴィッツだが、前作の続きではなく、独立した物語になっている。

『絹の家』は、わけあってワトスンが発表を控えていた事件の記録という体裁をとっていた。ホームズもののパスティーシュではお馴染みの設定ながら、事件の真相を知ってみると「なるほど、これは公にできない」という強い説得力があり、しかも現在の作家ならば書き切れる、という事件になっているのも巧みだった。ホームズとワトスンがいきいきと描かれ、彼らしさが存分に出ていた点でも申し分なし。また、ドイルが遺してくれた四作の長編はどれも長編としては短いことを私は残念に思っていたのだが、ボリュームでも渇を癒してくれた（それでいて、長すぎないのがまたいい）。

　前作でロンドンの光と闇の中を縦横無尽に駆け抜けたホームズとワトスンが、『モリアーティ』ではどんな活躍を見せてくれるのか？　タイトルからして、ホームズとモリアーティとの壮絶な直接対決を想像してしまうのは当然だろう。

　モリアーティは、世紀の名探偵と同等の頭脳を持つ悪の権化であることがホームズの口から紹介されているが、その実像はさっぱり判っていない。ホームズ譚でジェイムズ・モリアーティ教授の名前が初めて登場するのは、第二短編集『シャーロック・ホームズの回想』の掉尾に置かれた「最後の事件」である。そこでワトスンは、恐ろしく邪悪な天才がロンドン中で起きる犯罪の半分の裏で糸を引いている、と初めて聞かされる。リアルタイムで愛読していた人たちは、ワトスンと同様に「えっと、そんな奴がいるとは聞いてないよ」と面食らったに違いない。

ご承知のとおり、この時点で作者のドイルはホームズ譚を書くことに嫌気がさし（歴史小説など、他に書きたいものがあったため）、ホームズが作中で死ぬ最終話を書こうとしていた。そのため急ごしらえで〈すごい宿敵〉を創り、スイス・ライヘンバッハの滝で劇的な相討ちを遂げさせたのだ。発表後に読者の怒りを買い、ホームズを生還させてシリーズを再開させたのも、すでに皆様ご存じのこと。

事情を知った目で読むと（いや、知らなくても）、「最後の事件」で姿を現わしたモリアーティの造形のいい加減さは明らかだ。ドイルにすれば「どんな奴かくわしく描かないよ。何も考えてもいないし。とにかく〈すごい宿敵〉と思ってくれたらよい」であったと推察する。

ホームズが生還した後の作品で、かの名探偵は何度かモリアーティの名を出しているが、作者のドイルは書きながら苦笑していたかもしれない。「〈すごい宿敵〉として創ったからには、多少はフォローしておこうか」と。

というわけで、〈すごい宿敵〉のモリアーティには中身がなく、がらんどうのキャラクターなのだ。これは、ホームズ譚のパロディやパスティーシュを書く場合、まことに都合がいい。作者が自由に空想の羽を広げる余地があるからだ。ホームズのお墨付きがあるため、モリアーティは実はあんなこともしていた、こんなこともできた、と書き放題。

創作とは面白いもので、自分の手を汚さずに悪事を為す天才という造形は、後続の多くの創作者を刺激して、ホームズ譚のパロディやパスティーシュを離れて幾多の名キャラクターが生まれた。ドイルの隠れた功績かもしれない。

本作の話に戻る。『モリアーティ』というタイトルなのだから、どんなすごいモリアーティが作中で描かれるのか、と期待しながら読み始めたら——おや、どうも様子が変だ。ホロヴィッツは予想を裏切ってくる。私はてっきり、ワトスンの知らないところで知の死闘を繰り広げる二人が描かれる、と思っていたのに。

物語の幕が上がると、ホームズとモリアーティが滝壺に転落した（と思われる）直後で、すでに千両役者が二人とも退場してしまっているではないか。代わりに舞台に上がるのは、アメリカのピンカートン探偵社のフレデリック・チェイスなる男。彼は、アメリカ版モリアーティのようなデヴァルーがモリアーティと接触しているとの情報を掴み、調査のためにライヘンバッハまでやってきたという。ピンカートン探偵社といえば、ドイルがある長編でフィーチャーしていたことでも知られる。ホロヴィッツは『絹の家』でも同探偵社を出していたので、「またか。好きだな」と思わないでもない。

ホームズ死すの報せを受け、ロンドンから同地に馳せ参じるのは、『四つの署名』に登場したアセルニー・ジョーンズ警部。デヴァルーは、モリアーティとその仲間たちが壊滅したイギリスを手中に入れようとするだろう。それを阻止せんとして、私立探偵と警部は手を組む。ホームズの流儀に倣って推理を巡らすジョーンズは名探偵になり得るか？　チェイスはワトスン役を務めるのか？　あるいは……。

これから読む方の興を削いでしまわないよう、内容には立ち入らないことにする。読者は起伏に富んだストーリーを追い、紙上でヴィクトリア朝ロンドンへの旅を満喫し、随所で〈いかにもホームズっぽい推理〉が語られるのに感心し、ホームズと馴染みのある警察官が勢ぞろいする会議などを楽しみながら、衝撃の結末までぐいぐい導かれていくことだろう。ホームズもワトスンも、モリアーティまでも舞台に立たないというのは渋すぎる、と思ったことなどすっかり忘れて。

ホロヴィッツは、ITV制作のドラマ『名探偵ポワロ』シリーズ他で脚本家として活躍する一方、イアン・フレミング財団の公認を得て『007 逆襲のトリガー』を書くなど、〈続編の達人〉だ。対象とする作品を大摑みに理解し、それらしく器用に模倣するだけでも元ネタのファンは大喜びしてくれるだろうが、その期待に応えながらも、まったく予想外のアイディアで攻めてくる。プロの技、プロの姿勢と言うしかない。併録の短編「三つのヴィクトリア女王像」も上質の本格ミステリだ。

さて――。

謎解きや冒険的な捜査は、いつの世でも変わらず面白いものだが、ドイルがホームズ譚を書いていた時代と現在では、様子が変わったこともある。ドイルの時代には、まだミステリにおけるフェアプレイの概念が発達しておらず、探偵が握った手掛かりを結末まで読者に隠しておいても非難されなかったし、虚偽の記述によって作者が読者を騙すこともあった。面白ければOKで、今日のように「アンフェアだ」の誹りを受けずにすんだのだけれど、『モリアーティ』は現代の作品だから、ホロヴィッツはその点に心を砕いている。

はたしてこの作品はフェアか、アンフェアか、判定は読者に委ねられている。ページを繰り直して、探偵のごとく作者の工夫の跡をたどっていただきたい。

# 色褪(いろあ)せない面白さとメッセージ

吉村達也(よしむらたつや)『「会社を休みましょう」殺人事件』
（集英社文庫・18年10月25日）

『「会社を休みましょう」殺人事件』は、タイトルを聞いたところではサラリーマン生活を題材にしたユーモアミステリのよう。確かにその要素はしっかりあるのですが、簡単にそう呼ぶにはあまりにもユニークな小説です。

　読み終えた時、「身につまされるなぁ。判(わか)るよ」と悲哀を感じ、ほろりと落涙する人がいることでしょう。別の読者は「これは大人のメルヘンだ。サラリーマンの喜怒哀楽とともに大人の夢が描かれている」と感じ、また別の読者は「ミステリとして楽しめるし、風刺が利いているし、構成にも工夫があって面白かった」と満足の笑みを浮かべる。「日本人と日本の社会が持つ根深い問題について考えさせられる」という人もいるはずで、実に多様な読みが可能なのです。

　色々な感情が同時に押し寄せてきて、不思議な感動に襲われるかもしれません。こんな小説は、めったにないでしょう。

本書は、一九九三年に書き下ろしの形で光文社文庫から出版された作品の再文庫化です。発表されてからもう四半世紀も経っています。

一九九三年といえば、日本が好景気の宴に浮かれたバブル経済が崩壊（一九九一年）した後の景気後退期ですが、バブルの余熱はまだしっかりと残っていて、「ちょっと頭を冷やそう」という感じの時期でした。異常だったものが正常に戻るプロセスであり、やがて日本経済はまた右肩上がりに復調する、と大方の日本人は信じていたのですが——。

そこから〈失われた10年〉が過ぎ、ITバブルという小さな盛り上がりがきたと思ったらリーマン・ショック（二〇〇八年）でダメージを食らって〈失われた20年〉となり、立ち直りかけたところで東日本大震災（二〇一一年）に見舞われました。経済危機や巨大災害にも増して大きな問題となっているのは人類史上に類を見ない急速な少子高齢化で、移民の大規模な受け入れ（とても難しい）以外に特効薬はなさそうです。

この小説が書かれた当時のサラリーマンの平均給与は、約四百五十二万円。二〇一七年は、景気回復期で上昇したといっても約四百三十二万円にすぎません。その間、物価指数はデフレのおかげで抑制されていたとはいえ、三ポイントほど上昇しています。

植木等が「サラリーマンは気楽な稼業ときたもんだ」（本書の中で引用されています）とおどけて歌ったのは、はるか昔。実直に勤めていれば年功序列で昇給し、家族四人が安心して生活できた時代は遠くなりました。

かくいう私は、一九九四年の夏に会社を辞めて専業作家になった者（サラリーマンが気楽な稼業ではないことは重々承知）ですが、かつてと現在の違いには嘆息してしまいます。えらいことになっているな、と。

作家なんて何の保障も後ろ盾もない水商売で、退職する時はちょっとした冒険でした。それがどうでしょう。過日、私の妻は親戚(しんせき)のおじさんからこんなことを言われたと言います。「あんたのところは、ええな。旦那(だんな)さんが自由業やから安定してる」――って、これ、唖然(あぜん)とするけれど本当の話ですよ。平成不況の間に大きな会社の倒産やリストラの荒波があったせいで、会社員の方が浮草のごとき作家より不安定に思える時代がこようとは。


話を本書に戻して――。

前述のとおり、サラリーマンを取り巻く環境はここ四半世紀で激変しました。環境が変われば、暮らし方のみならず心理も変化するわけで、サラリーマンを題材としたフィクションも様変わりします。それなのに、『「会社を休みましょう」殺人事件』は陳腐化を免れているどころか、まったく色褪せていない。この小文を綴(つづ)るにあたって再読した私は、驚かずにはいられませんでした。

もちろん、携帯電話やパソコンがビジネスマンの必携・必須のアイテムになる前が舞台ですから、執務中に自分の席ですぱすぱ煙草(たばこ)を吸うなど懐かしい（？）場面も出てきますが、昇進・人事異動に関する悲喜こもごもや家庭生活と仕事のバランスが取れない悩みなど、今も昔も変わりません。男女雇用機会均等法（一九八六年に施行）があるのに残る男女不平等も現在と同じ。セクハラという言葉も登場し、社会変化の速さどころか遅さが浮き彫りになっています。これは、作者・吉村達也さんがサラリーマン生活ひいては日本社会の本質的な箇所に狙いを定め、的の中心を正確に撃ち抜いているからにほかなりません。

作中で起きる殺人事件は衝撃的です。主人公の森川晶(もりかわあきら)が畏敬していた『鬼部長』『猛烈部長』と呼ばれる上司が、休日の社内で絞殺され、その断末魔の顔を写したおびただしい数のコピー用紙が床に散乱していた、というのですから。IT社会になった今も、コピー機がオフィスの象徴の一つであることは変わりません。また、凶器が被害者自身のネクタイということにも意味があり、こちらはサラリーマンの象徴です。しかも、そういう状況を謎解きにフルに活(い)かすのですから、作者は周到極まりない。

部長殺しの犯人なのではないかと社内で怪しまれ、妻の気持ちや考えが受(う)け容(い)れられないために夫婦の関係にも危機が訪れ、大学時代の友人・東海林(しょうじ)のアドバイスにも従えず、森川は心理的に追いつめられていきます。「会社を辞めたい」と思っても辞められず、「休みたい」さえ実行できない有様。そんな森川が見出(みいだ)し、摑(つか)もうとした希望とは――。

吉村さんは、手際よく殺人事件の解決を描いた後、この小説を別の盛り上がりに向かわせます。「おっ、一つの長編で二度楽しめるな」と思った方がいるかもしれませんが、最後に待ち受けていたのは読者の心を大きく揺さぶる意外な結末です。唐突なようでいて、それは恐ろしいばかりのリアリティを感じさせます。

冒頭に「色々な感情が同時に押し寄せてきて、不思議な感動に襲われるかもしれません」と書きましたが、それは私自身の読後感でした。「めったにない」読書体験を多くの方と共有できれば、と願っています。

本編をお読みになった方は、もちろん「あとがき」もお読みですね？　そこで語られている創作の裏話はまことに興味深く、掌編作品のようです。「こういう経緯で書かれた小説だったのか。吉村さん、うまくまとめたなぁ」と感心しながら、私はこの小説が持つ強いリアリティと熱の淵源（えんげん）を見た思いがしました。旧作を器用に仕立て直したところではありません。

吉村さんは、アイディアたっぷりのミステリやホラーを量産したのみならず、英語学習法、がん告知や現実の殺人事件など同時代の様々な事象を考察した本を何冊も世に送り、筆の速さでも驚異的でした。私は「泉のごとくアイディアが湧いてくるのだろうな」と思ったことがありますが、それはご本人に失礼というものです。

知恵を絞って、絞って、一つずつアイディアを生み出したのでしょうし、吉村さんの本領は別のところにありました。それは、アイディアをもとに器用にすいすい書く、の対極。自分自身にも読者にも誠実であろうとする姿勢であり、自分の想いを物語に託して懸命に伝えようとする姿勢。ひと言で表わすとハートです。本作『「会社を休みましょう」殺人事件』も、その好個の例の一つと言えます。

私は先に、「大人の夢」という言葉を遣いました。吉村さんが本作に託した「夢」について考えたことを書いてみます。

この小説において特筆すべきは、二つの〈謎〉が読者に投げられたまま、答えが出ていないことです。これから本編を読む方のために具体的に書くのは避けますが、謎の一つは「プロメテウスの休日」の最後で、もう一つはエピローグの最後で放たれます。「誰が何故やったのか?」が問われる殺人事件の謎（過去形の問い）はきれいに解決するのに、「この後、どうなるのか?」という謎（未来形の問い）の答えを作者は書かず、読者の想像に委ねました。

これが吉村さん流の〈夢〉あるいは〈希望〉の描き方なのです。答えをぼかして勿体ぶったわけではなく、「この小説にはこういう決着をつけておきますね。作者が決めることだから。こういう結末って、じーんとくるでしょう?」という態度を拒んでいる。このような書き方はアイディアと呼びにくく、真摯で大切なメッセージを読者の心に届けたい、という作者のハートに依るのではないでしょうか。

本編を真似て、私も『です・ます調』で書いてみました。

「あとがき」によると、吉村さんは「サラリーマンものをこの語り部調で書いてみると、独特の味わいが出る」としていますが、何がどう「独特」なのかまでは説明していません。疲れて会社から帰ってきた読者を柔らかい『です・ます調』で優しく迎え、膝を交えて親しく語りかける、という意図があったようでもありますが――。

『だ・である調』は報告書や企画書などビジネス文書で用いる言葉なのに対して、『です・ます調』はオフィスで人と人が互いの顔を見ながら用いる言葉です。いつの時代も、サラリーマンとしての一日は「おはようございます」で始まり、「お疲れさまです」で終わる。だから作者は、「です」と「ます」でサラリーマンの物語を包んだのかもしれません。

# 論理仕掛けの奇談

泡坂妻夫『毒薬の輪舞』
（河出文庫・19年4月20日）

『死者の輪舞』（一九八五年）でお目見えした人物が何人か登場する『毒薬の輪舞』（九〇年）は、〈輪舞シリーズ〉の第二作とも言えるが、前作を読んでいなくても楽しめる。後述のとおり、前作と本作は好対照をなしているので、読み比べると面白さがより増すだろう。

探偵役を務めるのは、マイペースで傲岸不遜にして口が悪く、かつ異様に博識の海方惣稔（警視庁刑事部特殊犯罪捜査課の最古参刑事）。なんともアクの強いキャラクターで、俳優だったら〈怪優〉と呼ばれそう。河出文庫版の『死者の輪舞』のジャケットは二重になっており、表側のものでは遠藤憲一が海方のイメージキャラクターになっていた。それを見た時「そう、たとえばこう」と納得してしまった。愉快でキャッチーな二重ジャケットは本書でも採用されている。

彼に振り回されるのは部下の小湊進介刑事で、かなりお気の毒なワトスン役だ。海方と迷コンビぶりを発揮するから、二作を合わせて〈海方・小湊シリーズ〉と称することもできる。

この作品は、一九九〇年に講談社の〈創業80周年記念　推理特別書下ろし〉という叢書（八六年～九一年）の一冊として発表された。当時は、光文社・講談社・角川書店・祥伝社・徳間書店・実業之日本社・双葉社・中央公論社などのノベルスが書店の平台や棚を賑々しく飾っていた時代で、赤川次郎・内田康夫・西村京太郎の御三家を筆頭に、ミステリがノベルス人気の主力を担っていた。

そんな中、「大家や実力派作家に、じっくりと腰を据えて書いてもらいました」と言うかのように書き下ろし作品を四六判ハードカバーで次々に出したのが、講談社の同業書と新潮ミステリー倶楽部（八八～二〇〇二年）だ。仄聞したところによると、〈推理特別書下ろし〉は印税の他に破格の取材費も出たとか。

八九年に作家デビューしていた私の目には、いずれも「ああいう叢書に参加できたら一廉のミステリ作家」と映り、さながら憧れの檜舞台だった。本格ミステリの名匠としての評価がとうに確立し、『蔭桔梗』（九〇年）で直木賞を受賞し、多くのファンを獲得していた泡坂妻夫にとっては、もちろん「スケジュールが合えば立って当然」の舞台である。

その頃、編集者の某氏（誰だったか忘れた）からこんなことを聞いた。「十万部単位で売れるベストセラー作家は出版社にとってありがたい存在だが、泡坂さんのように高いクオリティが保証されていて、熱心な固定読者が付き、二万部から三万部は確実に売れる作家もとてもありがたい。それだけの部数はなかなか売れない」と。自分もそういう作家になりたいものだ、と思った。

　固定読者に手堅く売れるだけではない。最近になっても復刊が相次ぐように、高品位の泡坂作品は永く読み継がれることになる。どれだけの読者に作品が届いたかを尺度にしても、泡坂妻夫は大きな作家なのだ。

　かつて匠（たくみ）の技を堪能（たんのう）した『死者の輪舞』と『毒薬の輪舞』を続けて読み返したら、初読の際とはまた違う楽しみ方ができた。両作は五年の間を置いて発表されたので、発売されてすぐに読んだ私が「二作を立て続けに読む面白さ」を味わえなかったのは仕方がない。

　さて『毒薬の輪舞』だが、これはかなり紹介しにくい小説だ。これから本編を読む方も多いだろうから、粗筋についても精々ぼかして書く。

『死者の輪舞』の目次には、章題が尻取り（しりとり）になるという遊びが施されていたが、こちらは無機的な薬物の名前（一章のヒロポンは商品名だが）がずらりと並んでいる。

　舞台は、三角屋根のてっぺんに青銅色の鐘楼が突き出している病院。その精神科の病棟に、妻に付き添われた小湊がやってくるシーンから幕が上がる。彼は精神の病に罹（かか）ったわけではなく、とある指示を受けて潜伏調査のために入院することになったのだ。やってくるなり奇矯な言動をする患者たちが次々と現われ、入院後も不可解な出来事が相次ぐのだが、詳細は書かない。「何がどうなっているの？」という酩酊感を味わってもらうために。海方がいつどんな形で登場するのかも。

開巻してまもなく事件発生→捜査→推理→解決というパターンによく馴染んだ人ほど、「作者は何を謎として投げかけているのか？」が摑みきれず、戸惑うかもしれない。ミステリアスで不穏な雰囲気はたっぷり楽しめるものの、なかなか事件が起きないのだ。閉ざされた病棟の中で怪しいことは多々あり、秘密めいた何事かが進行している気配は感じられる。なのに、「もうそろそろ」と思っても決定的なイベントが起きないのは、謎解き小説として無気味である。

まして作者は最上級の騙しのテクニックを持つ泡坂妻夫だ。いつどこで術中に嵌められるか知れない。いや、すでに罠に落ちてしまっているのでは、と思えてくる。

……落ちているんですよ、意外に早くから。そして、凝りに凝った技で繰り返し騙され、頭が混乱したまま、予想外の解決編に導かれていくんです。

『死者の輪舞』は、遊園地のアトラクションにたとえるとジェットコースター的だった。物語が始まってすぐに人が殺され、その後も立て続けに事件が起き、スピーディーな展開で死体の山が築かれていった。やがて、それぞれ無関係だと思われていた事件がつながっていることが判明し、連続殺人全体の構図も見えてくる。しかし、このジェットコースターは終着点＝結末だけはトンネルに覆われていて、最後に背負い投げが待っていた。

『毒薬の輪舞』は、同じアトラクションでもたとえて言えば迷路的である。読者は、自分が歩いている場所がどこなのか判らないまま、入り組んだ道をさまよい続けなくてはならない。その迷路は気持ちよく迷えるように設計してあり、迷っている間わくわくする。毒薬尽くしという趣向のおかげで、迷路内の風景もちょっと暗鬱（グルーサム）で、ブラックなのにユーモラスで、妖（あや）しい。しかし、本物の迷路と違い、最後のページまで読めば必ず出口にたどり着けるから過度の緊張を強いられることもなく、ありがたい。

再読してあらためて思ったのは、この小説がいかにも泡坂妻夫らしい小説、つまりは論理遊戯の面白さを徹底的に活用した奇談だということ。本格ミステリは〈紙上のマジック〉だの〈小説の形をとったパズル〉だのと解されることがあるが、そういう一面もあるにせよ、私が思うに本質は〈奇談〉だ。幻想小説の領域に足を踏み入れたり、広義の幻想小説に擬態したりすることもある。

名探偵が鮮やかな推理で真相を解き明かした時、そこに出現するのはえてして〈偶然の介在がもたらした不思議な因果の連鎖〉だったり〈正常であろうとしたことが異常に反転してしまった顚末（てんまつ）〉であったりして、真相が見えている人物の視点で物事を起きた順に書けば〈奇なる物語〉が最後にぽとり生まれ落ちる。世界という存在の不条理と神秘を象徴するかのごとく。それを馬鹿らしい（そう思えてしまう感性はある）と感じたらすべては台無しで、本格ミステリという夢は醒（さ）めてしまうのだと思う。

泡坂妻夫は、エッセイ「最近探偵小説について思うこと」（『ミステリーでも奇術でも』所収・八九年）の中で、「探偵小説とは探偵小説の技法を使って作られている小説」であり、「その技法というのは、読者に奇談を納得させるための一つの技術である」と書いた。ここでいう探偵小説（泡坂は、推理小説やミステリという呼称を好まなかった）とは本格ミステリのことで、泡坂にとって本格と奇談は不可分のものだったことが窺える。奇談には〈フィクション〉のルビが振られる箇所もあるが、文脈からして小説全般ではなく〈奇なる物語〉を指す。

辞書にない怪しげな日本語を使わせてもらうならば、本格ミステリとは〈論理仕掛けの奇談〉なのだ。予期せぬ方向から飛来する真相に面食らい、「そんなことは起きない。できない」と反論してくる読者に対して作者は、しかるべき伏線をしかるべきタイミングで敷き、「このように物理法則から逸脱することなくできる」と論理的に証明＝説得をしなくてはならない。「そんなことは心理的にあり得ない」と責められないためには、

「人間の可能性はここまである」と言えるように奇談を描き切らなくてはならない。

失敗すると、「荒唐無稽」の誹りが待ち構えているから、書き手にとっては常にスリリングだ。いやいや、読み手だってそこはスリルを覚えるところで、この点に関しては演者も観客もハラハラの空中ブランコにたとえるのが適当か。

泡坂が理解した〈探偵小説の技法〉についてさらに引用すると——それは「本当の奇談は最後まで伏せながら、物語を進めるということ。最後に浮びあがる奇談は、奇であるために読者が拒まぬよう、論証の力を借りる。そのためには、物語の前半に、論証の

手掛かりとなるデータを、伏線の技法で数多く布石しておくというもの」。

まさに、この作品のことを語っているがごとし。

末尾になって書くが、偉大な作家の作品群にあって『毒薬の輪舞』を代表作に挙げる声は聞かれず、その評価は〈魅力的な佳作〉というところだろう。しかし、傑作ではなく佳作でもこれだけ面白いわけで、作者の怪物ぶりを示している。

毒薬尽くしの奇談が放つ輝きは、見たことのない形に歪(ゆが)んでおり、闇に映えてまぶしい。

# 怪物的な傑作

今村昌弘『屍人荘の殺人』（創元推理文庫・19年9月13日）

今村昌弘の『屍人荘の殺人』は、驚異の新人による衝撃のデビュー作である。

――と書くと、常套句の連結で芸がないし、主観が入りすぎていて未読の方には大袈裟に感じられるかもしれない。

そこで、まずは客観的事実を列挙しておこう。

本作は、第二十七回鮎川哲也賞に投じられたもので、ハイレベルの最終候補作六作（選考委員三氏が認めている）の中から受賞作に選ばれた。選評から抜粋すると、「一言で言って、抜群に面白かったです」（加納朋子）、「奇想と本格ミステリの融合が、実に見事になしとげられています」（北村薫）、「核となる事件そのものは、展開といい不可能演出といい最後の解明といい、間然とするところのない、紛れもなく水際立った本格ミステリである」（辻真先）。

単行本の初版（二〇一七年十月）の帯に躍ったコピーは、〈たった一時間半で世界は一変した〉〈全員が死ぬか生きるかの極限状況下で起きる密室殺人〉。鮎川賞受賞作というだけで本格ミステリファンから注目を集めたことに加えて、このコピーも読者の興味を強く喚起したのだろう。何やら恐ろしげで、スケールの大きな作品らしいぞ、と。

新刊が発売された夜、早々に読み終えた人がネット上に感想をアップできる当節は、「これは面白い!」という評判は燎原（りょうげん）の火のごとき速さで広まる。さらにプロの評論家・作家からの賛辞が続々と上がり、『屍人荘の殺人』はたちまちベストセラーとなった。

年末になると、恒例の〈今年のベストミステリ〉が発表されたのだが、驚きの結果が出る。新人のデビュー作である本作が、『このミステリーがすごい! 2018年版』(宝島社)、『2018本格ミステリ・ベスト10』(原書房)、週刊文春2017年ミステリーベスト10 2017(文藝春秋)のすべての国内部門で一位となったのである。この三冠を達成したのは、東野圭吾（ひがしのけいご）(『容疑者Xの献身』)に次いで二人目だったが、新人がデビュー作で成し遂げたのは空前のこと。

破竹の快進撃は続き、第十五回本屋大賞は惜しいところで逃したものの、第十八回本格ミステリ大賞を受賞。これまたデビュー作にしては初の快挙だった。

評判が評判を呼び、発売から半年と経たないうちに発行部数は二十万部を超えた。本格ミステリというのは売り上げにおいて、他のジャンルの小説ほどの瞬発力をなかなか発揮しない一方、上質のものであれば何十年にもわたって永く読まれる傾向にある。百八十万部を超えた東川篤哉の『謎解きはディナーのあとで』のように、映像化などと相まって大ブレイクするのも本格にとっては稀有な例だ。『屍人荘』がメディアミックス抜きで半年間のうちに十万人単位の読者を獲得したのは〈事件〉と称していい。

優れた作品だからこれほどの成功を収めたのだが、本格ミステリに限らず他のジャンルの小説でも映画でも、出来がよろしくて面白いからヒットするのではない。読者も観客もお代は先払い。まずは、面白そうだからヒットするのである。

記録の意味でここに付記しておくが、『屍人荘』の宣伝において、帯に謳われていた〈極限状況〉がいかなるものかについては言及がなかった。それが何かは読んでみてのお楽しみ、というわけだ。

プロアマを問わず、紙媒体であるかネットであるかを問わず、書評や感想文を書いた人たちも意を同じくしたようで、班目機関がもたらしたテロの具体的な内容を書かなかった。そのため、「読まないと判らない趣向があるらしい。何だ？」と未読の人の好奇心を刺激したのだろう。

正直なところ、発売から数ヵ月もしたら「もうバラしてもいいのに」と思わないでもなかったが、アレに言及するとマナー違反の誹りを受けるのでは、という危惧から自主規制していたのかもしれない。アレが登場する驚きがこの作品の眼目ではなく、ふだんのネット上にはもっとまずいネタバラシ（作者が中盤以降まで隠しておきたい趣向やモチーフ、誰が殺されるのか、何人死ぬのか等）が溢れているのに。

やがて『屍人荘』は映画化が決まり、コミック化され、アレが何かを伏せておく必要も薄れてきた。この小文でなお隠しては中身について充分に語れないので、これより明かして書く。

＊ここから先は本作の核心に触れています。未読の方はご注意ください。

『屍人荘の殺人』は、いわゆる〈クローズド・サークル〉もので、外界から隔絶した閉鎖的な空間で起きる事件を内部にいる人物が推理・解決するスタイルの本格ミステリである。嵐や吹雪で閉ざされた山荘や、定期便の通わない孤島、船や列車などの乗り物を舞台にした作例が多く、核シェルターや宇宙ステーションも舞台になり得る。原理的に犯人も必ずサークル内にいるわけで、犯人探しの興趣とサスペンスが強まるスタイルだ。

また、本作はいわゆる〈特殊設定もの〉でもあって、ここでアレが関わってくる。バイオ・テロによって発生したゾンビの群れに囲まれてしまったために、事件の現場となる紫湛荘が外界から隔絶されてしまうのだ。私は、本格ミステリのことを基本的に〈現実にあるものしか使わずに描くファンタジー〉と捉えているのだけれど、〈現実にはないもの〉を作中に取り込んだ上で、現実世界の論理で謎を解き明かすタイプの傑作もある。『屍人荘』は、その好個の作例となった。

ゾンビに囲まれたペンションの中で起きる不可解な連続殺人。この設定だけで「面白そう」と手が伸びるのは自然だが、本格ミステリ読書歴が半世紀近い私のような人間は猜疑心(さいぎしん)も強くて、「設定を知った瞬間がクライマックスではないのか？　どんなトリック、どんな推理、どんな結末が用意されているかが問われるぞ」と思ってしまう。

まことに因果な性分である。本格ミステリなのだから、推理と結末を確かめなければ「設定の勝利だ。ユニークな物語で楽しめた」とはいかない。それどころか「ゾンビの〈出オチ〉かよ。わざわざ創った設定を全然ミステリに活(い)かせていないではないか」と文句を言う用意をするのだから……因果すぎて、自分が嫌。

ところが――一読、驚喜した。斜に構えて読むだけに、やられた時の感激も大きい。

これより、『屍人荘の殺人』はいかなるミステリなのか、という話になる。お読みになった皆さん、隈(くま)なくチェックしてみてください。作中に登場した〈現実にはないもの〉の数々はすべて、謎を創る、あるいは解くためのパーツとして機能しており、恐怖やスリルを醸成(じょうせい)するためだけに描かれてはいない。

ミステリでお馴染(なじ)みの見取り図は、単に読者の理解を助けたりミステリらしさを出すお飾りだったりすることも多いのに、本作ではこれもちゃんと犯人を特定するための手掛かりとして利用される。

ゾンビの属性も然(しか)り。これは実在しないものだから取り扱いが難しいところで、作中で〈こういうもの〉と明示された情報しか読者は信じようがないのであるが、どれも然るべき箇所にぴたりぴたりと嵌(はま)って真相につながっていく。謎の解き心地も絶妙だ。アレやらコレやら、きっとトリックに何か関係しているのだろう、とまでは察しがつくのに、決定的なことは見破れない。見取り図が意味するところに気づいても、そこから事件の全体像まではまだ遠い。手掛かりを洩らさず読者に提示するフェアプレイが貫徹されているからこそ味わえる面白さだ。

また、この作品はメタ・ミステリ（先行するミステリを踏まえて書かれたことを強調した自己言及的なミステリ）の趣もあり、第一章は「カレーうどんは、本格推理ではありません」という葉村譲の珍妙な台詞から始まる。カレーうどん＝本格推理を唱える先輩の名は明智恭介。江戸川乱歩が生んだ明智小五郎と高木彬光が生んだ神津恭介を合わせたような名前で、自称・探偵にしてミステリ愛好会の会長。主人公としては乱暴なネーミングだと思っていたら、第二章では紫湛荘に同行する女子学生・剣崎比留子が「警察ですら手を焼いた難事件、怪事件の数々に挑み、類まれなる推理力を発揮して解決へ導いた探偵少女」であることが明かされ、本作が〈名探偵〉をテーマにしていることが半ば宣言される。二人の名探偵らしい人物に挟まれた葉村が語り手であることから、〈名探偵の助手＝ワトソン役〉をめぐる物語であることも。これも読みどころの一つだ。

大学生たちと、さほど年齢が離れていないその先輩たちが登場人物のほとんどを占める本作は、青春ミステリでもある。謎解きをすべて取り払った時、そこに浮かび上がるのは、彼らの純粋さと愚かさ・未熟さ、喜びと痛みである。

鮎川哲也賞の贈呈式に出席した際（本作はその直前に読了した）、私は今村さんに初対面の挨拶をした後、「十年に一本の作品」と感想を伝えた。興奮していたので、何をしゃべったか正確には記憶していないが、「見事なトリックが炸裂するだけではなく、全体の構築性が圧倒的に高い。あなたは本格ミステリの素晴らしい書き手だ」というのが一番言いたいことだった。

本が出た三カ月後、私は今村さんと公開の場で対談をする機会を得る。そこで知りたかったことをあれこれ尋ねてみた。後日、雑誌のインタビューやテレビに出演した折に語られたことも多いが、ここで作者のプロフィールをご紹介しよう。

今村昌弘さんは一九八五年生まれ、長崎県出身。岡山大学医学部卒業、神戸市在住。放射線技師をしながら作家デビューを目指していたが、仕事を辞めて創作に専念し、新人賞に投稿したりネット上に作品を発表したりする。ミステリだけを書いていたわけではなく、目指していたのはエンターテインメント小説だった。

苦節の時期に、エンターテインメントを書くためにミステリの技法を習得すべく、国内外の作品を集中的に読み込み、鮎川賞を受賞する前年には、短編ミステリを対象としたミステリーズ！新人賞の最終候補に残るも落選。気落ちする間も惜しんで次は長編に狙いを定め、できたのが『屍人荘』である。落選を知ってから構想を練り、書き上げるまでわずか三カ月。このスピードも驚きだ。

ミステリの研究にあたっては、自分なりに作品の構造を分析していたそうで、綾辻行人の『時計館の殺人』や拙著『双頭の悪魔』についてまとめたノートを見せてもらった。才能に加えて、熱意とタフネスが実りを結んだのである。

ミステリにゾンビを出したら面白そうだ、と発想したのではなく、〈壁ではない何か別のものによって成立する密室〉について考えているうちに、主人公らがゾンビに包囲される映画のシーンが浮かび、それを出発点にしてプロットやトリックを考えていった。完成までどれだけのアイディアを捻り出し、その組み立てにどれだけの試行錯誤を繰り返したことか。その甲斐あって、この怪物的な傑作が生まれた。

デビュー作がこれほどの成功を収めると、第二作への期待も破格の大きさになる。同業者も読者も「作者はプレッシャーで大変だろうな」と心配したほどだ。探偵役・ワトソン役と世界観を『屍人荘』と同じくした第二作『魔眼の匣の殺人』が刊行されたのは、前作から一年四ヵ月後。班目機関が研究していた超能力＝予知を鮮やかに本格ミステリに組み込んで、再び読者を瞠目させる。

かくして『屍人荘』は、本格ミステリの最先端を走るシリーズへと発展した。お楽しみはまだ始まったばかりであることを喜びたい。

このシリーズは、毎回〈現実にはないもの〉を一つずつ出すようで、「ソレが実在するならアレがあってもおかしくないのでは」という読者からの突っ込みを退けるため、作者の苦労は尽きないだろう。しかし、今村昌弘なら思いもよらない方法で書き抜いてくれるに違いない。

謎解きの興趣を最も重視する本格ミステリは陳腐で時代遅れなもの、と見られた時代があった。昭和の終わり近く（一九八七年）に出た綾辻行人のデビュー作『十角館の殺人』が状況を打破する先鋒となり、新本格ミステリというムーブメントが起きた。本格ミステリは復興し、平成の終わり近くに『屍人荘の殺人』がベストセラーとなる——という巡り合わせに感慨を禁じ得ない。

巡り合わせと言えば、平成元年（一九八九年）に発表され、平成時代のミステリのベスト一、二を争う山口雅也の傑作『生ける屍の死』がゾンビを扱った〈特殊設定もの〉だったことにも不思議な巡り合わせを感じる。そちらは「死者が生き返る状況下で殺人を犯す理由は何？」という形而上的な謎を中心とした作品で、作中人物が様々な死生観を披露し、死を真っ向からテーマにしている。『屍人荘』と読み比べれば、本格ミステリの幅の広さと奥の深さを知っていただけるだろう。

平成時代を通して本格の世界には新しい才能が陸続と現われ、新本格という言葉はめでたく擦り切れたようだ。時代は令和となり、本格は続く。

今村さんには、その旗手となって傑作を書き続け、本格ミステリを愛する仲間をどんどん増殖させていってもらいたい。ゾンビのように。

# 久坂部羊の恐ろしい処方

久坂部羊『テロリストの処方』
（集英社文庫・19年10月25日）

ともに大阪出身というだけでなく、久坂部羊さんとは何かとご縁があって、地元での忘年会や新年会でご一緒になったり、天神祭で同じ船に乗り込んだり、トークイベントで対談したりする機会がある。

「何かとご縁」の「何かと」の部分を説明すると、久坂部さんの亡きご尊父に私が海外旅行ツアー中に親しくしていただいたこと（久坂部さんが作家デビューする前）やら、担当編集者が共通していること等である。

そのおかげで、当代きっての〈怖い医療スリラー〉の書き手の素顔を垣間見ることができたのは幸いだ。お目にかかる機会がなかったら、「この作者、どういう人なのだろう？」とあれこれ想像するばかりだったに違いないから。

久坂部羊とはこういう人、とひと言でご紹介できるほど単純なキャラクターではないのだが、ある一面を切り取るならば、冗談を愛して周囲を楽しませる大人の貌と、無邪気に人を驚かせたり笑わせたりして喜ぶ悪戯小僧のような貌の一つを持っている。いや、およそ久坂部さんは何を語っても分析的な大人なのであるが（そもそも私より年長だ）、子供っぽい貌がちらりと覗くことがあり、その瞬間に「ああ、これか」と私は思う。「この悪戯小僧の貌で〈みんなが怖がる小説〉を書いているんだな」と。

本作『テロリストの処方』も非常に恐ろしい小説だ。先に〈医療スリラー〉という既成の言葉を遣ったが、久坂部作品はスリラーと呼ぶだけでうまく言い表せているとも思えない。

医療スリラーの元祖といえば、医療の現場を舞台にし、先端の医学知識を作品に盛り込んだロビン・クック。世界中で一億部を売ったとも言われるアメリカのベストセラー作家で、日本で最もよく読まれたのは一九八〇年前後だろうか。最近は新刊書店の棚ではとんと著書を見掛けなくなり、マイケル・クライトン監督によって映画化された『コーマ』（クックの代表作の一つでもある）を覚えている人も少なくなってしまったが。クックの医療スリラーは、先端医学が直面した倫理的な問題を扱ってはいたが、「安心して楽しめる虚構」の趣が強かった。「――なんてことが起きたりして。まぁ、実際は起きないんですけれどね」という感じ。そんな作風のおかげで、映像化された作品も多いのだろう。

久坂部さんの小説は、かなり様子が違っていて、まずスリラーに分類してよいものやら迷う。スリラー小説とは「ぞっとさせる小説」のことで（サスペンス小説は「どきどき、はらはらさせる小説」)、確かに読者は久坂部さんにぞっとさせられるのだけれど、それを通り越してホラー小説のごとき恐怖にも襲われるし、いったい何が起きたのか・どういう事態が進行しているのかという謎で引っぱる手法はミステリー＝推理小説のものである。

様々なジャンル小説の筆法を絶妙にブレンドしてできたのが久坂部流の医療スリラーで、そんな書き方は初期作品から顕著だ。

デビュー作『廃用身』は超高齢化社会が行き着く果てを描いたスリラーでありながら、最後にはショッキングな結末が用意されており、(化け物は登場しないが)ホラー小説を読み終えた心地になる。第三作『無痛』は、無痛症の男による猟奇殺人を描いたサイコサスペンスであると同時に名探偵小説、モジュラー型の捜査小説、法律のジレンマといった興味も取り込んだ重層的な小説だった。

もちろん、すべては効果を考えた周到な計算の上でブレンドされているのだろう。と同時に、このようなユニークな作風は、作者がジャンルというものをことさら意識せず自由に着想を広げ、多彩なテクニックを駆使しているためでもあるかもしれない。

若き日の久坂部さんは文学志向が強かったという。以前に対談をした時に伺ったところによると、高校時代は織田作之助ばりにマントを羽織って登校し、「もともと純文学が好きで、ドストエフスキーやカフカ、日本の作家では安部公房などの、どこか高級な感じに憧れていた」とのこと。それが四十歳になった頃から変化して、エンターテインメントにシフトしていったそうだから、ジャンル小説に没入した時期はないようだ。
ジャンル小説の作家は、「よーし、ミステリーファンを驚かせてやるぞ」「私が新しいSFを見せてやる」「これぞ時代小説という作品を」などと腕まくりして筆を執る。待ち受けるジャンル小説読者は目が肥えていてうるさい反面、そのジャンルに愛着が強いので「今回の出来は期待を下回ったけれど、また読んでやるよ」と優しかったりもする。久坂部さんはいくつものジャンル小説を統合し、さらに社会性のあるテーマを背骨としたエンターテインメント小説によって、現在のポジションを確立したのだ。

本作『テロリストの処方』は、これまでで最もミステリー色が強いものの、前記の久坂部スタイルは変わらない。

遠からぬ未来の日本では、無理に無理を重ねてきたツケが溜まり、医療制度が破綻の危機に瀕していた。医療費は高騰を続け、富裕層向けの医療が導入されたことで医師も患者も勝ち組と負け組に二極化する。

そんな中、勝ち組の医師を狙った殺人が続く。犯人が残したメッセージは「豚ニ死ヲ」。一連の事件は単なる連続殺人ではなく、格差社会が引き起こしたヘイト・クライム（憎悪犯罪）であり、テロなのだ。

主人公の医事評論家・浜川は、日本の医療制度の大変革を提唱する医学部時代の同級生・狩野に請われて彼のブレーンに加わることになる。全日本医師機構の新総裁でもある狩野のもとに、テロを予告する不穏な脅迫状が届いた。その差出人は浜川たちの同級生で、ドロップアウトした負け組医師の塙であるかに思えたのだが……。

浜川は謎の真相を追い、東京を離れて南の島へ、関西へと飛び回る。その探索行の果てに彼がたどり着いたのは、思いがけない結末だった。

いつものごとく語り口は小気味よくシャープで、展開はきびきびとスピーディ。事件はとんでもなく過激で、謎は深く、読みだしたら途中で本を閉じることができなくなる。

ただ過激な事件が描かれているなら、「フィクションだから大袈裟に書いてあるだけ」と安心して楽しめるのだが、国民の経済的な格差が広がり、日本が誇ってきた国民皆保険制度が限界にきている現実に裏打ちされるだけに、読了した後、「こんなことがやがて起きるのではないか」という思いに駆られる。

テーマを際立たせるための誇張はあるのだろう。久坂部さんは、はっとするほど極端な性格の人物を鮮やかな陰影をもって描き、ショックとサスペンスを作品に盛るのをお得意にしている。その手法が今回の作品でも大いに効果を発揮し、とても凄みのある小説になった。

スケールの大きな社会派医療ミステリーであり、ざわざわするスリラー小説であり、尖ったサスペンス小説であり、超常現象は出てこないけれどホラー小説の恐ろしさも感じさせるエンターテインメント作品だ。

あんまり怖さを強調しすぎて、「じゃあ、私は気が弱いから読むのをやめよう」となる人が出たら困るから、言い添えておかねば。この作品は、なかなか先が見えなくてとにかく面白いんです。

その中心に重い現実——自分は関係がないと言える人がいない問題——が置かれてはいるが、「みんなの意識が変われば、進むべき道が見えてくるかもしれない」という作者の切なる希い(ねが)が込められている。それが〈久坂部羊の処方〉なのだろう。

と、いったん締め括(くく)った後で、久坂部さんにリクエストしたいことがある。『テロリストの処方』が単行本になったのは二〇一七年二月。その後も社会はいたるところで分断され、格差が拡大し、〈上級国民・下級国民〉という言葉が生まれるまでに至っている。医療制度の改革が進む気配はなく、破滅に向けての下降は続いて、安心の砦(とりで)たる皆保険制度の崩壊もさらに現実味を帯びてきている。誰もが「このままではまずい」と承知していながら。

本作が文庫化されて、より多くの読者に届くのは望ましいことだが、さらなる処方を求めたい。「劇薬を使用しなくてはなりませんが……」と言いながら、久坂部さんが次に繰り出してくる恐ろしい小説を待ちたい。

# 謎物語は続く

北村薫（きたむらかおる）『謎物語　あるいは物語の謎』
（創元推理文庫・19年11月29日）

ミステリ界きってのディレッタントで、本格ミステリをこよなく愛する人でもある北村薫が語る興味深いお話の数々。

「ああ、最後のページまで読み切ってしまった。いつまでも語っていて欲しかったのに。もっと続けて！」

――という読者のために、不肖・私が代わりにアンコールを……というのは無理ながら、少しおしゃべりを。

出版社のパーティの席だったか。北村さんが近寄ってきて、「有栖川さん、これこれのことがあって――」といきなり面白いお話をなさる。語り終えて、北村さん曰（いわ）く。

「これって〈本格〉でしょ？　今度、どこかで話しましょう」

デビュー直後からずっと北村さんとは親しいお付き合いをしていて、対談やトークイベントのお相手を務める機会もよくある。そういう場を指しての「どこか」なのだが、当面は何の予定もないのに、いつ到来するかも判らない「今度」を念頭に置いているのが可笑しかった。

北村さんがエッセイにして発表する方が早そうなのに「話しましょう」というのは、「皆さんの前で話すのが楽しいじゃない。その時がきたら、いいリアクションしてよ」ということなのだろう。漫才の相方にしていただいたようで、正直なところうれしい。

そんな北村さんから、ひょっこり電子メールが届くこともある。たとえば、「ピーターは今年決意をしてマスコミ向けに」という件名で、何の前置きもなく――

〈「これからはピーターのぬいぐるみを脱ぎ池畑慎之介として活動していきたいと思います」とファックスしたら、ある人から

ぬいぐるみは脱げない。きぐるみだろう。

と返され「ちっ」と思ったそうです。おもわず見逃しそうなミス。本格だなぁ。〉

世代的に意味が判りにくい読者もおいでだろうから補足すると、歌手で俳優の池畑慎之介さんが芸名をピーターから改めた時のエピソードである。

ゆるキャラやアトラクションのキャラクターとしてアクターが被るものは〈きぐるみ〉と呼ばれるが、ゴジラなど特撮ものでアクターが被るものは〈ぬいぐるみ〉でいいらしいですよ、と返しながら、私はこっそり思った。……北村さん、さすがにそれは〈本格〉ではないでしょう。

およそミステリと見なされていない小説作品を指して、「本格だなぁ」と感心してみ

せるのは、北村さんだけでなく本格ファンが取りがちな態度である。私だって、時にやります。

ＳＦファンもやる。ロックファンも他ジャンルの音楽を聴いて「これはロックだ」とやっている。ロック魂に触れる小説や漫画を読んでも言うし、「ある地方では除夜の鐘を聞きながら御せち料理を食べる」と聞いても「ロックだ」と唸ったりできる（この場合の共通点は常識に囚われない思い切りのよさか）。そして、別の誰かが「なるほど、そうだね」とか「いや、それは違うだろう」とか言って、議論が生まれたりする。

私が知る範囲で、北村さんほど「これも本格でしょう」を口にする人はいない。半ば冗談のこともあるにせよ、こうした行為は自分が本格ミステリをどう捉えているか、本格の何に反応して楽しんでいるかの表明であり、批評だ。批評だから創作でもある。北村さんの隠れた創作に触れる機会があることは、私にとって幸運と言うしかない。

さて、本書『謎物語　あるいは物語の謎』について。

本格ミステリを中心とする小説作品を発表するだけではなく、北村さんはアンソロジーの編纂など多方面で活動なさっている。ミステリマニアであると同時に文芸の広い領域にわたって造詣が深いことから、『ミステリは万華鏡』『詩歌の待ち伏せ（上・下、続）』『北村薫の創作表現講義　あなたを読む、わたしを書く』『北村薫のうた合わせ百人一首』など評論・エッセイ・読書ガイドの著作も多い。

本書は、そんな著者が作家デビュー八年目にして初めて世に送り出した珠玉のエッセイ集にして私の愛読書である。「初めて」のせいもあってか、北村薫という創作者の積年の想いが迸り、読む・書くに対する嗜好から思想までがぎっしりと詰まっている。内容は非常に深いのに語り口がしなやかにして軽妙洒脱なおかげで、するすると頭に染み入るのだから愉快至極。どなたにも薦められる一冊であるとともに、北村薫ファンは言うまでもなく、本格ミステリファンも必読・必携の書だろう。

北村さんは、自分にとってミステリとはいかなるものであるかを、冒頭近くでひとまず定義する。「雲をつかむような謎が論理的（であるかのよう）に解かれて行くのがミステリなのだ」と。何となく判るが、これですべてが言い尽くせるはずもなく、様々な例を挙げながら、その魅力がどういうものなのかの分析が続く。

先の定義の「論理的（であるかのよう）に」について。北村さんも私もエラリー・クイーンの熱烈なファンで、クイーンといえば精緻なロジックが最大の売り物なのだが、はたして名探偵エラリーが操るロジックが完璧なものであるかどうかは怪しい、と私は思っていて、北村さんにも同意していただけるはずだ。本書の二十三年後に上梓された『本と幸せ』に収録されたエッセイ「唯一無二のエラリー・クイーン」の中で、クイーンを「頭の働きがひとつの美しい、揺るがぬ結論を示す《かのよう》なときめきを感じさせてくれた作家」と評しておられる。

本格ミステリは、論理的であるかのように見えたら充分なのだ。無論、論理が完璧であってもよいが、それだと論理パズルになってしまいかねない。ああいうパズル、お好きですか？　長旅の車中で挑むのはいいかもしれないが、心身が疲れている時はつらいし、時間を持て余していても次から次へと解く気にはなれそうにない。本格ファンにアンケートを取っても、「好き」が有意に多くはならないだろう。

　本格ファンが好きなのは、あくまでも「論理的（であるかのよう）」な謎解きで、（であるかのよう）の部分を担うのが詐術をそれと思わせない技巧的な語りであり、謎・推理・真相を包み込む物語なのではないか。北村さんの定義の中で、最も重要なのは（であるかのよう）なのだ。

　きれいに解ける謎＝論理パズルと、必ずしも論理的にふるまわない人間が演じる物語とは在り様が相反するように思えるが、本書で北村さんは「小説という形式は、実に懐が深い。推理問題ぐらいは簡単に呑み込める」と言い切る。現に本格ミステリがやってみせているではないか、と訴えるのだ。

　この見解にたちまち賛同できる人ばかりではないだろう。密室トリックを発案した人間がそれを試してみたくなって実行したとか、そんな与太が小説になるものか、という反論も出そうだ。正否は別にして、それでも小説になる、と言う北村さんの方が小説の力をより強く信じていることだけは確かである。謎物語＝本格ミステリへの愛は、小説が持つ可能性・豊かさへの信奉を土台にしているのだから。

　本書は本格ミステリ作家を志望する人に向けた指南書ではないが、そのように読むことも可能で、小説という形式によって謎解きを生かせ、という教えが丁寧に説かれている。あの横溝正史が「トリックというものはみんなくだらんものなんだ」と語っていたことに驚いた方がいるかもしれない。問題は「それがどういうふうに付随するか」、つまりは、本来「くだらんもの」を物語に変身させられるかどうか。

そう理解したからといって容易にできることではないのを、北村さんは重々承知している。だからこそ、巻末の〈読者に——〉で宮部みゆきさんが引用している檄を書かずにはいられなかったのだ。いかに困難で、読者の失望を買うリスクが高かろうとも——

「しかし友よ、それは冒す値打ちのある冒険なのだ」

本格ミステリ作家になりたいなどとは露ほども考えていない読者にとっては、本書は本格をどう読めば楽しめるか、という勘所を示してくれる一冊だ。創作者の口から発せられると自己弁護の色を帯びてくるから危ないのだけれど、創作物にはそれぞれ鑑賞の仕方（リテラシー）があり、知っていなかったら楽しみが減じたり消えたりしてしまう。

今さらそんなことは教えてもらわずとも知っている、という読者の心にも本書は響く。私たちが本格ミステリに惹かれるわけが、鮮やかに言語化されているからだ。数式をもって証明できないことは、このように言葉で表現するしかない。

さらに北村さんの筆は遠くに伸びていき、〈謎〉から始めて〈謎物語〉へと進んだ思索は、〈物語〉という広大な領域に達する。謎＝問題を簡単に呑み込んでしまう小説という形式の深い懐へと潜り込んでいくのだ。ここに稀代の読み手としての北村薫の真骨頂がある。マジシャンが華麗にカードを撒くように繰り出される作家、作品の多彩なこと言ったらない。

それを私が下手に要約し、ありきたりのコメントを付す必要を覚えないから、やらない。

本書は細部もとても面白くて、随所でにやりとしてしまう。

まず、冒頭から北村薫の（かっての）お父さんぶりが垣間見られるのを始め、〈日常の謎〉ミステリの第一人者である北村さんの日常が、何でもないことから知的生活までちらりちらりと覗く。私生活を披露したくて書いているわけでもないのに、ふだんから謎物語的生活を送っているがために、覗いてしまうんですねぇ。

そんなことを指摘するな、と北村さんがおっしゃりそうだから別のポイントを。

平成の本格を語る上で、〈日常の謎〉について避けては通れない。犯罪に関係のない日常風景の中の謎を扱ったミステリは従来から散見したが、『空飛ぶ馬』に始まる〈円紫さんと私シリーズ〉などでそれを一つのジャンルにまで発展させたのが北村さんだ。〈日常の謎〉——それは、密室殺人やアリバイ工作という定型の謎とは異なり、謎自体のオリジナリティが問われるスタイルで、作中で人が死なない。

新本格の隆盛期に出された『本格ミステリー宣言』の中で、島田荘司は定型の謎に依存した作品を〈器の本格〉と呼び、これからの本格には独創的な謎の創出が必要だと唱え、『奇想、天を動かす』などで実践した。島田さんがイメージした斬新にして幻想的な謎とは違う形で謎のオリジナリティを打ち出したのが〈日常の謎〉だったのでは、と私は考えているのだが——それはさて措き。

〈日常の謎〉について、当の北村さんは「昨今では、人の死なないミステリ、特に日常性の中の謎、などといったタイプの作品に出会うと、もうそれだけでうんざりする――ことが多い」と本書で書いている。なかなか衝撃的だ。そういう作品よりも、さんざん読んできた定型である「《密室》の方が《あきない》のである」とも。まったくもって、ご本人が言うとおり「ことは、実は単純ではない」。

他ならぬ〈日常の謎〉マスター自身の分析であるだけに、どうして定型は《あきない》のかに関する考察はとても興味深い。そして、それが島田荘司の提言の否定になっておらず、ことは、実は単純ではないなぁ、と思わずにいられない。このあたりも本書の大きな読みどころの一つである。

『スキップ』という著作もある北村さんは、まさにスキップを踏むように謎物語について縦横無尽に語っているし、紙幅は限られているから、「そこをもう少しくわしく」と請いたくなる箇所もある。

たとえば、トリックに偶然の要素が介在すると「犯人が巧んだものではなかった、というのでは、ミステリとして物足りない」とあるけれど――物足りませんか？　そこのところ、もう少しくわしく聞かせてください、とお願いしたくなる。どういうことだろう、と考えることで本書との対話が始まり、果てもなく続く。

そんな引っ掛かりを随所で心地よく与えてくれることも、私が本書を愛読している所以である。

# 〈初出〉

「お人好(ひとよ)し探偵に乾杯」『ツール&ストール』大倉崇裕（双葉社　02年8月10日）

「こういう本格が好きなんだ」
『踊り子の死』ジル・マゴーン　高橋なお子訳（創元推理文庫　02年9月27日）

「火のないところでパズルを燃やせ」
『試験に出ないパズル　千葉千波の事件日記』高田崇史（講談社ノベルス　02年11月5日）

「眩暈(めまい)と地獄」『暗色コメディ』連城三紀彦（文春文庫　03年6月10日）

「小説への頌歌(しょうか)」『八月の博物館』瀬名秀明（角川文庫　03年6月25日）

「夢想の哲学」『原罪の庭　建築探偵桜井京介の事件簿』篠田真由美（講談社文庫　03年10月15日）

「華麗なる名作」
『オリエント急行の殺人』アガサ・クリスティー　中村能三訳（ハヤカワ文庫　03年10月15日）

「極上のプレグナント・ミステリ」
『バルーン・タウンの殺人』松尾由美（創元推理文庫　03年12月26日）

「〈はかり知れないもの〉への供物」『囲碁殺人事件』竹本健治（創元推理文庫　04年2月27日）

「華麗にして強靭(きょうじん)」『時の密室』芦辺拓（講談社文庫　05年3月15日）

「ユーモア本格ミステリのエース」『密室の鍵貸します』東川篤哉（光文社文庫　06年2月20日）

「妖しい謎物語」『リドル・ロマンス　迷宮浪漫』西澤保彦（集英社文庫　06年4月25日）
「名探偵とハンディキャップ」『仔羊の巣』坂木司（創元推理文庫　06年6月26日）
「仰ぎみる高峰」
『高木彬光コレクション／長編推理小説　黒白の囮　新装版』高木彬光（光文社文庫　06年8月20日）
「ヒロシマ以後とミステリ」『新世界』柳広司（角川文庫　06年10月25日）
「無垢の力、夢の形」
『殺意は青列車が乗せて　天才・龍之介がゆく！　本格痛快ミステリー』柄刀一
（祥伝社文庫　07年2月20日）
「〈ゲシュタルトの欠片〉の射手」
『「クロック城」殺人事件』北山猛邦（講談社文庫　07年10月16日）
「水車は今も回り続ける」『水車館の殺人』新装改訂版　綾辻行人（講談社文庫　08年4月15日）
「出しそびれたファンレター」
『笹沢左保コレクション　招かれざる客　新装版』笹沢左保（光文社文庫　08年9月20日）
「鉄道探偵の冒険」
『「坊っちゃん」はなぜ市電の技術者になったか』小池滋（新潮文庫　08年10月1日）
「これぞ不朽の名作」『Xの悲劇』エラリー・クイーン　越前敏弥訳（角川文庫　09年1月25日）
「私と清張　永遠の仮想敵」
『松本清張短編全集06　青春の彷徨』松本清張（光文社文庫　09年2月20日）

「それは「旅」に連載された」
『点と線　長篇ミステリー傑作選』松本清張（文春文庫　09年4月10日）

「ミステリのための練習曲(エテユード)」『玄武塔事件』太田忠司（創元推理文庫　09年12月25日）

「歴史ミステリの快傑作」『漂流巌流島』高井忍（創元推理文庫　10年8月13日）

「本格短編のショーケース」
『法廷ジャックの心理学　本格短編ベスト・セレクション』本格ミステリ作家クラブ・編
（講談社文庫　11年1月14日）

「今、ここにある悪夢」『プラ・バロック』結城充考（光文社文庫　11年3月20日）

「エラリー・クイーン登場」
『ローマ帽子の謎』エラリー・クイーン　中村有希訳（創元推理文庫　11年8月31日）

「爆笑の落語ミステリ」『幕末時そば伝』鯨統一郎（実業之日本社文庫　11年12月15日）

「タイムマシンなんかいらない」『まいなす』太田忠司（ＰＨＰ文芸文庫　12年10月2日）

「天晴(あっぱ)れ、エンターテインメント鍋(なべ)」『鍋奉行犯科帳』田中啓文（集英社文庫　12年12月20日）

「謎を解く夢想のジッパー」
『本格探偵小説　群衆リドル　Yの悲劇'93』古野まほろ（光文社文庫　13年8月20日）

「書いていただき光栄です」
『開かせていただき光栄です―DILATED TO MEET YOU―』皆川博子
（ハヤカワ文庫ＪＡ　13年9月15日）

「少女は青春に閉ざされる」『少女は夏に閉ざされる』彩坂美月（幻冬舎文庫　13年10月10日）

「樽よ、永遠なれ」『樽』F・W・クロフツ　霜島義明訳（創元推理文庫　13年11月22日）

「奥泉光のスタイリッシュなユーモアミステリ」

『黄色い水着の謎　桑潟幸一准教授のスタイリッシュな生活2』奥泉光（文春文庫　15年4月10日）

「青春と鉄道旅と謎と」

『鉄道旅ミステリ1　夢より短い旅の果て』柴田よしき（角川文庫　15年9月25日）

「クリスティーの囁き」『致死量未満の殺人』三沢陽一（ハヤカワ文庫JA　15年9月25日）

「巨きな船が出る」『闇に香る嘘』下村敦史（講談社文庫　16年8月10日）

「ショートショートの新たな時代へ」

ショートショート・セレクションII『無用の店』江坂遊（光文社文庫　16年9月20日）

「ユニークすぎる鉄道ミステリ漫画の傑作」

『月館の殺人 下』佐々木倫子　綾辻行人（小学館文庫　17年1月18日）

「乱歩と非東京」

『明智小五郎事件簿X「少年探偵団」「黒蜥蜴」』江戸川乱歩（集英社文庫　17年2月25日）

「最上質のホームズ・パスティーシュ」

『ホームズ連盟の事件簿』北原尚彦（祥伝社文庫　17年3月20日）

「続編にして集大成にして新境地」

『ドクター・スリープ 下』スティーヴン・キング　白石朗訳（文春文庫　18年1月10日）

「期待に応え、予想を裏切る」
『モリアーティ』アンソニー・ホロヴィッツ　駒月雅子訳（角川文庫　18年4月25日）

「色褪せない面白さとメッセージ」
『「会社を休みましょう」殺人事件』吉村達也（集英社文庫　18年10月25日）

「論理仕掛けの奇談」『毒薬の輪舞』泡坂妻夫（河出文庫　19年4月20日）

「怪物的な傑作」『屍人荘の殺人』今村昌弘（創元推理文庫　19年9月13日）★

「久坂部羊の恐ろしい処方」『テロリストの処方』久坂部羊（集英社文庫　19年10月25日）★

「謎物語は続く」『謎物語　あるいは物語の謎』北村薫（創元推理文庫　19年11月29日）★

※★の解説は文庫化にあたり収録しました。

# あとがきに代えて

「さんざん語りまくった後、まだ何か言い残したことがあるのか？」と言われそうだが、もう少しお付き合いください。

すべての文章を初出のままに、というわけにはいかず、校閲作業で見つかった（発見していただいた、と言うべき！）ミスは訂正・削除し、文章の拙い箇所にも最小限の修正を加えた。

現役作家としてご紹介した著者の中に、その後に鬼籍に入られた方がお二人いらっしゃる。

「こういう本格が好きなんだ」と私に快哉を叫ばせてくれたジル・マゴーンさんは、二〇〇七年に他界。面識のない海外作家を〈さん付け〉するのは面映ゆい気もするが、『踊り子の死』の解説を書くにあたり、いくつか確かめたいことがあったため、私は三度ほどマゴーンさんと電子メールでやりとりをしている。それだけに訃報に接した時のショックは大きかった。享年五十九は早すぎて、あまりに惜しい。未訳の作品がまだまだあるので、それらの邦訳を待ち望んでいる。

連城三紀彦さんの逝去は、多くのミステリファンに衝撃を与えた。二〇一三年に亡くなった後もその作品の評価はますます高く、未刊だった作品が次々に出版されている。享年六十五は、やはり早い。連城さんとは同じ場に居合わせる機会もついになかった。

現役作家としてご活躍中の皆さんは、新刊を世に送り続けているので、当然ながら私が書いた文章の内容が古くなっていくのはやむを得ない。中でも「これは特に古くなったな」と微苦笑したのは、東川篤哉さんのデビュー作に寄せた一文。東川さんが〈ユーモア本格ミステリのエース〉だなんて、当たり前すぎて今だったら標題にしない。あえて当時の著作リストをそのまま残したが、わずかこれだけだった。『謎解きはディナーのあとで』シリーズが大ベストセラーとなり、押しも押されもせぬ人気作家になったのは、この四年後である。

綾辻行人さんとの親交について書いた箇所で出てくる朝日放送（現・朝日放送テレビ）制作の懸賞金つき犯人あてドラマ〈安楽椅子探偵シリーズ〉は、二〇一七年一月に放送された第八弾『安楽椅子探偵ON STAGE』をもって終了した。「諸般の事情を鑑みると、これが最後になるかもしれない」と思いながらも、最終回であることを番組内で表明していなかったので、視聴者の皆さんへお別れのご挨拶ができなかったことが心残りだ。テレビを通して大勢の方と推理ゲームで遊べたことを綾辻さんも私も幸せに思っている。

本格ミステリ作家として最大級の敬意を払ってきたエラリー・クイーンの文庫解説を

書けたのは光栄としか言いようがない。しかも、ドルリー・レーンが探偵役を務める〈悲劇の四部作〉の第一作『Xの悲劇』と青年探偵エラリー・クイーンがお目見えしたデビュー作『ローマ帽子の謎』について書けるとは。いずれもシリーズの開幕を告げる作品なので、作品が書かれた経緯やシリーズ全体の流れなど基礎的な情報に紙幅を割かなくてはならず、ちょっともどかしかったが。『Xの悲劇』について書いた文中で披露した考え（ハードな本格ミステリの要件＝計画殺人）は今も変わっていない。もちろん、絶対に、常に、そうでなければならないというわけではないにせよ、やはり計画殺人こそ〈本格の華〉だろう。

ただ、犯行が計画的なものであったとするほど真相が不自然になりがちで、作者は苦戦を覚悟しなくてはならない。悩ましいところだな、と思いながらクロフツの『樽』を読めば、「こういう謎の作り方もあるのか」と驚く。『樽』の犯人は複雑なトリックを発案したわけでもなく、犯人として事態に自然に対処したにすぎないのに、警察の地道な捜査によって表に出た事実が複雑なトリックが存在するかのように読者（と捜査陣）を幻惑するのだから、『樽』は本当に嚙めば嚙むほどいい味が出る。

『点と線』の〈空白の四分間〉については、これを書いた後も「四分間では短すぎる」（『江神二郎の洞察』所収）という短編でもネタにし、「オール讀物」誌上で北村薫さんとさんざん疑義を呈して、その対談「『点と線』にはご用心！」は、みうらじゅんさん監修の『みうらじゅんの松本清張ファンブック　清張地獄八景』に収録された。ここまでアピールしたら、さすがにもう充分だが——「あの四分間のアリバイが素晴らしい」という声をどこかで耳にしたら、むくっと身を起こすかもしれない。

ご紹介した本にはシリーズものも多く、何冊も続刊が出ているものもあれば、『開かせていただき光栄です』のように続編（『アルモニカ・ディアボリカ』）が書かれたものもある。「秋、冬の物語」が予告されていた奥泉光さんのクワコー・シリーズは、『ゆるキャラの恐怖　桑潟幸一准教授のスタイリッシュな生活3』が出た。残すは冬の物語。

本書のタイトルは、書名としての座りのよさを考えて、巻末の『論理仕掛けの奇談』から取っている。ご紹介した本は本格ミステリばかりではないが、本格ミステリに心を奪われた筆者の視点が必ずどこかに焦点を結んでいるので、おかしなタイトルではないだろう。ちょっとカッコつけすぎという気もするけれど。

前口上で述べたとおり、この本を手に取ってくださった方とプライベートな読書会ができるのではないか、という想いがあったので、『あなたとミステリ読書会』というお気楽なタイトルも頭をよぎった。本書にはそんな副題がついていると思ってください。

筆を擱く前に、私を存分に楽しませてくれたすべての著者と、初出時にお世話になった編集者の皆さんに感謝を捧げます。

装幀は須田杏菜さん、装画はｊｕｎａｉｄａさんに手掛けていただきました。著者は果報者です。

作家デビュー三十周年を迎えた年の締め括(くく)りに、このような本が出せたことを喜んでいます。担当の小林亜矢(こばやしあや)さんが面倒な編集で骨を折ってくださったおかげです。多謝。

そして、お読みいただいた皆様に――ありがとうございます。

二〇一九年十月六日

有栖川有栖

# 解説は、読書エッセイ　有栖川有栖×杉江松恋対談

本文から読むか、解説から読むか——文庫を手にする楽しみのひとつに、解説がある。解説を書くときは、どのように作品を選び、どんなことを大切にして書くのだろうか。そんな舞台裏を、有栖川さんと、たくさんのミステリー作品に解説を寄せている書評家の杉江松恋さんに語っていただいた。

**杉江松恋**（以下、杉江）『論理仕掛けの奇談』の文庫化おめでとうございます。『迷宮逍遥』に続く二冊目の解説集ですが、有栖川さんご自身は「前口上」で「対象とした作品を私がどのように読み、楽しんだかを綴ったエッセイ」という表現をしておられますね。どの文章も、その有栖川さんの観点が興味深かったです。特に感心した文章の一つが、坂木司『仔羊の巣』についてのものです。有栖川さんは、この小説の主人公が共感できない人物だということを正直に明かしている。え、と思うんだけど、その共感ができないということが小説にとって不可欠な要素なんだという論旨になる。アクロバティックで、非常に納得するものがありました。

**有栖川有栖**（以下、有栖川）ありがとうございます。でも問題解説ですよね、それは

（笑）。

杉江　こういう着想がどの時点で存在するかに私は興味がありますね。最初からあるのか、それとも書いているうちに浮かんでくるものなのか。

有栖川　はっきりしないんですけどね。解説を引き受けて書きだしてから、自分はこういうことを思っていたのか、と気付くこともあります。傍（はた）から見ていると、なるほど、そういうことが言いたくて解説を引き受けたのか、と思われるかもしれませんけど毎回そうではない。依頼があって、適任かどうかわからないけど、自分が書いてもいい気がする、くらいのあやふやさでお引き受けすることもありますよ。なんかニコニコしながら着地している自分の姿が浮かぶときと、どこかで何かおもしろいことは言えるかも、ぐらいの見込みのときと、両方です。

杉江　解説は、自分から名乗りを上げて書くものではないですからね。では、構想がまとまってから書き始められているわけでもないんですか。

有栖川　それぞれ違うんですよ。登り始めてみたら明らかに裏道で「こんなところからこの本について語り出す人はいないだろうな」と思うときがあれば、「この本はこういう評価を受けてきて私も賛成なんですけど、ちょっと違う意見もあったりして」と割と正面から行く場合もあります。

杉江　最初の構想が途中で使えなくて放棄されたことはありますか。

有栖川　書きながら変えることはよくありますよ。ぼんやりと思っていた線が予想以上に強くて、周りを固めていくようなときとか。たとえばクロフツの『樽』と鮎川哲也の『黒いトランク』には非常に似た謎がある。二つを並べて語るのは想定内ですよね。でも実際に取りかかってみたら、なんでこんなに綺麗な対称形を描くんだろうか、と書きながら興奮してきたんです。本当に奇跡的な組み合わせでした。解説から汲み取れた人は少ないでしょうけど、あれは第三の作品に出てきてもらいたいという呼びかけでもあるんですよね。樽、トランクに続く、容器に入って動くものが出てきたら、どんなに素敵だろうって。

**杉江**　なるほど。最初の直観を書きながら確認していかれることがあるんですね。

**有栖川**　うん、そうですよ。評論家ではないので確固とした方法論はなくて、自分に引っかかるものがあるかどうかなんです。うまい紹介、的確な解説を示すというよりも読者に「どうですか。私、ちょっと引っかかるような物言いをするでしょう」と。そこを面白がってもらえれば嬉しいし、いや、うまく書けてないんじゃないの、と思う人がいたら、そこはあなたの言葉にしてみてくださいと。そういう形で失礼することが多いですね。

**杉江**　立場は読書会の幹事ですよね。本について考える上のとっかかりを示すという。

**有栖川**　解説者だったら、はっきり読書会のリーダーじゃないですか。今日は●●さんのご意見を伺いましょう、という。そうではなくて、「作品のここがいいと言っているけど同感だな」とか「いやちょっと違う」とか。本を閉じる前にそんなことを思ってもらうのが役割ですね。

**杉江**　『論理仕掛けの奇談』が主として扱うのは謎解きを中心とした推理小説、いわゆる「本格ミステリー」です。伝統的なフォーマットの定まったジャンルには二つ考え方があって、新しいものを作らないと衰退してしまうという意見と様式が定まっていてもその中で実験をしていけばジャンルは賦活されるという意見がある。ある程度の歴史があるジャンルでは、必ず起きる議論ですね。私が関心を持っている落語や浪曲などの大衆芸能もそうです。そういう観点からこの本を読むと、いろいろ発見があっておもしろいです。たとえば、篠田真由美（しのだまゆみ）『原罪の庭』に触れた文章には「館」という場についての興味深い考察がある。読書会なので結論を示すことは目的としていないということはあるでしょうけど、作品の中で何が大事なのかという核は毎回それとなく示されていると思いました。

**有栖川**　実作者は小説を書きながら挑戦や模索を続けていくわけなんですけど、鑑賞する側も何かを創ることはできるんですよね。創作者が新しいことをした、でもやっている側にはあまり自覚がなかった、ということもあると思うんですよ。そういうときに鑑賞する側が指摘することで発見ができる。小説を書いている者としては自分が伝統的な形式をきれいに守りつつ、巧みに裏切るみたいなことができればいいと思っていますけど、読む側に回ってもそういうことは可能でしょう。文庫解説の依頼をいただいたときは、そういうことのためのヒントみたいなものを提供できたらいいな、と思っています。

**杉江**　有栖川さんというとエラリー・クイーンのイメージが強いですが、本書にも二作解説が入っています。創元推理文庫がクイーン名義の『ローマ帽子の謎』、角川文庫がバーナビー・ロス名義の『Xの悲劇』と、共にその名義での最初の作品ですね。

**有栖川**　シリーズ第一作ということもあって、このときは初心者に向けて書く意識が特に強かったですね。生まれて初めて読む海外の推理小説が『Xの悲劇』という人はいると思うんです。たとえば、クイーンがフレデリック・ダネイとマンフレッド・リーの合作だということはオールドファンなら誰でも知っていることです。でも、どんなビギナーが読んでいるかわからない。初めてお店に来た人に「ここはあなたを歓迎するお店なんです。帰らないでね」って言わなくちゃいけないから。

**杉江**　有栖川さんが『ローマ帽子の謎』について書かれた中にとても好きな文章があるんです。「私は推理小説という呼称に最も愛着を感じる」「クイーンのフーダニットこそ、推理小説の名にふさわしい。探偵が推理して、推理して、推理し尽くすのだから。クイーンの書いたタイプのミステリだけを推理小説と呼べば筋が通る、と言いたいほどだ」と。有栖川さんの作家としての基本姿勢みたいなものがここに表れているように思います。

**有栖川**　私もミステリーという言葉は使いますけど「横文字で言うなよ」とも思うんですよ。「せっかく推理小説という確立した訳語があるのに」と。推理なんて言葉、推理小説がなかったら一般の人はあんまり知らないかもしれないですよ。日常的によく使う同音異義語が無いから、紛らわしくもない。しかも中国や台湾でも「推理小説」で通じるじゃないですか。せっかく日本発でそんな言葉ができたのに、捨てるのはもったいないな、と思うんです。ただ、書き手の中には「私の書いているものは警察官のリアルな捜査が眼目で、推理小説だとあまりピンと来ない」という方もいらっしゃるかな。それなら推理小説はイコール本格ミステリーぐらいの感じに捉えなおせばいい、その頂点に立つのがエラリー・クイーンだ。あの人、すごく推理するから、と。

**杉江**　すごく筋が通ってますね（笑）。本書を読んで、有栖川さんはどういう論理の筋道で謎が解かれていくのかという点に着目されるんだな、と改めて感じました。私は推理作家ではないので解説を書く際もそこまで追いきれなくて、手がかりがどういう風に撒かれて、回収・利用されていくのか、ということまでなんですね。有栖川さんの文章は、作家が自分の探偵をどうやって動かして謎を解かせるか、その考えを同業者としてトレースしているように見えて、そこがおもしろかったです。

**有栖川**　私もどこまで的確なことを書けているかはわからないですけど。推理小説には、どこかでやはり意外性を期待しますよね。「犯人が意外」というのが最初の段階ですが、読者はすぐそこを卒業する。「トリックが意外」とかいろいろありますが、やはりいちばん楽しいのは「推理が意外」ということだと思うんです。たとえば「その手がかりはAと解釈するのが普通だけどBと考えないといけない。途中まではAでいいんだけど、ある時点である人物があることを知ったことによって、連鎖的に手がかりの性質が変わるから」というようなことがある。その手がかりによって組み立てられる推理が、そこまで行けるとは思わなかった地点まで到達できたときの意外性というのは、ビギナーの読者にはわかりにくいかもしれないですが、それは推理小説固有の驚きなんです。犯人が意外というような要素は、たとえば時代劇とか他のジャンルでもいくらでもあります。でも、推理を組み立てるというのはこの世界でしかできない楽しいものなんですよ。極端に言えば、犯人は誰でもいい、推理が意外なんだから。そういうことを自作で表現しているんですけど、直接的に言いたいこともある。解説を書いていると、これはいい機会だからと、そういう思いがつい出るんでしょうね。

**杉江**　有栖川さんは実作者なので、解説を書かれながら同業者として作品から読み取れるものもあるんじゃないかと思うんです。

**有栖川**　小説家って、どうやって書いているか実はよくわからないんです。あまりにも個人差が大きくて。似たタイプの五百枚の長編でも、一月で書きました、という人がいれば二年間掛かりきりだったという人もいる。どうしてそんなに時間が違うのかの説明はできない。大工さんが家を建てるのにそんなに工期が違うなんてことはありえませんよね。そこはわからなくて、もしかすると評論を書かれて、外から小説を見ている方のほうが気づきやすいことがあるかもしれません。小説家はもうわからないものと思っているところがあります。他の人がお風呂（ふろ）で何しているのかわからないのと一緒ですよ。どこから洗い始めるか、実はみんな違っているかもしれない。自分でも「これ、どうやって書いたっけ」と思う時はありますよ（笑）。

**杉江**　どの小説だろ。いや、改めて言いますけど、とても楽しい読書ガイドでした。この本はこういう風に読めるんだな、という発見が随所にあるのがいいですよね。

**有栖川**　そう言っていただくのは嬉しいです。評論や書評も、この人の発見だな、ということがはっきりある文章だけではなくて、何か新しい事実があるわけじゃないけど、すごく気になるフレーズが出てきて読むと触発を受けるということもありますよね。この本で私は発見をバシバシしているわけではないですけど、読んで本格ミステリーというものがもっと好きになるというか、より気になる存在になってくれればいいな、と思うんです。

**杉江**　最後にもう一つだけいいですか。有栖川さんがこれまで解説を手がけていない作家で誰か一人書くとしたら、どなたを選ぶかお聞きしてみたいんです。

**有栖川**　ああ、改めて聞かれると難しいですねえ。普段考えたことがないですから。

**杉江**　そこを強いて挙げるなら。

**有栖川**　有栖川有栖。

**杉江**　あ、なるほど。それ、いいですね。

**有栖川**　デビュー作の『月光ゲーム』は、私としては不可解なところがあるんです。もしかすると何を書いたか自分自身がわかっていないんじゃないかと。もちろん小説家が自作を解説するなんて興ざめですから、『月光ゲーム』が他人の作品だったら解説を書いてみたい、という架空の設定です。あの小説は抜かりなく見事に書き上げた作品からは程遠いけど何か引っかかるものがあるんですよ。デビュー作を再読するなんて気恥ずかしくてまいりますが、やってみたら「こ、これは！」とびっくりするかもしれない。

**杉江**　おおっ。

**有栖川**　それとも「なんでここで駄目出ししてくれなかったんですか」と当時の編集者さんを怨(うら)むか、ですね（笑）。

二〇二二年一月五日　大阪にて

文＝杉江松恋

本書は、二〇一九年十一月に小社より刊行された単行本を文庫化したものです。

文庫化にあたり、「怪物的な傑作」「久坂部羊の恐ろしい処方」「謎物語は続く」の解説三本と、杉江松恋氏との対談を新たに収録しました。

# 論理仕掛けの奇談

## 有栖川有栖解説集

有栖川有栖

令和4年 3月25日　初版発行

発行者●堀内大示

発行●株式会社KADOKAWA
〒102-8177　東京都千代田区富士見2-13-3
電話　0570-002-301（ナビダイヤル）

角川文庫 23098

印刷所●株式会社暁印刷
製本所●本間製本株式会社

表紙画●和田三造





●お問い合わせ
https://www.kadokawa.co.jp/（「お問い合わせ」へお進みください）
※内容によっては、お答えできない場合があります。
※サポートは日本国内のみとさせていただきます。
※Japanese text only





ISBN 978-4-04-112174-0　C0195


◇◇◇

# 角川文庫発刊に際して

角川源義

第二次世界大戦の敗北は、軍事力の敗北であった以上に、私たちの若い文化力の敗退であった。私たちの文化が戦争に対して如何に無力であり、単なるあだ花に過ぎなかったかを、私たちは身を以て体験し痛感した。西洋近代文化の摂取にとって、明治以後八十年の歳月は決して短かすぎたとは言えない。にもかかわらず、近代文化の伝統を確立し、自由な批判と柔軟な良識に富む文化層として自らを形成することに私たちは失敗して来た。そしてこれは、各層への文化の普及滲透を任務とする出版人の責任でもあった。

一九四五年以来、私たちは再び振出しに戻り、第一歩から踏み出すことを余儀なくされた。これは大きな不幸ではあるが、反面、これまでの混沌・未熟・歪曲の中にあった我が国の文化に秩序と確たる基礎を齎らすためには絶好の機会でもある。角川書店は、このような祖国の文化的危機にあたり、微力をも顧みず再建の礎石たるべき抱負と決意とをもって出発したが、ここに創立以来の念願を果すべく角川文庫を発刊する。これまで刊行されたあらゆる全集叢書文庫類の長所と短所とを検討し、古今東西の不朽の典籍を、良心的編集のもとに、廉価に、そして書架にふさわしい美本として、多くのひとびとに提供しようとする。しかし私たちは徒らに百科全書的な知識のジレッタントを作ることを目的とせず、あくまで祖国の文化に秩序と再建への道を示し、この文庫を角川書店の栄ある事業として、今後永久に継続発展せしめ、学芸と教養との殿堂として大成せんことを期したい。多くの読書子の愛情ある忠言と支持とによって、この希望と抱負とを完遂せしめられんことを願う。

一九四九年五月三日

## 角川文庫ベストセラー

### 狩人の悪夢　有栖川有栖

ミステリ作家の有栖川有栖は、今をときめくホラー作家、白布施と対談することに。「眠ると必ず悪夢を見る」という部屋のある、白布施の家に行くことになったアリスだが、殺人事件に巻き込まれてしまい……。

### 濱地健三郎の霊なる事件簿　有栖川有栖

心霊探偵・濱地健三郎には鋭い推理力と幽霊を視る能力がある。事件の被疑者が同じ時刻に違う場所にいた謎、ホラー作家のもとを訪れる幽霊の謎、突然態度が豹変した恋人の謎……ミステリと怪異の驚異の融合！

### 霧越邸殺人事件〈完全改訂版〉(上)(下)　綾辻行人

信州の山中に建つ謎の洋館「霧越邸」。訪れた劇団「暗色天幕」の一行を迎える怪しい住人たち。邸内で発生する不可思議な現象の数々…。閉ざされた〝吹雪の山荘〟でやがて、美しき連続殺人劇の幕が上がる！

### 覆面作家は二人いる　新装版　北村　薫

19歳でデビューした覆面作家の正体は、大富豪のご令嬢・新妻千秋。だが、担当となった若手編集者・岡部良介は、ある事件の話をしたことから、お嬢様の意外すぎる顔を知ることに。名手による傑作ミステリ！

### 黒医　久坂部　羊

「心の病気で働かないヤツは屑」と言われる社会。「高齢者優遇法」が施行され、死に物狂いで働く若者たち。こんな未来は厭ですか——？　救いなき医療と社会の未来をブラックユーモアたっぷりに描く短篇集。